The China Questions

Critical Insights into a Rising Power

ハーバード大学フェアバンク中国研究センタ
ジェニファー・ルドルフ
マイケル・ソーニ 編

朝倉和子 訳

中国の何が問題か？

ハーバードの眼でみると

藤原書店

THE CHINA QUESTIONS
Critical Insights into a Rising Power

edited by Jennifer Rudolph and Michael Szonyi

Japanese translation published by arrangement with Harvard University Press
through The English Agency (Japan) Ltd.

日本語版への序文

ハーバード大学
フェアバンク中国研究センター所長　マイケル・ソーニ

本書には世界トップレベルの中国専門家による三十六篇のエッセイを収めたが、これは当初、二〇一六年のハーバード大学フェアバンク中国研究センター創立六十周年を記念して企画された。当センターは、世界の中国研究をリードする分野横断的学術機関の一つであり、中国に関する公共の言論に貢献することを、常にその責務の一つと考えてきた。

共同編者のジェニファー・ルドルフ教授と私、そして当センターの前所長だったマーク・エリオット教授はこの企画を、フェアバンク・センターの学術研究を読者と幅広く共有するための新しい手段と捉えた。つまり中国専門家ではないアメリカの読者が知りたいと思うことは何かを各執筆者に考えてもらい、その答を短いエッセイにまとめてもらおうとしたのである。執筆者は全員がハーバードの教授陣か、フェアバンク・センターと密に関わる学者だが、彼ら専門家が生涯を捧げる学術研究をアクセス可能なフォーマットに煮詰めてもらいたかった。大げさでなく、この本には数百年分、いや、数千年分の知恵がこめられている。現在この本は大学の授業で広く使われ、韓国語訳と中国語訳も出た。まもなく日本語版が出ることを私たちはたいへん名誉に思っており、この本が日本の読者の役に立ってくれるよう願っている。

いま後知恵だからこそ分かるのは、この本の出版が、世界で最も重要な二国間関係である米中関係が悪化に向かい始めた時期と重なったということだ。この状態は今回の米大統領選に影響されるかもしれないが、それが根本的に覆ることはあるまい。アメリカは米中間の問題全域にわたってより厳しい対中政策をとる必要があること、また包括的・建設的関与という長期政策は断念こそしないにせよ、調整されねばならないことは超党派的な合意点であり、それはバイデンも共有している。これから発足するバイデン政権は、中国に対してよりきめ細かく、細心な戦略をとり、何であれ中国に出費を課せばアメリカを利することになるといった狭い見方を排除し、たとえ競争の枠組みが広がっても、協力するにふさわしい分野をその中で模索するようにしてもらいたい。

もしもこの戦略に国内的同意が得られるならば、アメリカ人一般が中国を理解しようとすることはなおさら大切である。本書の序で私は、両国間には貿易赤字に匹敵するほどの「理解の赤字」があると書いた。私の経験からして、このことはアメリカだけではなく、ほかの国々にも当てはまる。残念ながら、中国国内で最近行なわれている国際メディアの活動制限、そして情報流通への統制強化によって、この赤字は縮まるどころか拡大しているようだ。中国問題は今回の米大統領選で大きなテーマではなかったが、選挙運動中の中国をめぐる言説で明らかになったのは、中国についてかなりの誤情報があるということだった。だからこそ、本書の執筆者が書くような慎重でディープな研究から導かれる観点は、重要な役割を果たす。

私たちが本書にとりかかったのは、ちょうど四年前のことだった。それから一年後の二〇一七年末に英語原書が出た。そのあと中国、アメリカ、世界に起きた変化によって、この本はまさに歴史的意味を獲得したのかもしれない。つまり米中関係が大きく転換する時点でアメリカの中国専門家が中国についてどう考えていたかを捉えたスクリーンショットと言えよう。しかし、ここに示された執筆者たちの観点は現実的な意味を失っていないし、中国とその国際的役割への理解にとって重要でありつづけていると思う。

本書で執筆者たちが捉えた大きな動向は変わらない。国内的、国際的変化にもかかわらず、ここで議論されている多くの分野で、物事は「さして変わらない」。

いくつか例を挙げよう。政治的後継のプロセスがはっきりしないことが中国内政の不確かさの原因でありつづけており、現在習近平が占めている主席の座の任期制限が二〇一八年に撤廃されて、その不確かさは加速している。残念なことに、私たちの友人であり、同僚であるロッド・マクファーカーは原書が出てから逝去されたが、彼は本書の「毛沢東はまだ意味があるのか?」というエッセイ〔Q.3〕で、中国は「未来に向かって後退している(バック・トゥ・ザ・フューチャー)」と述べた。その後の経過を見ると、習近平の個人的権力は強まり、イデオロギー重視が進み、党の役割が拡大しつづけており、マクファーカーの指摘する動きはつづいている。

いくつかのエッセイで、中国社会内部および社会・国家間の緊張と分断が指摘されている。本書が出版されてから、この問題が解決された形跡はない。多様化し、教育程度の向上した人々と、国家の押しつける規制とのあいだに高まる緊張も持続している。また、民族的緊張や女性の権利の要求は強まり、過去四年のあいだに新しい形をとるようになった。

Covid-19パンデミックの衝撃は、本書が出たときには長期的にも短期的にも予想だにしなかったことで、最近の展開に鑑みて対策を書き直したい執筆者もおられよう。エリザベス・ペリーが書いた正統性の問題〔Q.1〕については、欧米が疫病と格闘するのを尻目に中国がかくも効果的にウイルスを封じ込めた手際を見たあとは、いささか見解を変えねばなるまい(ただし、台湾とニュージーランドの成功はことに、政治体制と災害管理をあまり関連づけてはいけないと警告している)。二つのエッセイ〔Q.14・15〕が、中国の経済成長率は長期的に低下するだろうと述べているが、中国はパンデミック緩和に成功して、アメリカや日本その他の経済先進国が停滞しつづけているのに対し、中国経済はみごとに活性化した。こうした経済先進諸国のほとんどは、自分たちの経済成長率見通しが中国のそれに比べてずっと低いことに気づいて愕然とするはずだ。ウィリアム・カービーはアメリカに流入する厖大な数の中国人留学生について述べた〔Q.27〕が、この流れはパンデミックによって完全に止まった。疫病の終息によって、これが近年の高い数値にまで回復するか、あるいは米中関係のさらなる悪化が長期の影響をもたらすかは、時がたたないとわからない。

本書の原書が出たとき、エッセイの主題の選択についていくつか批判があった。評者が重大と考えるテーマについて言及が少なすぎるとの指摘だ。もちろん批判はそのとおりだが、些か公平を欠く点もある。テーマの選択は執筆者によるものであり、言うなれば、どの中国専門家がハーバードに配属されたかによるからだ。つまり、それはずっと以前になされた決定によるものである。二〇二〇年の観点からすれば、ほかに中国の公衆衛生、一帯一路政策、南シナ海問題などをとりあげておけば良かったと思うことしきりである。原書が出たころ、私たちは新疆で組織的な人権侵害が行なわれていることを知り始めていたが、その危機がどれほど蔓延しているか、今でははっきり分かる。この重要な問題については、他の情報ソースを当たっていただくしかあるまい。

当初、本書の序で私は大きく異なる三十六のエッセイが伝えようとしたことを、三つの短いメッセージにまとめてみた。つまり、中国理解には「歴史が大切、複雑さが大切、未来の課題が大切」である。このメッセージはいまだに有効だと思うし、日本語版によって日本の読者がこの隣国への理解を深められることを望んでいる。日本語版の翻訳中にエズラ・ヴォーゲル氏が亡くなった。氏のエッセイは「日中は果たしてうまくやれるのか?」と問う〔Q.13〕。国際緊張が高まり、国際協力が喫緊の課題である今、この問いはかつてなく重い。

（二〇二〇年十二月）

中国の何が問題か？　目次

第V部　社　会　189

第VI部　歴史と文化　237

中国の何が問題か？

ハーバードの眼でみると

序

マイケル・ソーニ

この本を手にとっておられる読者は「中国は大切だ」、したがって「中国を理解することは大切だ」という前提をたぶんすでに受け入れていることと思う。確かにある意味で中国はつねに大切だったし、これからもそうだろう。地球の五分の一の人口がどうなっているかは重要なことだ。だが今日、中国人自身だけでなくアメリカ人にとって、そして全世界にとって、新しく、予測しがたく、興味深いという意味で、中国は大切である。これは世界経済にとって、巨大で重要性を増す一方の中国の役割のせいばかりではない。気候変動から経済成長、海洋の安全、対テロ対策まで、世界が直面する緊急課題は、中国の参与なしにはひとつとして解決できず、効果的に問題と取り組むことすらできない。この現実こそが、米中関係を二十一世紀の最も重要な二国間関係にしているのであり、それは単なる貿易量の問題ではない。

中国が大切という点で、もう一つの新しく、そしてほとんど予期していなかった状況は、良くも悪しくも、中国の政策が国境を超えてインパクトを増してきたことだ。「一帯一路」政策であれ、漁獲の世界的枯渇の遠因としてであれ、中国の政府や国民の行動は私たち全員に影響する。中国は世界の思想界でも新たな役割を果たしている。経済発展と貧困縮小、高齢化と精神保健、汚染削減と再生可能エネルギー源など、多様なアプローチを伴う分野では、中国の考え方に注目するのは理に適っている。だからといって、中華人民共和国のやり方のすべてを受け入れるべきだと言っているわけではない。現に多くのアメリカ人が中国政府とその政治の諸相に根底から反論をしている（し、中国人でもそう考える人は多い）。とはいえ、こうした問題に対する中国の立場についての知識は、少ないより多いほうがいい。

中国が大切であるがゆえに、中国理解は大切だ。確かにある意味で中国理解が今ほど楽になったことはなかった。アメリカ人が接する中国情報の量は、中国経済の成長とほぼ匹敵するほど爆発的に増えている。記録的な数のアメリカ人が中国へ旅行し、中国語習得にまで手をつけるアメリカ人の数は増える一方だ（英語を学ぶ中国人の数にはとても及ばないが）。世界の一流メディアすべてが中国に支社を構えている。ということは、中国が新聞の見出しを飾るとき（ほとんど毎日のことだが）、その記事を書いているのは、往々にして世界の一流記者だということだ。しかし、たとえトップクラスの中立な主流メディアといえども、日々のニュースに押し流されるのはやむを得ない。記事とは、そもそもよく目立つ派手な素材に着目するものだし、記者が自分の書いている記事すべてに精通するなど無理な話だ。英語で書き、発信する中国人自身からの情報が量、頻度ともにいよいよ増えて、そうした中国情報が私たちのもとへ届くことがますます多くなった。しかし内部からの情報だからといって、彼ら英語で発信する中国人が必ずしも中国の状況をより正しく理解しているとは限らない。今日のアメリカ人は中国の国有メディアからも情報をとることができる。これは数年前、中国の積極的な世界拡大にともなって登場したもので、当然ながら独自のアジェンダがあり、一部のアメリカメディアが中国に否定的なのと同じくらい、自国に対して肯定的だ。というわけで、入手できる中国情報の量は増えたのに、そこから意味を読み取るのはいまだに難しい。アメリカが対中貿易赤字を抱えているのと同じく、ここには理解の赤字があると言っていいかもしれない。

この本を作ったのは、それが理由だった。ここには三十六人の学者を招き、中国の過去・現在・未来についてアメリカ人は何を問うべきか、この学者たちが考える「大」質問を特定してもらい、その上で、その質問に答えてもらうことにした。この人たちはみな、こうした質問について何十年にもわたる探求と分析を重ねてきた専門家であり、各自の質問について、また切迫する問題について、その複雑さを承知しながらも、それをいかにまとめるか深い考察を巡らせてきた。

本書はどの章も中国の過去・現在・未来について鍵となるメッセージを備えている。過去に関するものは歴史、現在に関しては複雑さ、未来については中国の挑戦が、そのメッセージである。

過去

今日の中国は果たしてまっさらなのか、それとも過去がいまだに何かの役割を担っているのか。現代の中国で歴史はどうでもいい、過去四十年の尋常ならざる変貌ぶりを見れば、中国にとってすべては未来だとわかるはず、中国共産党が思想的関与から退けば、中国にとって大切なのは未来であって、過去ではない——といった議論を立てるのはたやすい。だが、こういう結論は早計だろう。

一例をあげれば、プロレタリア文化大革命ほか、毛沢東主義時代の諸々の大衆運動を通じて、中国がその歴史を消そうとして消せなかったのは、そんなに昔のことではない。田暁菲(でんぎょうひ)は「(文革)運動自体が深く過去に根ざしているのに、過去を破壊し、新しい社会を創ろうとする(文革の)誓約のパラドクス」について述べた。他の多くの著者も同じ(または違う)理由にもとづいて、歴史の重要性を説いている。日本の政治指導者の靖国神社参拝に対して、あるいは台湾の独立運動に対して、中国人がなぜかくも感情を昂らせるのかは、背後の歴史がわからないかぎり、理解できまい。

歴史はやはり大切だ。なぜなら数世紀にわたる激変にもかかわらず、なぜか生き延びた継続性がいくつか存在することに興味をそそられるからである。ピーター・ボルは、中国社会では知識人と政治家のあいだにはいつも緊張が生じており、それを敷衍すれば現在中国で起きている政治論争も理解できると指摘した。ロデリック・マクファーカーは、習近平と毛沢東には違いが多々あるにもかかわらず、習はある意味、毛のひそみに倣っていると述べる。王裕華（おうゆうか）は、中国の指導者が有力エリートからの挑戦を受けて権力を維持しようとするとき遭遇してきた（そして遭遇しつづける）問題を取り上げた。

今日の中国で歴史が大切という理由のうち、おそらく最も納得の行く（そして意外な）のは、権力を握る中国共産党が歴史をあまりに深刻にとらえているからという分析である。歴史をめぐって、中国共産党がその支配の正統性をいかに主張するかという問題が正念場を迎え、ついに二〇一三年、中央弁公室は「歴史ニヒリズム」の公的議論を禁じる文書を発行するに至った。この文書で歴史ニヒリズムと呼ばれるのは、実は党独自の歴史解釈を批判するすべての議論のことだ。中国共産党は今や十九世紀ドイツの哲学者による思想の後継者であると称するだけでなく、中国五千年の歴史の継承、伝達、推進を根拠に、その存在を正当化している。

本書で歴史に言及する著者たちは、中国の過去を理解するとき重要なのは批判的観点（まさに中国共産党が歴史ニヒリズムと呼ぶもの）であって、党が口元まで運んでくれる公式見解ではないことに全員同意するはずだ。たとえば中華人民共和国政府とそのメディアは二十世紀を通じて日本が反省することなく、ずっと中国に敵対的だったとしばしば言うが、エズラ・ヴォーゲルによればそれは正確ではない。同様に、中国文明の単一起源説や歴史的シルクロードは、客観的考古学にもとづく中立な見解ではなく、特殊な利害に動機づけされている。こういう説について情報に依拠した判断を下すには、歴史の批判的理解が不可欠である。

歴史によって形成されたからといって、中国がユニークだとか例外的だとか言うつもりはない。いかなる国も、体制も、社会も、その歴史と文化を知らずして完全に理解することはできない。だが――多くの一般中国国民の自己認識はさておき――現在の政治的言説における歴史の役割の重要性からして、とりわけ中国では歴史が大切だと思われる。

現在

現代中国を最も的確に表現する言葉があるとすれば、それは複雑さかもしれない。年配の読者なら、一九八〇年代初めの中国の都市の写真をまだ覚えておられるだろう。ソビエト式コンクリートのビルが立ち並び、人々の服はほぼ全部が同じ色、同じスタイルで、街は自転車だらけだった。現代の中国にはそんな姿は片鱗もない。大都市は建築革新、ファッション、豪華な自動車の中心地だ。だが、そうした外見を遥かに凌駕するのが、単一の価値を超えた複雑さである。中国の政治は複雑だ。中国社会は複雑だ。中国国民は複雑だ。「中国の政体は独裁制である」という単刀直入なはずの断定すら、もはや単刀直入には行かない。党国家中国は、庶民生活へのお決まりの介入から、多くの意味で撤退してきた。しかし「一人っ子」政策が終わってもなお、庶民の子作りの選択は限定されつづけている。李潔(りけつ)が指摘するように、中国の巨大なプロパガンダ装置は、たとえ皮肉たっぷりに受容されることがあるとしても、やはり存在しつづける。欧米のナイーブな筋(すじ)論では、中国経済が発展すれば、その政治システムは我々と同じようになるだろうと長いこと信じられてきた。だが中国が新種の政治システムをつくっているのは、今や明らかだ。

中国の社会は複雑である。地方と都市、若者と老人、金持ちと貧乏人のあいだに険しい亀裂が新たに生じた。経済成長から新たな期待と要求を持つ新中産階級が生れた——成長しつづける数億の強靱な人々だ。政府と社会の双方に支えられた経済改革によって、マルクスにも毛沢東にも不可解な新しい社会契約が生れ、経済成長の持続が現行秩序への大衆の支持に不可欠になった。さらに広い観点から見れば、改革の時代は広範な新手の社会勢力を解き放ち、中国共産党はそれと折り合うのに四苦八苦し、簡単に制御できなくなっている。

複雑さは社会レベルだけではなく、個人レベルにまで及んでいる。改革は、現代中国で人格ある個人のあり方を劇的に変えた。アーサー・クラインマンはこれを——もっと個人的で、もっと世界とつながった——新しい「中国的な自己」が生れたと表現している。「良い生活って何？」というよくある質問に、中国人は新しい答え方をするようになった。そして新たな問いも発するようになった。親の世代が考えもしなかったような質問もある。環境的に持続可能な生活とは？　国家権力の限界はどこにあるべきか？　新興富裕層の篤志家は、社会への還元として最高の道は何かと問うている。宗教が流動化する時代に、家族の規範が変わり、健康保険制度が急速に整備され、多くの人々がこう問う——いかに正しく死ぬか？

繰り返すようだが、中国が他の社会より複雑だとか、複雑でないとか言おうとしているのではない。社会はどれもみな複雑だ。ここで言いたいのは、この複雑さを受け入れることが現代中国をより良く理解するのに必要不可欠だということである。

未　来

中国が、とくに中国政府が、これから直面する大きな問題について探求した著者たちもいる。中国共産党は腐敗を根絶することができるか？　その革命的起源から徐々に遠ざかる現実の中で、共産党は正統性を維持できるのか？　何よりも重大なことだが、経済は成長し続けられるのか？　長所や短所のみをつまみ食いする一部のアナリストと違って、本書の執筆者は全員、そうした潜在的断層線についてバランスのとれた見方を追求している。それよりも重要なのは、学者たちがこうした課題に取り組む中国人にどんな資質や手段があるかを問い、その上で、その取り組みが秩序正しく進むのか、それとも混沌に陥るのかを問うていることだ。これは私たちすべての未来に影響してくる問題である。

執筆者たちからは多くの助言が寄せられた。助言の相手は中国政府であり、アメリカ政府であり、ときには世界の人々だったりする。中国がこうした課題にいかに応えようとも、本書の助言を中国が聞き入れようと入れまいと、中国が高度経済成長を維持できて、政治と社会の安定を保てようと保てまいと、私たち全員がこれまでの中国の経験から何かを学ぶことができる。ここで言っているのは、「中国モデル」などというものが存在し、別の文脈でも一律に応用できるといったことではなく、中国の紛れもない成功と学ぶべき失敗双方の経験は――経済発展の促進と貧困の縮小、高齢者ケアと精神保健の運営、教育の再構築やエネルギー生産のために――他の社会にとっても役立つと言っているだけだ。

過去・現在・未来はもちろんリンクしている。過去にとられた政策は現在の状況に影響し、未来にも影響しつづける。毛沢東時代に下された教育、健康管理、インフラ政策の決定が、今日の中国指導層にとれる選択肢を用意する。さらに遡って中華人民共和国の成立以前の時代に、政治組織あるいは近代社会における宗教の役割についての考え方がどうつくられたのかが、中国の政府幹部の現在と未来への考え方に材料を与えつづけている。ロデリック・マクファーカーは毛沢東主義政治の諸相が再登場してきたと指摘するが、こういう現象を見ると、中国は未来へ時代を遡行している（バック・トゥ・ザ・フューチャー）のではないかと思いたくなる。王徳威（おうとくい）は、中国の百年前の知識人が思い描いた未来と、現実の中国が今どうなっているかとのあいだに驚くべき共鳴性があると指摘するが、この想像上の「未来」はどうやら現実になったようだ。

ここに参集した専門家たちのおかげで、私たちは歴史・複雑さ・挑戦の各ジャンルについて理解を深めることができる。ほかならぬこの人々を招聘した理由は別に秘密でも何でもない。彼らは全員、ハーバード大学フェアバンク中国研究センター（http://fairbank.fas.harvard.edu/）に関係のある学者である。六十年以上の歴史を持つフェアバンク・センターは、中国研究をリードする世界的研究機関でありたいとつねに願ってきた。主目的が学術研究であるのに変わりはないが、当センターはつねに公共の役割も担ってきた。創設者のジョン・キング・フェアバンクは何世代にもわたり一流の中国史学者を育ててきたが、そればかりではなく、セオドア（テディ）・ホワイト、ハリソン・ソールズベリー、リチャード・バーンスタインなどのジャーナリストも輩出してきた。近年は学者だけでなく、議員、反体制派、企業重役まで迎えている。センター関係者がつくるコミュニティのメンバーの一部は、象牙の塔を出て、世論への情報提供、公共政策づくりに寄与する責任をつねに感じてきた。米中関係が海図なき水域に突入しつつある今、議員や一般人への教育や情報提供という当センターの公共的役割は、かつてなく重要になっていると考える。

第Ⅰ部

政治

Q.1 中国共産党体制に正統性はあるか？

エリザベス・J・ペリー
ハーバード大学教授／行政学

〝毛沢東の死から四十年以上、中欧で共産主義が滅びてからほぼ三十年たっても、北京に共産主義体制が揺るぎなく存在しているパラドクスを、どう説明したらいいのだろう。〟

現体制の正統性の根拠とは？

体制の安定と存続にとって、国民が認める正統性ほど根源的な問いはない。現行の体制に「支配する権利」があると国民の目に映っているか？　たとえ現体制による特定の政策や人事が市民に嫌われていたとしても、市民は倫理的義務感から体制の権威に黙って従うだろうか？　体制の永続性との関連は明らかだ。民衆が体制の正統性を認めない場合、長続きするのは凶悪な警察国家しかない。

今から百年以上前、歴史社会学者マックス・ウェーバーは体制の正統性がどこから来るか、三つの基礎的源泉を特定してみせた――伝統、カリスマ、合理性＝合法性である。伝統型の正統性を持つ体制で人々が国家の命令に従うのは、たんにそうするのが慣わしだからだ。典型例としてウェーバーは中華帝国を挙げた。二千年つづいたこの帝国は、一九一一年の辛亥革命によって共和政体に衣替えし、伝統的正統性は打ち砕かれた。カリスマ型の体制では、人々の服従は最高指導者への献身から生れる。カリスマ支配の典型的事例として毛沢東の中国を挙げる学者は多い。中国の主権をとりもどした共産主義革命の最高指導者、毛沢東の個人的オーラは同時代人や後継者の誰よりもまぶしく輝いた。一九七六年の毛の死によって、カリスマ型正統性の時代は幕を下ろした。近代デモクラシーを維持するのは合理＝合法型の正統性だが、そこでは非人格的法規と官僚的行政処理が市民のコンプライアンスの基礎となる。だが、中国の長い権威的独裁制の歴史のどこかの時点で、合理的＝合法的正統性が存在したと指摘する人はまずいない。現在も過去と同じく、相変わらず人治が法治の上にあるのだ。

もちろんポスト毛沢東の時代には、党と政府の大会の定期的な招集、党と政府それぞれの責任の明確化、政治局常務委員の役職分化と集団指導体制の確立、党と政府の幹部への定年制と限定任期の義務化など、さまざまな制度改革をつうじて、合理的＝合法的正統性を築こうとする努力があった。しかし制度化への動きは近年逆行しているように思える。習近平のもと、権力は最高指導者にふたたび集中し、政府に対する党の絶対的優越性が再確認され、退職年齢や任期が見直されるなど、第十九回党大会の開催に向けて準備が進んだ。

よく知られたウェーバーの三つの正統性の類型が現代中国に一つも当てはまらないとしたら、毛沢東の死から四十年以上、中欧で共産主義が滅びてからほぼ三十年たっても、北京に共産主義体制が揺るぎなく存在しているパラドクスを、どう説明したらいいのだろう。体制の存続理由の一つとして強権支配があるのはもちろんだが、それがすべてではない。中国の国内治安部隊は、過去の共産主義体制がそうだったほど（たとえば東ドイツのシュタージほど）強引でも無慈悲でもない。また、さまざまな機関が行なう世論調査が一致して示すように、中国共産党体制への国民の支持は驚くほど強固なままだ。政治学者の唐文方（とうぶんほう）はその著書 *Populist Authoritarianism*（『ポピュリスト独裁』）でこう述べている。「重要政治機関への信頼度、民族アイデンティティ、政府の業績への満足度、自分たちの政治システムへの支持、現職リーダーへの支持など、異なる基準で政治的支持を測ると、調査データが入手可能な国や地域の中で、中国の回答者はつねに最高レベルの支持を表明してきた……中国の政治的支持の総合レベルは、多くのリベラル・デモクラシー諸国のレベルよりはるかに高かった」(p. 159)。

もちろん支持と正統性は別物だ。政治指導者とその執政を認めたとしても、その体制の道徳的支配権に必ずしも同意しているわけではない。現代中国の体制持続力のパラドクスをなんとか解き明かそうとする学者に趙鼎新（ちょうていしん）と朱鯍朝（しゅりゅうちょう）がいる。二人はこう説く。中華人民共和国は、ポスト毛沢東時代の驚異的な経済成長と、それに付随する国際的影響力の上昇から生じた実利という「業績の正統性」だけで存続している。しかし、統治の好成績のみから生れた国民の支持は、ウェーバーの言う「正統性」には該当しない。そもそもウェーバーの有名なこの類型論は、たとえ業績はダメでも国民から評価されつづける体制が存在するのはなぜかという、もっと深い疑問から派生した。この疑問は、経済の減速と国際環境の悪化がここ数十年の驚異的な業績を帳消しにしている現在の中国とはっきり符合する。逆境にあって低下する政治的支持は、「業績による正統性」説が予測するとおり、体制の破綻を意味するのか？　それとも中国の共産党体制は、地平に不気味に迫る国内および対外的な困難を耐え抜くだけの、国民が認める正統性のレベルを維持していけるのか？

歴史的正統性という主張

表現の自由が規制されているため、独裁体制に正統性があると国民の目に映っているかどうか、はっきり見定めることはできない。けれど確かなのは、体制の正統性という問題が中国研究者だけの関心事ではないことだ。この問題は中国を支配する者たちの懸念でもある。習近平の反腐敗運動の設計主任であり執行人でもある王岐山は、二〇一五年の秋に開かれた外国高官たちとの会合で、みずからこの話題を持ち出した。中国共産党の正統性擁護論として彼が語ったのは、伝統、カリスマ、合理性＝合法性による権威でもなく、体制の業績でもなかった。彼が指摘したのは歴史である。「中国共産党の正統性は歴史にその源泉があり、国民の意志と選択にある」と王岐山は言ったのである。

中国共産党の権威を説明するのに、国民に支持された強靱な「歴史的正統性」がとりあげられたのは確かに興味深いが、この議論は本質的に曖昧でもある。五千年の歴史を誇る国で、九十五年の歴史しかない共産党が主張する正統性は、中国の伝説的過去の中であまりにちっぽけな一部でしかない。良くも悪しくも、中国の過去一世紀の巨大な変化は、その大半が共産党の主導によるものだった。共産主義革命（一九二一―四九）はそれ自体たいへんな偉業だ。なにしろ、おんぼろの農民軍が、軍事力において自分たちより遥かに勝る日本軍や国民党軍との戦いに勝利して登場したのである。革命勢力が権力を掌握して最初のわずか数年で、共産党は「外国の帝国主義」を追い出し（当面「ソ連修正主義」に鞍替えしたにすぎないとはいえ）、血腥くはあるが壮大な土地改革を行ない、農業と工業を集団化、国有化し、国民に基礎的医療と教育を与えた。おそらくこの歴史的偉業ゆえに共産党とその卓越した指導者、毛沢東が広く受け入れられたのだろう。だが、その後の毛沢東支配の実績が呼び起こすのが、あまり芳しくない記憶であるのは確かだ。一九五七年の反右派運動は、中国で最も優れた知識人の一群を沈黙に追いやった。一九五八年から一九六一年の大躍進政策は人類史上最悪の飢饉をもたらし、数千万の人が死んだ。一九六六年から一九七六年の文化大革命では暴力的な派閥抗争が起こり、収入の停滞、高等教育と経済革新の「失われた十年」を招いた。中国指導部がいまマントラのように唱えるスローガン「維護穏定（維穏）」〔安定性の維持〕は、初期の中華人民共和国の歴史を台無しにした動乱が再燃するのを防ぐのに必要な手段として合理化され、監視と治安に膨大な国家投資が注ぎこまれている。

中国共産党がみずからを歴史的正統性の衣にくるもうとしたがゆえに、厄介な問題がいくつか生じている。中国の複雑な歴史のうち、共産党に難攻不落の「支配する権利」を与えられるのは、そもそもどのエピソードだろうか？　そして、とりわけ体制の正統性が依って立つとされる事実をめぐる公式見解と、客観的な探求とが矛盾するとき、そのような正統性はどのくらい持ちこたえられるのだろうか？

社会正義という原点はいずこへ

中華人民共和国としては、歴史と政治の解釈をめぐり党の統制を強めることによって、この問題の落としどころを見出したい。複数の報道機関が伝えるところによれば、二〇一六年五月、習近平は「哲学社会科学工作座談会」なる全国的シンポジウムを主宰し、その席でこの国の「社会主義的実践」にふさわしい「中国的特色」の染みこんだ新たな分析的アプローチを発展させようと呼びかけ、この緊急の理論構築には共産党の指導力が欠かせないと強調した。そして哲学と社会科学の分野で働く多くの知識人に「関心を払い」、そうした人材を「育成、活用し」、彼らを「先進思想の唱道者、学術研究の開拓者、社会風紀の案内人、党による統治の堅固な支持者」にするために努力を傾けるよう提唱した。

共産党支配の継続のために信頼に足る言い訳をしてくれる忠実な知識人を育成すべきだという習近平の考えは、党の長期的生き残りのためにはもちろん正しい。本書でピーター・ボルが述べているように、何世紀ものあいだ中国の支配者は政治的正統性を築くのに知識人の力を借りてきた。そこには頻繁な歴史の書き換えがあった。だが今日、それはそうたやすい任務ではない。もしも中国の歴史が体制の正統性の最終的裁定者であるならば、中華人民共和国の政治制度やイデオロギーのほとんどがソ連からまるごと輸入されたものであり、革命前の中国とは似ても似つかないという不都合な現実を、どう考えたらいいのだろう。みずからを五千年の「輝かしき」中国の歴史の管理人と自称すべく格闘する体制にとって、これは問題だ。一九四九年の中華人民共和国の成立をもって中国の領土統一と国家主権を「回復した」という党の業績のみにその正統性を帰するとしても、その論旨はいかにも弱い。中国の歴史はその大半をつうじて物理的に分断されており、脳内で想像したその一体性は政治というよりは主として文化にある。歴史家のピーター・パーデューは皮肉をこめてこう指摘する。現在の中華人民共和国が自分たちの歴史的生得権だと主張する地理的最大領土は、皇帝の座が外国勢力である満人の王朝のものだった十八世紀になってようやく、征服によって獲得されたものにすぎない、と。

それでも中国共産党は、革命による権力掌握の時期およびその後に蓄えられた正統性の貯水池をまだ享受することができるかもしれない。だがどんなに深い池でも、水が定期的に補充されなければやがては干上がってしまう。共産革命の未達成の約束はきちんと探究されていないどころか、そのことに気づいてさえいない。共産党はおのれの犯した歴史の過誤の検証を棚上げにすると宣言し、そのような議論は「七不講」(つまり公に言及すればただちに報復されるような七つの言論タブー)の一つだと非難した。

体制の正統性を歪曲された史実書き直しで支えようとすることが、長期的に見て批判に耐えるとは思えない。社会正義という理想を実行に移そうとするひたむきな試みは、初期の共産革命を支える霊感の泉だったし、共産党支配の道徳的論拠を築くための強固な足場だったはずだ。これは幹部の不正行為をターゲットとする反腐敗運動よりはるかに必要とされている。ポスト毛沢東時代の経済改革が生んだ貧富の巨大な所得格差を大幅に縮めるためには、劇的な手段が必要だ。貧しい農村地域への「精準扶貧」（貧困を精査して緩和する）という習近平の呼びかけは、たしかに正しい方向への一歩である。だがそれは所詮一歩にすぎない。もっと意欲的なアプローチのヒントは、古代中国の「天からの委託（天命）」という概念に見出せるかもしれない。この概念は社会福祉への包括的配慮こそ国民が認める支配の正統性の根拠としていた。

もし中国共産党体制が歴史的正統性の痕跡を意のままに使いつづけるなら、それは現行の統治慣行によって蕩尽される危険にさらされている。だが、独裁体制がただちに正統性を失うという確かな兆候はない。唯一の決定的証拠はその終焉にしかない。

Q.2 腐敗との戦いは党を救えるか？

ジョゼフ・フュースミス
ボストン大学教授／国際関係・政治学

〝地位を利用して富を貯めこむダメ幹部の利己主義のせいにされているが、党自体の構造がどのように腐敗を招くかという公式の議論はなされてこなかった。こういう根本的な構造問題を率直に認めないかぎり、未来の腐敗を減らすのに必要な変化をもたらすのは難しいだろう。〟

政敵粛清としての反腐敗運動

中国の腐敗は今に始まったことではない。一九八九年の天安門広場に集まった学生たちは「官倒」（役人の不正利得）を糾弾した。その三年後、腐敗は激増する。一九九二年の鄧小平の深圳経済特区訪問に端を発したと思われるが、これは天安門の抗議運動のあとの厳しい思想的締めつけが緩んだためだった。二〇〇一年には、尊敬すべき経済学者の胡鞍鋼（こあんこう）が、汚職金額はすでに中国のＧＤＰの一三－一六％を占めていると見積もった。高い数値に思えるが、腐敗が進んでいるという感触を反映している。二〇〇八年の世界金融危機のあと、中央政府が景気刺激策として人民幣五兆元（約七五〇〇億ドル）を投入すると、腐敗の新たな波が中国を襲った。中央紀律検査委員会は毎年のように腐敗打倒の必要性について厳しい声明を発したが、逮捕と告訴の確率は低いままだった。だが二〇一二年十一月に習近平が党総書記に就任した直後、彼は猛烈な勢いで腐敗撲滅運動をスタートさせた。

なぜ今なのか？ 腐敗の歴史は長いのに、なぜここで決壊点が訪れたのか？ 一部の人が言うように、腐敗レベルが限界に達し、中国共産党支配の存続を脅かすようになったからだけなのか？ それとも（それと密接に関連するが）、社会不安、法治の要求、グローバル化の圧力など他の要素とともに、共産党の正統性を脅かしたからなのか？ あるいは派閥抗争が原因だったのか？ こうした要素はみなそれなりの役割を演じているだろうが、習近平の反腐敗運動の具体的な根っこには、彼を次期の党のボスに指名した二〇〇七年の第十七回党大会の決議を覆し、指導者の地位をわがものにしようとして失脚させられた党幹部、薄熙来の存在がある。

薄熙来は並外れた努力を払ったが、まちがいなくその詳細の多くが、今後長いあいだ（たぶん永遠に）知られることはないだろう。ただはっきりしているのは、党が――つまり中央委員会、中でも退任する江沢民主席の率いる指導部が――胡錦濤の後継として二〇一二年の習近平の党総書記就任を決めたことである。このとき薄熙来は究極の権力が集中する少数集団、政治局常務委員会にすら加わることができなかった。薄熙来は党に生まれ、党で育った人であり、一九八九年六月の天安門事件の緊迫した日々に党の方針決定を担った「八老（八大元老）」の一人、薄一波の息子である。その薄熙来が、あろうことか党決定に従わないと決めた。中国共産党に何らかの鉄則があるとすれば、それは党決定には従わねばならないということだ。元首相で党を分裂させたと責められた趙紫陽でさえ、天安門広場のデモ隊は社会主義と支配政党打倒の「計画的陰謀」

に加担した「ごく少数の集団」であるという鄧小平の判断に、おおっぴらに反対することができなかった。だが西南の巨大都市重慶の共産党リーダーである薄熙来は、独自に計画を立てられる立場におり、党内では北京の支配者たちよりも正統な社会主義者を自認していた。

だがそれどころか、薄熙来は自分が外された政治局常務委員になることを仲間と明らかに画策していた。党決定に逆らうべからずという規定に勝る決め事があるとすれば、それは党指導部に対して陰謀を企てるような派閥を形成するのを禁じるルールだ。この陰謀について詳細は知る由もないが、ほかならぬ習近平その人が陰謀の存在を明言したのである。

党の規律と規則のうち政治的規律と政治的規則ほど重要なものはない。近年、我々は高級幹部、とくに周永康、薄熙来、徐才厚、令計画、蘇栄の規律と法に対する重大な違反について調査を進めてきた。党の政治的規律と政治的規則に対する彼らの違反は非常に深刻である。彼らは強い権力を持てば持つほど、地位が高くなればなるほど、党の政治的規律と政治的規則を無視し、完全に無謀、無節操の域にまで至った。ある者は政治的野心を膨らませ、党組織を踏みにじって政治的陰謀に関わり、不徳にも党を冒瀆し、分裂させようとした。

党が使う用語としても強烈な言葉づかいである。元政治局常務委員の周永康と元中央軍事委員会副議長の徐才厚を、「党分裂」の「政治的陰謀」を企てたと非難するこのような文言は、五十年前の文革以来聞いたことがない。こうした言葉が、二〇一二年の第十八回党大会の前夜、党各部門の深部まで浸透した。

薄熙来は習近平が総書記に就任する前に、さまざまな罪ですでに拘束されていた。だから彼は反腐敗運動がそれまでに標的とした百八十四頭の「虎」（上級幹部）の一人ではない。だが周永康、令計画、徐才厚らの追随者多数が標的だったのは確かだ。習近平が真っ先に優先した最重要課題は、まちがいなく政敵を粛清することだった。

正統性の危機

だがこの運動は政争だけにとどまらない。薄熙来らとの戦いからわかるように、もっと重大な問題は、党の規律が乱れ、その存続を脅かすようになったことだった。習近平とその仲間たちが理解していたように、中国共産党が直面していたのは、ソ連共産党を破滅させたものとよく似た、党を滅ぼしかねない深刻な課題だったのである。習近平は党のトップに昇格してからまもなくこんなことを述べている。「なぜソ連は解体したのか？　なぜソ連共産党は崩壊したのか？　重要な理由は、理想と信念が揺らいだことだ……最後には、ソ連共産党の解体を告げるゴルバチョフの静かな一言ですべて決着がついた。そして偉大な党が消え失せた」。習近平はこう結論する。「結局、真の男が一人もいなかった。誰一人抵抗しようとしなかった」。それ以来、習近平とその側近はくりかえしソ連崩壊の亡霊を引き合いに出す。その後に出た『人民日報』に重要なくだりがある。「今日、七十四年の歴史をもつソ連が消えてから二十二年がたつ。ソ連共産党のせいで共産主義の党と国家がいかに失われたか、二十年以上にわたって中国が反省をやめたことはない」。

こうした正統性の危機を中国にもたらしたのは何か？　習近平が言うように、それは「理想と信念」の喪失だった。あるいは習近平が仮に学者だったとしたら、代替言説が現れたという言い方をしたかもしれない。「法治」と「制度化」を強調する言説、それは制度化された政府を重視するがゆえに党の革命的使命を終わらせる。この代替アジェンダは、実は中国共産党そのもののレトリックに埋め込まれていた。災厄の文革が収束した直後の一九八二年に新憲法が公布されてから、中国共産党は「法治」を強調してきた。憲法公布三十周年にあたって、習近平はこう演説している。「法に則って国事を運営するには、第一に憲法に従って国を動かさねばならない。法に従って権力を保つ鍵となるのは、第一に憲法に従って統治することである。党指導部は憲法と法を策定する。そして党指導部が法の確立を真に達成するには、法の執行を確保し、率先して法を遵守し、党みずからが憲法と法の範囲内で行動しなければならない」。

不運なことに、リベラル知識人の一部はこの演説を習近平がリベラルなアジェンダに従い、法治と、さらに大きくとらえれば公民社会の出現を後押しするというメッセージだと信じた。二〇一三年一月、リベラル紙『南方週末』は習近平の「中国の夢」と法治レトリックをとりあげ、「中国の夢は憲政の夢である」と題した社説を掲載した。「憲政」という考え方は、十年前から展開されてきた人権擁護運動にルーツがある。その基本目標は、法を市民の権利擁護のためだけでなく、法治を強めるために使い、党運営を合法性の範囲内のみにとどめるよう徐々に誘導して、そもそも党みずからが表明した目的と合致させるというものだ。このビジョンは「和平演変」〔平和的手段による体制変革〕への道筋に希望を与えもするが、党の正統性を弱体化させるものでもある。『南方週末』の社説は全国の関心を集めたが、その危険性を察知した習近平ら指導部は、この社説は旧ソ連のたどった道に中国を追いやるものだと考えた。二〇一三年四月二十二日、党中央弁公庁は九号文件を出した。そこには憲政に始まり、「普遍的価値」、「公民社会」、「報道の自由」、「歴史ニヒリズム」など、公に議論してはいけない七つの分野が概説してあった。

この「歴史ニヒリズム」が真に意味するのは、記録研究にもとづいた、正しく、信頼できる、正直な歴史の記述であり、必然的に党承認の歴史科学とは衝突するが、これに対する共産党の懸念は、毛沢東生誕百二十周年前後の二〇一三年十二月に現れた「二つの三十年」論争に反映されている。改革の過剰な強調が毛主席否定、ひいては革命そのものを否定するリスクにつながったように、中華人民共和国最初の三十年（ゴリゴリの毛沢東主義時代）を強調しすぎると、その後の改革に対する評価が低まりかねないことを習近平らははっきり分かっていた。ほぼ七十年前の革命が、たとえ当時はいかに正当と思われていたとしても、党が今も権力を持ちつづけていることを正当化するのかと、近年多くの人が問いかけていた。これに対し中共中央党史研究室は正式な評論を出し、毛沢東および毛沢東思想を「否定する」ことは「重大な政治的結果」を招くだろうと述べた。ここでふたたびソ連崩壊の亡霊がよみがえる。「ソ連の解体とソ連共産党の崩壊の大きな理由は、ソ連とソ連共産党の歴史の完全な否定、レーニンほか重要人物の否定であり、人心を惑わす歴史ニヒリズムという慣行である」。

社会の変化をどう取り込むか

ロデリック・マクファーカーは本書でこう述べている。習近平の指導者としての役割を持ち上げようとする努力もそうだが、反腐敗運動は中国共産党史の解釈および正統性問題と直接関係している。なぜなら腐敗の発生は共産党員の「理想と信念」の喪失を物語るにほかならないからだ。もし党員が思想の道を失ったなら、確かに市民社会と法治で押さえつけるしかあるまい。だが代わりに腐敗を攻撃することで党の規律と理想主義が保たれるなら、支配党のみが国民の真の利益と理想を代表するという考え方はたぶん持続可能だろう。

だが、果たしてそうだろうか？　党内に腐敗が蔓延したのは、中国社会の大きな変化を反映している。それは人権擁護運動などの国民運動が、より多様で、より教育程度が高く、より開かれ、より参加型の社会の出現を反映しているのと同じだ。そういう社会は革命の歴史的価値を認めてはいても、民主とは何かを正確に定義しないまま、未来をより「民主的」なものととらえている。だがそれはまちがいなく、ある種のより大きな監視的役割を社会に課して、腐敗が政治システムや社会道徳を腐らせないようにすることを意味する。

反腐敗運動はもう四年もつづいている。百八十四頭の「虎」（次官級以上の高官）のほか、数万匹の「ハエ」（それより低位の高官）も捕らえた。だが奇妙なことに、なぜそんな腐敗が存在するのかという理論的な説明努力はいっさい払われていない。公式レトリックでは、地位を利用して富を貯めこむダメ幹部の利己主義のせいにされているが、党自体の構造がどのように腐敗を招くかという公式の議論はなされてこなかった。こういう根本的な構造問題を率直に認めないかぎり、未来の腐敗を減らすのに必要な変化をもたらすのは難しいだろう。これまであった唯一の構造的変化は、党内のさまざまなレベルにおける紀律検査委員会の強化だったが、党が本気で一種の近衛隊めいたこの組織に頼り、機能しつづけてもらいたがっているとは思えない。党の歴史において、紀律検査委員会やその前身組織が持続的な役割を果たしたためしはなく、過去、その役割が一時的に強化されたときは、さまざまな行き過ぎが批判され、組織は縮小されることが多かった。というわけで、どんな構造変化が腐敗を制御し、正統性をとりもどし、法治の不在を解消し、社会監視の必要性を取り除いてくれるのか、見とおすのは今のところ難しい。

反腐敗運動は当初、習近平の政敵が標的だったが、これを単なる派閥抗争と見てはいけない。もちろんそれは運動の一部ではあるが、むしろ党の正統性を浸食してきた社会変化の波をくい止めるための、幅広い取り組みと考えた方がいい。皮肉なことに、習近平が短期的に成功すればするほど、長期的な政治的、社会的安定のリスクは大きくなる。習近平と、もっと広く言えば権力を握っている共産党は、中国に台頭してきた社会勢力を組み込むことを考える必要がある。それを抑圧するだけではだめだ。

Q.3 毛沢東はまだ意味があるのか？

ロデリック・マクファーカー
ハーバード大学元教授／歴史・政治学

〝天安門に掲げられた毛沢東の肖像画や広場の霊廟に、今日何らかの政治的意味があるのか？　毛沢東はまだ意味があるのか？　これらの問いの重要性を誰よりも意識しているのは現在の指導者、習近平である。〟

習近平にとっての毛沢東

毛主席は四十年以上前（一九七六年）に死んだ。あれから四十年、中国はすっかり変貌し、毛沢東には見分けのつかない国になった。鄧小平の「改革開放」政策によって解き放たれた国民は、後れた農業国を世界第二の経済大国とその産業現場に変貌させた。数億の中国人が豊かになり、数十万の中国人観光客が世界のいたるところに出かけて贅沢品を買いあさり、億万長者たちが出現した。一九七二年に毛沢東とリチャード・ニクソンの合図で始まった米中関係は、毛主席の死後、官と民、経済・教育、政治・軍事などあらゆるレベルで複雑にからみあう関係に発展した。

中国は文字通り「立ち上がった」。そして誰もが――とりわけ近隣諸国が――認める強国になった。毛沢東が生きていたら、この成功を堪能したにちがいない。だが彼の文化大革命は、平等と集団主義に何を夢見たのか？　今の中国は世界有数の不平等な国の一つであり、私企業を経営するのは億万長者だけではない。毛沢東思想は現在とどう関わっているのか？　天安門に掲げられた毛沢東の肖像画や広場の霊廟に、今日何らかの政治的意味があるのか？　毛沢東はまだ意味があるのか？

これらの問いの重要性を誰よりも意識しているのは現在の指導者、習近平である。彼は中華人民共和国の歴史を毛沢東時代と改革時代に分けるなと、国民にたえず訓戒している。そんなふうに分けてしまうと――たとえばソ連の歴史科学がスターリン時代と（フルシチョフが一九五六年にスターリンを批判した「秘密演説」以後の）ポスト・スターリン時代を分けたように――良い時代と悪い時代があったかのように思われるのを恐れているのだ。習近平は毛沢東のもとで一九四九年に成立したレーニン主義国家の基本要素を高く評価している。それが未来の共産党支配を保全する唯一の道だとはっきり認識しているからだ。

毛沢東という要素

その要素とは何か？　最初にして最大の要素は毛沢東その人、革命勝利の桂冠を頂く最高指導者である。毛は他のライバルたちが失敗したあとリーダーの座に就き、同輩たちに助けられながら共産党とその軍を規律正しくモチベーションの高い組織に叩き直し、国民党との内戦に勝利したあと中国を支配した。マルクス・レーニン主義が新しい国家思想になったが、国家統治の基礎は、毛沢東思想に成文化された、戦争と平和についての毛沢東自身の考え方である。

毛は共産党支配を中国全土、草の根まで行き渡らせた一九五〇年代初めの大きな運動すべてを監督したし、革命後、毛の生きた二十七年間に主要な政策決定を下したのは毛だった。彼は社会主義への速やかな前進のために「新民主主義論」〔一九四〇〕の放棄を主導した。農村の集団化に成功してから、のちに比較的リベラルな「百花斉放」時代へと変わる思想緩和策を主導したのも毛だし、それを反右派運動へと逆転させたのも毛である。その後、左派局面に転換してからは思いつきで「大躍進」や「社会主義教育運動」を進め、ついにはプロレタリア文化大革命に至る。こうした政策が大惨事をもたらしたにもかかわらず、毛の死ぬ日まで、彼に敢えて挑む者は一人もいなかった。善かれ悪しかれ、毛沢東は同僚すべてを威圧する規格外の巨人であり、国中を睥睨する巨像であり、国民はみな彼への服従を叩きこまれた。見たところ、習近平は似たような毛沢東主義的役割を目指しているようだ。

直近の二人の前任者である江沢民や胡錦濤とは正反対に、習近平は集団指導体制に従わず、自分が最高支配者であることを明確にした。これには二つの直接証拠がある。第一に、総書記の地位に必ず付随するポスト——中央軍事委員会主席と国家主席——に加えて、習近平はいくつかの重要な委員会の長の座を掌握した。新設の中央国家安全委員会は軍、警察、すべての対外国家安全機関を管轄する。同じく新設の中央全面深化改革領導小組は、これまで経済政策を指揮してきた国務院（トップは公式には体制ナンバー2の李克強首相）より優位にある。また、外交、インターネットセキュリティ、情報テクノロジーを管轄する複数の中央領導小組も引き継いだ。

毛沢東のような最高指導者になるという習近平の決意を示す第二の兆候は、早くも進展していた彼への個人崇拝である。習の著作は数多く出版され、主著の『習近平談治国理政』〔『習近平国政を語る』外文出版社、二〇一四〕は数カ国語に翻訳されて、西側の書店でも簡単に手に入る。（中国に足場がほしいマーク・ザッカーバーグは中国でのFacebook展開の一環としてこの本を数冊購入し、社員が「中国的特色のある社会主義」を学べるようにしている）。国内では親しみやすい「習大大（シーダーダー）」（習おじさん）イメージが庶民に売りこまれ、『人民日報』の見出しには政治マニア向けに習の名前が頻繁に現れる。「彭麻麻（パンマーマ）」の愛称で呼ばれるスタイリッシュで魅力的な習の妻、彭麗媛（ほうれいえん）は、国民的歌手である上に人民解放軍少将であり、夫婦そろって国政を動かすパワーカップルのイメージを強めている。ポスト毛沢東時代の指導者の妻がこれほど宣伝に貢献したことはなかった。習近平への個人崇拝が、文革時代の毛沢東ほどの熱狂的高みに達することはあるまい。三十五年にわたる改革開放が予防接種の役割を果たし、国民の大半はいかなる指導者にも盲目的崇拝を捧げることがなくなった。だが習近平はおそらく恐怖にもとづく絶対服従で満足することだろう。

党という要素

毛沢東主義国家にとって第二の重要要素は、毛とその同僚がそれをつうじて中国を支配した党であるのは言うまでもない。幹部たちが権力掌握の前に過ごした延安の本部では、善き共産主義者たるにはどうしたらいいか、教育が行なわれた。教材は練達の指導者（のちに国家主席）劉少奇の著作だった。そのモットーは「人民に奉仕する」であり、見習うべき究極の目標は一九六〇年代の英雄的兵士、党機構の「錆びないネジ釘」、雷鋒（らいほう）である。毛沢東時代にもむろん腐敗はあったが、防止運動によって食い止められていたし、たぶん指導層には影響がなかった。ユーゴスラヴィアの反体制理論家ミロヴァン・ジラスが「新しい階級」と呼んだ集団に属する中共指導者たちは、入手可能な贅沢品ならどんなものでも簡単に手に入れることができた。重箱の隅をつつくような党機構内の中傷合戦と、文革中に耐えねばならなかった肉体的、精神的打撃によって、劉少奇の教えは潰え去った。こんな報いを受けるなら、人民に奉仕して何になる？　改革時代のスローガン

「富裕光栄」〔裕福になるのは名誉である〕に従う方がましだ。改革時代に党を指導した人たちによれば、その結果は官僚のあいだに広がったすさまじいばかりの腐敗だった。この現象が、日々その腐敗と戦わねばならない庶民にとって、党の権威と正統性を傷つけた。習近平の徹底的な反腐敗運動の目的は、党の評判を回復し、国民の支持をとりもどし、思うままに党の支配をつづけるのに潜在的脅威となるものは何であれ払いのけることだ。

だが反腐敗運動は双刃の剣である。ここで思い出すのはかつて中国で出回った警句である。「もし腐敗を一掃しなければ中国は終わりだ。だがもし腐敗を一掃したら、党が終わるかもしれない」。この運動がつづいて、周永康のような国内の治安に責任のある政治局員クラスの「虎」を標的にするなら、自分の評判や家族が歴史のくず箱に捨てられたり、投獄されて、不正取得したものをとりあげられたりしたくないエリートたちから、習近平は反撃をうける恐れがある。それより下位の「ハエ」たちはと言えば、すでに無気力の兆候が見られる。下級幹部たちは腐敗摘発のきっかけになりそうないかなる行動もとろうとしない。党員であることの利得が失われたら、組織の人員補塡は保てるだろうか？

イデオロギーという要素

毛沢東主義国家の三番目の要素、つまり指導者と党と国民を統合するもの、それはイデオロギーだった――マルクス・レーニン主義にしばらくして毛沢東思想が補充された。習近平が毛沢東に倣って、丘の上に輝かしい革命の松明を掲げたいと思っている形跡は一切見られないし、彼の語る中国の夢のどこにも、儒教の復活を予見する兆しはない。習近平がふたたび強調しようとしているのは、鄧小平の描いたマルクス・レーニン主義と毛沢東思想を構成要素とした、疑ってはならない国家の四つの基本原理である。鄧小平の時代には事実上こうしたイデオロギーが脇に置かれたのに対し、習近平は共産主義イデオロギーをよみがえらせて中国例外論の力強い防波堤とし、国民を欧米の民主思想から守る必要があると考えている。二〇一五年に七十人ほどの外国人マルクス主義者（非マルクス主義者が少なくとも一人いたが、それは本章の執筆者である）を招いて北京大学でマルクス主義に関する国際学会が開かれたのは、習近平のこうした関心に応えてのことと思われる。フォローアップ会議のための資金もすでに用意されていた。とはいうものの、ある参加者は私の耳元でこうささやいてくれた。「マルクス主義なんて中国とは何の関係もないのに、まだこだわってるんですね」。

確かに習近平は人の嫌がる使命と向き合っている。一九四九年の中国人は必ずしも毛沢東の言う「一窮二白」〔貧困と文化的白紙状態〕ではなかったかもしれないが、新体制がしっかり権力を掌握したとき、国民は少なくともこの体制のイデオロギーは尊重に値すると納得した。しかしその後、中国人はとんでもなく長いあいだ耐乏生活を強いられ、文革中は毛沢東思想の学習が貧乏暮らしの処方箋だった。やがて鄧小平が「実践こそ真実を試す唯一の基準である」と宣言して、中国をあらゆるたぐいの外国思想に開放すると、イデオロギーは格下げされてしまった。改革の時代がすでに四十年近くつづく。毛沢東時代よりもほぼ十年長い。この間、中国の若者へのインパクトは甚大だった。

とくに西側での教育への需要が飛躍的に高まった。二〇〇五―〇六年だけで、アメリカへの中国人留学生の数は六万二千五百人を超え、二〇一五―一六年には三十二万八千人を超えた。さらに中国に分校を開いた外国の大学で何千人もが学んでいる。子弟を外国の学校へ送り出す家庭の大半は自費で学費をまかなっており、政府奨学金に頼っていない。習近平はどうやって中国の大学から流出する学生の奔流を止めるのだろう。数年前、習近平は幹部たちに子弟を外国の学校から連れ戻すよう通達した。そのとき習近平の娘はハーバード大学の学部生として留学中だった。娘は中途退学せず、学位をとって卒業した。これが公務員とつながりのない家庭はもちろんのこと、幹部たちの家庭にどんな範例となるのだろう？

現在の留学生はもちろん文革直後に留学した先駆的学生とは全然違う。その当時の留学生は中国を毛沢東時代末期の混沌から救い出してくれるかもしれない、新しい統治概念を求めて外国へ旅立った。現代の中国人学生は誇らしくよみがえった祖国からやってきた留学生であり、中国の経済的、外交的な影響力を非常に意識している。大半は愛国的で、欧米の教育をデモクラシーの理想への露出というよりは、自分のキャリアへの有力な基盤と考えている。しかしながら、帰国した彼らが、十九世紀半ばのドイツ人哲学者による産業化初期のイギリス経済の分析にもとづく思想信条を受け入れるとは思えない。習近平の中国がマルクス主義を国家統合のイデオロギーとして吹聴したとしても、それはショーウィンドウの飾りだ。習総書記思想は事実上、毛沢東思想が毛主席のもとで占めたと同じ座を占めることだろう。

軍という要素

毛沢東主義国家の最後の要素は人民解放軍である。毛沢東は、とくに彭徳懐や林彪のような革命ヒーローと衝突する場合、将軍の大半が自分側につくよう注意を怠らなかった。習近平には毛沢東のような革命の桂冠がない。だから人民解放軍の支持を得るために、もっとあからさまな手段をとらねばならなかった。政権初期のころ、習近平は十八人の将軍に説いて、忠誠を誓う短い記事を『人民日報』に書かせた。最近彼は軍委連合作戦指揮中心総指揮〈中央軍事委員会合同作戦指令センター総司令官〉なる新しい役職に就任した。この称号のお披露目のために新設のセンターを訪れた習近平は戦闘服に身を包み、自分がどの前任者とも違って、一朝事あれば戦場指揮官であることをアピールした。だが人民解放軍の将軍たちが、文革時の毛沢東や天安門事件時の鄧小平を救ったように、政治的危機にあたって習近平を救う用意があるかどうかは、今後の推移を見ないとわからない。

　習近平は驚くべきスピードで中国を未来に引き戻した（バック・トゥ・ザ・フューチャー）。毛沢東主義の制度や価値観が復元されつつある。だがある一点において、習近平の政治は昔の毛沢東主義と決定的に違う。毛主席がわざと若者を解き放って革命に向かわせたのに対し、習近平の中国では、たとえ腐敗との戦いという大義があっても、非公式な自警行為（ヴィジランティズム）は許されない。内部告発者は刑務所送りになるだろう。それでもなお、習近平にとって毛沢東は求心力のある体制の磁鉄鉱であり、その政策や、国家と社会における習の個人的役割を正当化する最終兵器である。だから毛主席の肖像画はこれからも天安門に掲げられているだろうし、人々はぞろぞろと霊廟に導かれていくだろう。毛沢東にはまだ意味があるのだ。

Q.4 中国における民族的緊張の源は何か？

マーク・エリオット
ハーバード大学教授、フェアバンク・センター前所長／中国史・内陸アジア史

〝緊張は明らかに存在する。それは少数民族と治安機関とのあいだ（に長らく存在した）だけではなく、少数民族と漢族多数派のあいだにもあって、この方が心配だ。二〇〇〇年代半ばまではそれほど目立たなかった傾向である。〟

学者の多くを含め、教養ある欧米人のほとんどが、中国は単一民族国家だとふつうに思い込んでいたのは、そんなに昔のことではない。だから中国は、近代ナショナリズム思想が求めるものと、民族的・宗教的マイノリティを含む統治下の国民の現実との和解を模索する他の国々とは違っていた。そこには「民族問題」などなかったからだ。中国には民族問題がない――それは国民の誰もが「中国人」だったという単純な理由による。

お目こぼししてもらえるなら、この仮説にはそれなりの根拠があった。中国の人口の圧倒的多数を占めるのは漢族であり（二十世紀半ばの九四％から下落して、二〇一〇年の統計では九一・五一％）、国家レベル

の指導層には非漢族が一人もおらず、非漢族の居住地は人の往来の激しい東部沿岸都市部以外の土地に圧倒的に集中している。だから漢族のそばに、いわゆる「少数民族」の相当大きな集団が暮らしているという事実を見逃すのはたやすかった。彼らは現在、総計およそ一億千二百万人おり、国家によって五十五の異なるカテゴリーに分類されている。

一億千二百万人はどう見ても大きな数字だ（人口世界第十一位の日本とほぼ同じ）。いま彼ら「少数民族」が住む土地は中国領土の三分の二を超え、中国の（北朝鮮、ロシア、カザフスタン、パキスタン、インドのほか九カ国との）内陸国境のほぼすべてに沿った位置にある。このことから、近代中国国家の複雑な民族構成がけっして些細な問題ではないことが、いよいよはっきりする。それどころか、これは決定的な特徴とみなされてもおかしくない。一九八〇年代半ば以降、「中国は統一された多民族国家である」というのが、この現状についての公式見解だった。これは民族状況について毎年山ほど発行される文書で絶えずくりかえされるマントラだ。

近年起きている悲劇によって、単一民族という誤った概念で中国を気楽にとらえていた人々すらもが蒙を啓かれ、中国政府と多数の民族集団の一部——もちろん全部ではない——とのあいだにかなりの緊張が存在することが明らかになった。たとえば二〇〇八年のチベット地方の暴力事件につづき、その後の数年間で焼身自殺が百件以上起きている。こうした事件は一九八〇年代後半の血腥い抗議運動、文革期のチベット寺院の大規模破壊、一九五九年にラサで起きた反乱弾圧に連なる長く悲しい記憶へとさかのぼる。中国には実は「民族問題」があるのだという最近の証拠としては、内モンゴルのあちこちでときどき起きる抗議運動もある。だが二〇〇九年以降、ウルムチほか北京を含む全国の都市で起きた爆破事件や襲撃事件がトップニュースであるのは間違いない。こうした事件のほぼ大部分が、数百人（おそらく数千人）の命を奪ったとされ、欧米メディアが今では型通り中国の「不穏な」(「手に負えない」)「極西」と呼ぶ地域、つまり主として新疆南部タリム盆地のオアシス諸都市を拠点とするウイグル人「テロリスト」のせいにされている。

民族的緊張問題

新疆とチベットではフリージャーナリストは一般に取材を禁じられており、中国全土の印刷媒体やオンラインメディアが厳しく管理されている。だからどの事件も具体的な詳細の裏取りは不可能に近く、当事者の動機についてもあまり知ることができない。従って、こういう残念な記録から当然生じる疑問、つまり何が非漢族の人々――主にチベット人、ウイグル人、モンゴル人――を不幸にしているのかという疑問に答えるのはすこぶる難しい。

答えるのは難しいが、これこそこの国の未来を決める鍵となる問いだ。その答は、当然と言えば当然だが、誰に尋ねるかで違ってくる。

漢族のほぼ全員を含め、中華人民共和国市民の大半はこう答えるだろう。チベット人、ウイグル人、モンゴル人が不幸なのは、身内の少数の「トラブルメーカー」が完全独立や、中華人民共和国から分離すればもたらされるはずの恩恵といった嘘の希望を掲げるからだ。こういう希望を抱く(とされる)人々は、自分自身と国を大きなリスクにさらしている。独立の夢など落胆に終わるだけでなく、国の統一を脅かすがゆえに、あいつらは打倒されるべきだ。

大半の漢族住民はさらにこう言うだろう。チベット人、ウイグル人、モンゴル人はおのれの周囲をよく見回してみたらいい。そうすれば中華人民共和国の一員であることがどれだけ幸運かわかるはずだ。歴史に翻弄されて未開状態に落とされたとはいえ、それまでの惨めな状況からようやく引き上げてもらえたではないか。ここ数十年で、非漢族社会は不正な人道搾取の形態が終わり、貧困は撲滅され、病気は根絶され、寿命が延び、教育が広がり、交通やインフラが整備され、生活水準一般が大幅に引き上げられるのを見てきた。すべては中国共産党の思いやりと政府の気前の良い資源投資のおかげだ。この見方からすると、非漢族は国に大いに感謝すべきだということになる。この寛大さに感謝せず、それどころか自分たちに加えられたありもしない不正をあげつらう――そしてあろうことか、党と国への反逆を唱えて暴力行為に及ぶ――などということは、平凡な市井の男女にしてみればへそ曲がりであり、理不尽きわまりない。

同じ質問（なぜ不幸なの？）をチベット人、ウイグル人、モンゴル人に聞くと、たいていこれとは全く違う答が返ってくる。大半は自分たちの歴史的土地が中華人民共和国に組み入れられたことで起きた物質的向上については認める。だが彼らはこうつけ加えるだろう――その代わり自分たちが支払った代価を考えてほしい。政府からの保証――多くの場合、中華人民共和国の開祖たちから自分たちの指導者への個人的な保証――はあったけれど、昔ながらの暮らしは消え、自分たちの言語は失われ、思うように宗教儀式をすることもできない。自分たちが住むのは「自治区」と呼ばれる地区だが、実際には地元のことを決める権限はほとんど（あるいは全く）ない。子供たちに学校で自分たちの言葉を教えることもできないし、思いどおりの服装や髪形をし、子供に好きなように名前をつける権利を守ることすらできない。少しでも文句をつければ、たちまち「テロリスト」、「分離主義者」とレッテルを貼られ、逮捕され、脅され、監獄に入れられてしまう。

ウイグル人の中には、自分たちが二流市民として扱われ、新疆ですら賃金や就職チャンスが平等に与えられず、特別な身分証明書の携帯を強いられ、アメリカで言う人種的プロファイリングの対象にされると言う者もいる。そして多くがこう言うだろう。この地で自分たちと同じように暮らしてみれば、中国の支配はまさに国内植民地主義のたぐいであり、ポスト九・一一の脊髄反射的ムスリム嫌いの世界は、中国共産党がこの世から失くしたいと唱える憎しみの両極化をつくり出していると結論するのではないか。

緊張は明らかに存在する。それは少数民族と治安機関とのあいだ（に長らく存在した）だけではなく、少数民族と漢族多数派のあいだにもあって、この方が心配だ。二〇〇〇年代半ばまではそれほど目立たなかった傾向である。

民族問題がないふりをする者など誰もいない。政府ですらそうだ。この状況をなんとか打開しようと官僚機構全体が躍起になっているし、緊張抑制の努力も払われている。政治専門誌や学術誌に載る無数の記事は（許される範囲で）あらゆる角度から論争するが、大衆メディアでこの問題をおおっぴらに論じるものはほぼ皆無だ。作家の王力雄とそのチベット人の妻でブロガーのオーセル（唯色）のような少数だが勇敢な人たちは堂々と前へ進み出て、じわじわと悪化していく状況をこう嘆いた——弾圧はひどくなる一方、監視はいよいよ厳しくなり、自由がますます制限され、罰則が重くなったため抵抗運動は地下にもぐり、それが民族関係をさらに悪化させて、文化の息の根を断つだけでなく、漢族・非漢族の別なく全中国国民の安全をリスクにさらす、と。二人が提案するのは、彼らにとって絶望的な政府の戦略をやめ、もっと寛容な政策と自治の拡大を導入することである。しかし、その方向に変わりつつあるという証拠はほとんどないようだ——少なくとも今のところは。

歴史の観点

民族的緊張は中国の近代史ほぼ全期を通じて解決困難な問題でありつづけてきた。二十世紀前半の国民党は非漢族全員がもともとは「中国人」であると考え、最終的には漢の規範ただ一つに同化すると期待していた。この見方にともなう父権主義的姿勢のせいで、国民党体制は非漢族からあまり好かれなかった。ここに勝機ありと見た共産党は「漢化」を否定して、非漢族の人々に大きな自治権を与えると約束し、一時期は分離の権利すら提案していた。この但し書きは一九四九年以後、最初に憲法が書かれるずっと以前にとり消されていたが、それでもなお、この文書には少数民族の宗教、文化、言語を広い範囲にわたって保護すると書かれていた。

毛沢東の革命は長征のとき非漢族社会からの支援なくして決して成就しなかったはずだ。毛は国民党の「大漢族主義」のマイナス効果を公然と非難し、自分たちは非漢族の尊厳を大切にすると強調した。この寛容なスタンスは文革期（一九六六－七九）には一時的に捨ておかれたが、一九八〇年代に少数民族への比較的リベラルな政策がとられるようになって復活した。しかし一九九〇年代に、主としてダライ・ラマ率いるチベット社会からの自治要求が高まったのを党指導部が恐れたために時計の針が戻されて、それまでの民族政策の大半は後退した。二〇〇〇年代初頭になると、アルカイダのような国籍をまたぐテロリスト組織の登場によって、今度は新疆の状況が複雑化してきた。

二十一世紀に入って帝国から国家へ移行が進むと、二十世紀的解決はそのままでは時代にそぐわなくなってくる。中国国境の民族的緊張は、漢族が大半を占める中国国家にとっても、非漢族の人々にとっても、今や否定しがたい現実だ。両者とも過去を見つめて、自分サイドの歴史を見る。中国共産党はソ連とその崩壊（何としても避けねばならない運命）を観察して、非ロシア人当事者に地方の権限を与えすぎたソ連の民族政策の「誤り」に大きな非があると断じた。チベット人、ウイグル人、モンゴル人は――分離主義の目標を真剣に掲げる者はほとんどいないのに――アメリカ、オーストラリア、カナダの例を見て、その国々の先住民のような運命をたどることになりはしないかと恐れる。そこでは昔ながらの暮らしぶりが破壊され、漂白され空洞化した文化が観光客向けの博物館に保存される。どちらの側もこうした類推をあまり声高に唱えたがらないが（中国では「先住民族」という言葉はタブー）、緊張がつのる一方の膠着状態の中で双方をつき動かす恐れを見てとるのは難しいことではない。

民族的緊張——二つの説明

共産主義の理想は漢族にも非漢族にも同じように共通の目的を与え、共通の市民意識を育てるのに役立った。しかし時がたつにつれ、非漢族の人々が何もかも党のおかげだと認めないことを多くの漢族中国人が責めるのと同じく、共産党は国境の民が党にどれほど貢献してくれたかを忘れてしまったらしい。資本主義的欲望も「中国の夢」も両者を仲直りさせるには力不足だし、中国ナショナリズムの再生にもたいした期待はできない。中国の民族関係に影響する現在の停滞感にひそむ原因を考えてみると、複数の理由が浮かびあがってくる。

「多民族統一国家」という構築物に入ったひびの一因は、それまで地方の小さな閉鎖経済だったものが共産党の指導のもとに開かれ、強烈な市場勢力が導入されたことである。これによって一九七九年以降、とくに一九九〇年代半ばから、金儲けのチャンスに招き寄せられた漢族中国人が辺境へどっと進出した。その多くは一九九九年に発せられた政府キモ入りの「西部大開発」政策と直接むすびついている。ウイグル、チベット、モンゴルの都市や町に大量の漢族移民が押し寄せ——地元の言葉を学ぶ労をとる者はまずいない——しだいに非漢族の人々は自分たちの故郷の土地で外来人口に圧倒されるようになる。たとえば一九四九年の新疆の漢族人口はわずか六％だったのに、二〇一五年には三八％に跳ね上がった。チベット自治区はまだチベット人が大半だが、チベット系とモンゴル系が主力の青海省では、漢族人口は一九八二年の四〇％以下から二〇一〇年の五三％に上昇した。

ウルムチやラサのような都市で新しく生れる富は大半が漢族住民のものになる。中国の社会学者たちは、都市の雇用にしばしば言語が障害となると指摘する一方、契約獲得や賃金設定に人種差別があると批判する。これでは収入や教育の不平等が増すばかりか、その不平等が民族アイデンティティで決まってしまう。こうした社会経済的階層化が進むと、多くの非漢族は中国経済の変貌の恩恵が漢族に偏っていると感じるようになる。階級と民族がこういう結びつき方をすると社会リスクになることは、改めて述べるまでもあるまい。

今日の中国の民族的緊張の説明としてもう一つ非常に重要なのは、近代中国国家に対する漢族と非漢族の視点があまりに異なることだ。端的に言うと、多数派の漢族が自分たちを終始一貫して中国人だと考えているのに対し、非漢族の多くは自分たちをまずチベット人、ウイグル人、モンゴル人、壮(チワン)人、朝鮮人等々だと考え、「中国人」つまり基本的に「中華人民共和国市民」だという認識はその次に来る。というわけで、今日言われる中国ナショナリズムの復活は——これ自体、そもそも漢族が中国国家の主人でありつづけるために生れた——大半の非漢族には何ももたらしてくれないし、それが国家計画に組み入れられても、共産主義の代替物にはならない。

解決は?

近年、中国の民族問題が激化する中で、さまざまな対応策が提案されてきた。その一つに、北京大学の社会学者、馬戎(ばかい)の大胆な提案がある。それは「少数民族(national minorities)」という表記を全部捨て、「エスニック・マイノリティ(ethnic minorities〔族裔・種族〕)」と入れ換えるというものだ。これを実行するには、憲法にある「民族(nationality)」という表記を消し、個人の身分証明書の民族属性項目を削除し、いわゆるるつぼ的多様性の中で個人が自由に自分のアイデンティティを決めてよいというアメリカ流の文化的多元主義モデルを踏襲することになる。馬戒の提案は人々の関心を集めたが、司法が弱い中国の現状では少数者の法的保護という点で覚束ないものがあると疑念をはさむ者もいる。こういう懐疑派は、このモデルはアメリカでさえ実行に限界があるとも指摘する。

もう一つの解決法は――ここで述べるようにすでに進行中だが――人口学的風景をがらりと変えて、非漢族集団を自分たちの土地で少数派にしてしまうことだ。政府の観点からすれば、一億千二百万人の非漢族のうち大きな不満を抱く集団はそのわずか一割（千二百万人）強にすぎないので、これはそれほど非現実的な選択肢ではないし、最近複数の幹部が提言したように、移民してきた漢族の男と非漢族の地元女性の結婚を奨励すれば、とりわけ実現性がある。このような人口分布転換の行き着く先は、（口には出さないものの）全民族の事実上の消滅である。だが物事はそうは運ばないようで、現在のデータでは、これらの地方の漢族人口は減少傾向にある。

結局、現行の政策が非漢族への抑圧であり、漢族中心的アジェンダの進行であり、長期的に地元の言語、習慣、宗教施設、暮らしぶりの存続を脅かすと非漢族の人々に思われたら、中国の民族問題の解決をいかに見出すかは、想像も覚束ない。問題はさらに悪化するだろうし、いつの日か争いが手に負えなくなるか、あるいは抵抗に走るチベット人、ウイグル人、モンゴル人が消滅するしかないのではなかろうか。

けれど逆に、もし人々が一人前の中国市民であると同時にチベット人、ウイグル人、モンゴル人でいられる自由が与えられ、充分な政治的、文化的、経済的ゆとりが持てたなら、現在のジレンマから抜け出す道もあり得よう。現に全国ほぼどこでも漢族・非漢族双方に受け入れ可能な暫定協定の青写真が存在するし、それによって中国の非漢族の偉大な文化は、永遠に失われる前に保全されるだろう。このことはすでに中国憲法に書かれているのだし。

Q.5 中国の世論について何を知るべきか？

雷雅雯（らいがぶん）
ハーバード大学准教授／法学・社会学

〝権威主義国家はもっぱら世論を抑圧するとよく言われる。だが中国政府は抑圧と統制に加えて、意図的に、また意図せずして、世論育成に力を貸してきたのである。〟

中国における「世論」の発達

中国は検閲で悪名高い。国際機関は「報道と言論の自由度ランキング」で、いつも中国を最下位国の一つに位置づける。「インターネットの自由」の「敵」としても、中国は最悪国の一つだ。だから（驚くには当たらないが）、中国にそれほどなじみのない人でさえ、この国の政治や市民生活はどんより息苦しいだろうと思っている。だがこういう一般的イメージとは逆に――そして非常にリアルな政府の抑圧にもかかわらず――中国では政治的な討論、論争、関与が実は広く普及している。さらに二〇〇〇年代半ばから民意の表出が増えてきて、中国人が「輿情事件」〔「輿論情況事件」の略〕と呼ぶ論争がときどき噴出し、広く世間の耳目を集めて、激烈な討論になったりする。たとえば二〇〇三年、広州で孫志剛という二十七歳の青年が警察に不当拘束され、拘置所で殴打されたすえ死亡するという事件が起きた。これがきっかけで政府に対する厳しい批判が巻き起こり、憲法違反の拘置規則の徹底的見直しにつながった。こういう論争で中国人は頻繁に社会問題を議論し、中国政府に回答や説明責任を求める。それに対し政府は渋々とはいえ、次第に世論を政治的、社会的勢力とみなし、その動きを考慮するようになっている。世論というこの新たな裁きの場は政府の反応を改善したが、同時に事件に寄与したとみなされる当事者が厳しく取り締まられるようになった。

世論は中国的文脈では何を意味するのだろう。これはどの程度「新しい」現象なのだろう。「輿情事件」はどのように、そしてなぜ起こるのか。現行の国家検閲や政治統制のもとで、世論の盛り上がりが影響力のある政治現象になるのをどう説明したらいいだろう。また中国政府は、とりわけ習近平の指導体制下で、世論にどう対応してきただろうか。

一般に世論というものは中国とアメリカでは意味が異なると認識することが重要だ。アメリカでは、世論という概念は——とくに社会科学や報道機関では——世論調査をつうじて個人の意見を積み上げた総計と理解されることが多く、選挙のときにはとりわけ重視される。これに比べ、中国ではもっと全体論的なとらえ方をし、公に表明される意見や公的言論を意味する。世論という現象そのものが本来、とりとめがなく、伝達性があるので、中国人はメディア、インターネット、公の抗議参加をつうじて自分たちの観点を明確にし、共有する。中国の学術機関、メディア、政府機関はもちろん世論調査を行ない、その成果は主として研究や政策の策定に使われる。世論調査はそもそも論争事件を起こさないし、アメリカと違って国内の重要な社会、政治勢力になったりしない。

世論は中国的文脈では決して新しくはないが、最近の盛り上がりにはいくつかの特徴がある。世論は一九八〇年代後半、経済改革にともなうさまざまな問題に対応して、しだいに顕著になってきたが、この世論の成長は一九八九年の天安門事件によって中断された。その後十年の低迷ののち、世論は一九九八年前後にふたたび浮上してきた。このころ国家の圧力で新聞は商業紙化し、国家管理のもとに置かれたが、同時にその存続を収益に頼るようになった。新聞が世論形成に積極的に寄与するようになると、それに気づいた中央政府は中華人民共和国史上初めて、一定の間隔で世論に応えるようになった。

一九九八年から二〇〇五年まで、世論は比較的穏便に管理できていたが、インターネットの導入とともに次第に手に負えなくなり、少なくともときどき政府の統制を逃れて公的アジェンダを設定できるようになってきた。一九九八年以前の世論の力と可視性が、たとえば一九七八―七九年の「民主の壁」運動や一九八九年の天安門事件のような大規模動員や集団行動とともに上下動したのに対し、この時期の中国人は自分たちの声を言葉にし、懸念を政府に届かせるのに、膨大なリソースを動員せずにすむようになった。

「輿情事件」と「輿論監督」

「輿情事件」はふつう決まった軌道をたどる。まず事件や問題がいくつかのマスメディアやネット上の個人によって外部の目に触れる。次にそれがネットユーザーの手で、ネット上のフォーラム、ブログ、「微博（ウェイボー）」や「微信（ウェイシン）」などの大手ネット媒体をつうじて討論、解釈、拡散される。議論はやがてマスメディアに大きくとりあげられて、広範な人々のあいだで激論がくりひろげられ、ついには「輿情事件」へと積み上がる。この全行程をつうじて、マスメディア、大手インターネット企業、個人の市民（法的抗議をしている人を含む）、ネット市民、ジャーナリスト、弁護士、NGO、活動家、有名知識人、オピニオンリーダーなど、広範な当事者が参加して公的アジェンダを形成し、「輿情事件」をつくり出していく。たとえば前述した孫志剛の事件では、『南方都市報』の編集長が中国最大手インターネット企業の一つ「新浪（ＳＩＮＡ）」の編集者たちと緊密に連携して最初の記事を書いた。これが『南方都市報』に掲載されると、「新浪」は全国的に事件の可視性を高めるため、すぐにオンラインでこれを拡散した。事件が公的にさらされると、オンライン・フォーラムや多数のフォローアップ・メディア記事で熱い議論が始まった。世間の関心の高まりと法学者の関与によって、最終的に違憲の拘置規則の徹底的見直しに至る。

論争や「輿情事件」のきっかけとなる問題の種類は時とともに変わる。一九九〇年代後半はナショナリズムから生じる懸念や感情表明が原因であることが多かったが、やがて国内問題や苦情が目立ちはじめ、法律問題――とくに市民権擁護、政府の不法行為、法律論争――が大半を占めるようになる。たとえば家屋の取壊しと住民移転、環境汚染、食の安全、政府の腐敗などへの抗議がとりわけ市民からの批判を爆発させるきっかけとなった。二〇〇三年から二〇一四年の「輿情事件」の約三分の一が農民と労働者がらみだった――この二つの集団、つまり土地を奪われた農民と職を失った労働者は、とくに不利で無力な状態（劣勢弱勢）にあった。こうした「輿情事件」に対し、ネット市民が支援の声をあげ、政府に対しこのような弱者集団の権利と利益に目を向けるよう要求した。

権威主義国家はもっぱら世論を抑圧するとよく言われる。だが中国政府は抑圧と統制に加えて、意図的に、また意図せずして、世論育成に力を貸してきたのである。一九八〇年代に経済改革が進むと、深刻な問題（とりわけ腐敗）が生じてきた。中国政府は世論が批判の道具になると気づき、それをつうじて地方政府の幹部やビジネス当事者を監視できると考えはじめた。当時の党総書記だった趙紫陽はこの考え方を「法による監視（法律監督）」、「世論による監視（輿論監督）」として奨励した。前者は法に則って政府と市場当事者を監視することと、後者は世論の形成と普及をつうじて大衆とメディアに政府と市場当事者を監視する権限を与えることである。趙紫陽は、こうした監視は共産党が「草の根レベルで紛争を解決し、(問題を)つぼみのうちに摘みとる」のに役立つと主張した。一九八九年の天安門事件のあと、趙紫陽は手ぬるすぎたと判断されて自宅軟禁され、そのまま亡くなった。だが肝心なのは、監視に関する趙紫陽の考え方を党が否定しなかった点だ。現に党の最上層部は民主的ジェスチャーを示したいとき、いまだに「輿論監督」に言及する。

世論の育成と抑圧

ここで二つの点をはっきりさせておきたい。第一に、国家が積極的に世論形成を奨励したとしても、求めたのは抑制された世論――政府が統制し、誘導する世論――だったこと。第二に、たぶん「やっぱり」と思うだろうが、政府の言葉はたいてい現実より先を歩いていた。たとえ中央政府が世論を認めていたにせよ、地方レベル、中央レベルいずれにおいても、幹部個人や政府機関はあいかわらず自分の政治的、経済的理由で世論を検閲し、抑圧しようとしている。

国家が意図せずに世論を助長してきたのはほぼまちがいない――これこそが肝要な点だ。政府はその行動や政策をつうじて、うかつにも世論が育つのに貢献し、それがしだいに野放図になっていくのにまかせた。国家は中国の近代化に向けた大々的なキャンペーンの一環として、正式な法体系、商業メディア、インターネットを導入した。それと同時に、市民を強めて国家の政治的権威を不安定にするそれらのツールや潜在的リスクを封じ込めようとした。しかし、そうして解き放たれたさまざまなプロセスは、いったん動きはじめるとたちまち国家の統制から外れていった。

近代的な法体系の発展には、情報に通じ、法の秩序に従うことのできる市民が、市場経済に参加して、地方幹部と市場当事者を監視しつづけることが必要だ。政府はメディアを使って、法の知識と権利の概念を広めようとした。この過程で社会集団のあいだに法と権利意識が広まり、有能な弁護士や法学者に重要なチャンスへの道が開かれた。彼らの多くが、市民の権利と公益を守ることにこれまで以上に力を注いだ。一方、メディアを市場勢力依存の方向に押しやったために、ジャーナリズムという職業が変質し、自分たちは市民の代弁者だと考えるジャーナリストが増えてきた。政府のおかげで――表面上、法の普及を保証され――初めてネットワーク作りや相互協力を許されたジャーナリストや法のプロたちは、新しいやり方で協力しはじめた。両者は連携をとり、すでにほころびはじめていた国家の緩みを利用し、検閲の一部をかいくぐって社会問題を暴露する批判記事を書き、政府の説明責任を要求できるようになった。有力ジャーナリストや法のプロたちが世論のオピニオンリーダーになると、インターネットの普及をつうじて彼らの批判活動が今度は庶民に影響するようになる。ネット市民も独自の論争を展開した。一九九〇年代から二〇〇〇年代に最もきわだつ彼らの活動は、不平の原因を外にさらしてそれと向き合い、コミュニティ感覚を構築することだった。前述したように、法と権利の視点から問題や不平のもとを討論することは、「輿情事件」に火をつける最もありふれた方法の一つだった。

中国政府はこうした展開にどのように対処してきただろうか。世論を封じ込めようとする点で前任の胡錦濤＝温家宝体制の政策は習近平とそれほど変わらないが、胡＝温体制のアプローチの方が比較的オープンで反応が柔軟だった。習近平体制はそれと対照的に、世論の問題を社会的安定や国家の安全とさらに強く関連づけ、しだいに荒っぽくなる手法を正当化しようとした。法とテクノロジーを使って検閲や監視を強めたが、それは問題のある慣行を合法化したり、たとえば「迷惑行為」のように定義の曖昧な行動を犯罪とするなど、好ましくない行動を罰したりする努力がつづけられたことに現われた。加えて、ビッグデータ・サイエンスやクラウド・コンピューティングの使用促進を社会の統制に役立てた。中国政府はまた、オピニオンリーダー、「弱者」、市民権や公益を守る弁護士、ジャーナリスト、活動家など、「輿情事件」の発生に貢献した重要当事者たちに、広範な攻撃の網を投げた。その一方で政府はメディア、NGO、インターネット企業への統制を強めるとともに、中国独自のサイバー主権も主張している。

国家による世論封じ込めは矛盾する結果を生んだ。政府はまず、これまで全国の「輿情事件」の発生に力のあった弁護士、ジャーナリスト、活動家、オピニオンリーダーなどからなる主要な社会ネットワークをほぼ解体した。これらのネットワークを標的にすることで、そういう事件を起こす社会勢力の動員力を大幅に削ぐことができた。親リベラル派の法やメディアのプロや知識人の一部は弾圧に批判的だったが、強まる締めつけに対して有効な対抗手段をまだ見出せていない。だが一方で、取り締まりをもってしても、国家は批判の声を圧殺し、動員を完全に潰すことができなかった。党国家の内紛はまだ利用できる。これはメディアにとって、声をあげ、検閲に挑戦するチャンスだ。さらに、まだ取り締まりの対象になっていなかった教育水準の高い中産階級は、団結して発言をつづける余力があった。だが、もっと無力な集団にとって事態は深刻だ。弁護士、NGO活動家、ジャーナリストが抑圧されて、その協調した助けが得られなくなった彼らは、一般からの支援を動員するとき大きな困難に出会うだろう。表現や改善の手段を奪われた中国の弱者は、困難への対処として過激で極端な対応に走り――習近平体制がまさに強化しようとしてきた――社会的安定を脅かすようになるかもしれない。だが、社会問題の討論が極度に減れば、世論はまずナショナリズムの発露に向かうはずである。

Q.6 中国指導層にとって長寿は何を意味するか？

アルナブ・ゴーシュ
ハーバード大学准教授／近代中国史

〝中華人民共和国はたしかに任期制限を採用したが、引退した指導者が次世代に決定的かつ直接的な影響力を持ちつづけるという事実は、中国の指導者がアメリカ、イギリス、インドよりも遥かに大きな影響力を維持しているということを意味する。〟

退任後も続く指導者の影響力

いろいろ聞くところによると、二〇一七年の秋に開かれる第十九回全人代（全国人民代表大会）では、中国のエリート指導部の構成に歴史的変化があるかもしれないという。一九八九年夏の事件〔第二次天安門事件〕以後、中国のシステムは進化して、平和でスムーズな権力の世代交代が可能になった。このシステムの特徴は、政治学者のアンドリュー・ネイサンが二〇〇三年に発表した造語「権威主義的弾性〔＝靭性〕」と呼ばれるもので、主席と首相の任期を五年二期に制限し、拡大集団指導体制を実現させたが、それが今や揺らごうとしているようだ。現主席である習近平が、これら公式・非公式のルールを破って、二度目の任期の終わる二〇二二年以後も主席の座に居座るか、あるいは少なくともエリート政治に影響を及ぼしつづけようとしているのではないかと懸念されている。

習近平主席がこのような永続的影響力を求めるのも不思議ではない。二〇〇二年から二〇一二年まで主席を務めた前任者の胡錦濤が政治の表舞台から退いたのに対し、習近平のパトロンの江沢民は（改革時代の最も有力な指導者である鄧小平もそうだったが）、指導者の公式な地位を退いたあとも長く権力を振るい、影響力を行使しつづけた。二〇一二年秋に習近平が主席に昇格したときも、実は八十代の江沢民が睨みをきかせ、拘束力を持つ中で行なわれた人事だった。江沢民はとっくに引退して、正式にはもはや政治に関わっていなかったにもかかわらず、政局に長い影を落とし、二〇〇二年と二〇一二年に、自分の息のかかった後輩を数人、政治局常務委員に昇格させている。江沢民の前任者の鄧小平に至っては、一九八〇年代後半に現役を退いたのち、それよりずっと強大な影響力を行使している。鄧小平は一九八七年十一月に、中央軍事委員会主席の地位を除くすべてのポストから退いたが、それから二年後の一九八九年六月、天安門広場に人民解放軍部隊を入れ、抗議する人々を蹴散らした。これを思い出してもらうだけで、彼の影響力の大きさがわかるだろう。一九九二年の南巡で改革への経済アジェンダを改めて強調し、中国の成長のきっかけをつくったのも鄧小平だ。正式に政府のポストにないのに高齢の政治家が影響力を発揮しつづけるのは中国ではよく見られる現象で、江沢民や鄧小平はその顕著な例にすぎない。

習近平が現行のエリート継承システムを覆し、江沢民と鄧小平の轍を踏む道を選ぶか、おとなしく脇に退くかは今のところ不明だ。しかし比較史の観点からすれば、権力の座にあるときの指導者の年齢ばかりでなく、長寿それ自体に関心が向かう。任期が終われば指導者がふつうエリート政治から退く（アメリカのような）政治システム、あるいは、議会という統治形式によって、在任期間の重責を速やかに、そして往々にして予期できぬ方向に移動させることが可能な（イギリス、インドほか、広く連立政治の世界における）政治システムでは、長寿はおそらくそれほど重要ではない。中華人民共和国はたしかに任期制限を採用したが、引退した指導者が次世代に決定的かつ直接的な影響力を持ちつづけるという事実は、中国の指導者がアメリカ、イギリス、インドよりも遥かに大きな権力を維持しているということを意味する。このことはまた、歴史家にとって興味深い比較の問題を提起する――中国のトップリーダーは外国のリーダーより長生きしたのか？

指導層の平均寿命の国際比較

二〇一二年に『ニューヨーク・タイムズ』が現在および過去の政治局常務委員と、「八大元老」（常務委員ではなかったかもしれないが、過去六十年間、委員と同じく重要な影響力を持ち、貢献した毛沢東の側近）について集めたデータによれば、過去六十年にわたって、六十一人が中華人民共和国の政権の頂点から権威と影響力を行使したことがわかる。二〇一二年の時点で、その平均年齢は七十九歳、中央値は七十八歳だった。

確かに**図6－1**によると、一八八〇年代から一九三〇年代に生れたトップリーダーの平均寿命は八十代半ばから後半だ。一八九〇年代生れの平均寿命が低いのは、文化大革命（一九六六－七六）の粛清が少なくとも一部影響しているという説明が成り立つだろう。文革では多くのトップリーダーも粛清を免れなかったわけだ。一九三〇年代生れの八人のうち六人が二〇一二年にまだ存命しており、今後、平均寿命は上がるだろうと予測できる。一九四〇年代生まれの平均年齢は六十七歳で、胡錦濤元主席と現在の政治局常務委員の大

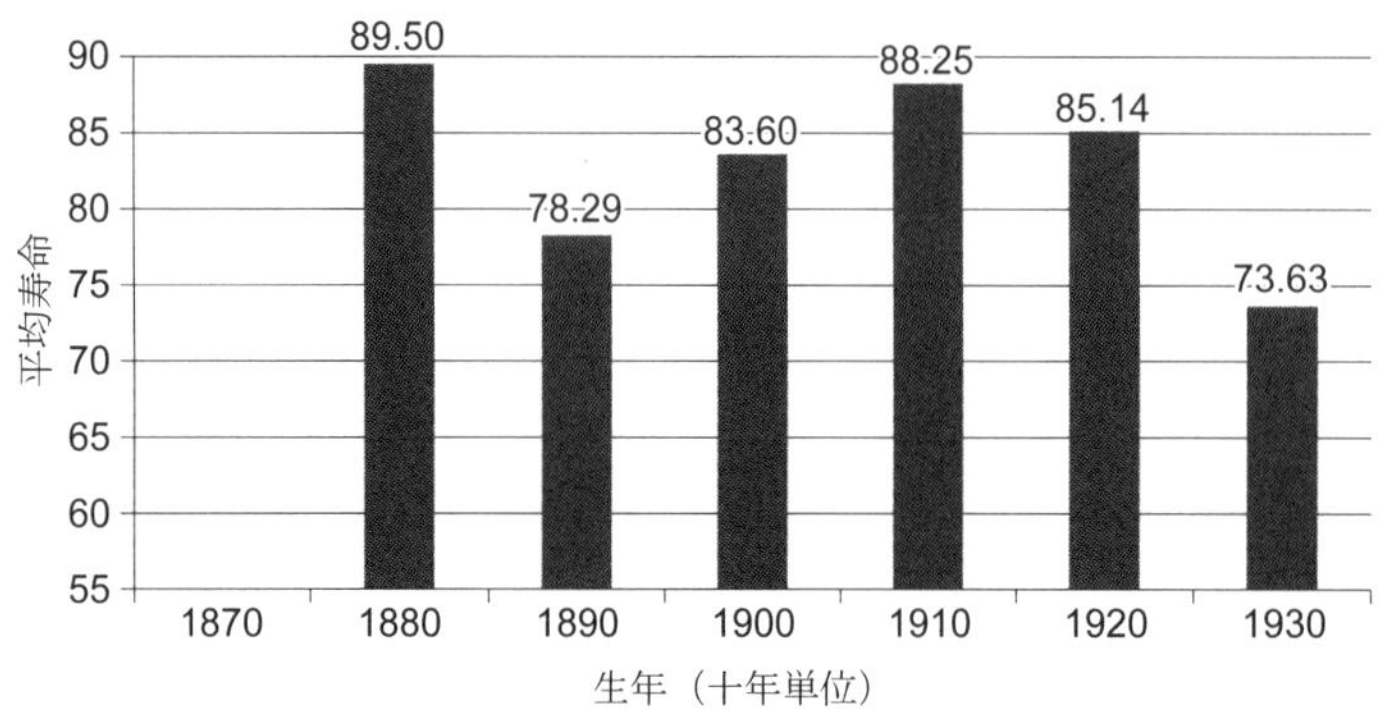

図 6–1　十年単位の生年に見る中国共産党指導者の寿命

半がここに含まれる。調査対象全員の単純平均年齢七十九歳自体すでに充分長寿だが、その多くが存命中の若い世代の動向しだいで、寿命はもっと長くなる。現に、一九四〇年以後に生れた十四人を除けば、平均年齢は八十二歳だ。

中国のリーダーの寿命を旧ソ連、アメリカ、インドの同輩と比べるとどうなるだろう。一八七〇年代から一九三〇年代までに生れたリーダー全体の平均寿命は中国が八十二歳で一番高く、インドはそれよりわずかに若い八十歳である。中国とインドの、リーダーではないふつうの男女の平均寿命はアメリカと旧ソ連より低く、リーダーたちのパターンとは異なる。もう一つ驚くべきは、中印両国のリーダーの一部が厳しい社会・政治的動乱期を経ており、しばしば個人的にたいへんな肉体的苦難（投獄、ハンスト、長征、戦争など枚挙に暇がない）を経験していることだ。アメリカのリーダーの平均寿命は七十九歳、旧ソ連は七十一歳だが、後者が低いのは一九三〇年代の大粛清のせいである。

この四カ国どこでも、リーダーの寿命は各国の平均余命と直接の関係がないようだ。二十世紀のほぼ大半をつうじて、中印の国民平均余命は六十歳以下だった。世界銀行のデータによれば、一九六〇年の時点でインドは四十二歳、中国は四十三歳である。この数字は過去五十年で着実に上昇し、現在ではそれぞれ六十六歳と七十五歳前後になった。アメリカと旧ソ連は一九六〇年時点で七十歳前後だったが、アメリカではその後着実に伸びて現在八十歳に近づいているのに対し、ロシアはほぼそのままで推移している。国家レベルの指導者のような特殊集団はふつう恵まれた医療環境にあるが、余命にはやはり限界がある。しかし、国家指導者は自分たちが統治している国民よりも長生きする傾向にあることは確かなようだ。

中国の場合、外れ値はどの程度だろうか。五十歳、六十歳、七十歳を超えて生きた指導者の割合は四カ国つうじて概ね変わらない。だがそれより上の二つの十年グループ（八十代と九十代）で、興味深いことが始まる。当然予測できることだが、八十歳を超えて生きる国家指導者の割合は各国ともかなり低い。このグループで中国は若干リードしており、アメリカとインドよりほんのわずか多い。だが九十歳超えのグループになるとその差が開き、中国がダントツで他の三国に水をあける。中国の指導者は五人に一人が九十歳以上まで生きる。国別に比較してみると、九十歳を超えて存命していたのは、アメリカは七人に一人、インドは九人に一人、旧ソ連は十人に一人である。

一九四〇年以前に生れた（つまり現在の若い指導部を除く）指導者だけをとってみると、中国では半分を遥かに超える人数（六三・八％）が八十歳以上まで生きている。これは次席のアメリカよりほぼ一〇％高い。旧ソ連とインドは五〇％を超えていない。九十歳以上になると、その差はもっと広がる。四カ国を比較すると、九十歳超えの中国の指導者は四人に一人（二三・四％）、次いで六人に一人にわずか届かないアメリカ、八人に一人のインド、十人に一人以下の旧ソ連となっている。

「長生き」に意味がある国

中国の指導者はアメリカ、インド、旧ソ連の指導者と比べて確かに長生きだ。見方を変えれば、他人より長生きすることに意味がある国で、国家指導者は長生きしていることになる。その国とは中国のことだ。

中国の指導者が長生きだということにはさまざまな意味がある。国内的には、指導スタイルの継続性と特定の次世代指導者の育成面で、指導者の影響力が発揮され、したがって、全般的な思想選択と政策関与を他国よりずっと長くつづけることができる。これはまた、他国のリーダーとの交渉にあたって、中国の指導者は相手より長期的な展望が持てるということでもある。長寿はまた、共産党内部の派閥の境界を強固にし、政府内に世代と階層を超えた忠誠心が醸成されることにもつながる。頂点に強力な指導者が複数いないときは、一人の長老指導者を後ろ楯とする一派閥がつづき、国家の最高レベルにおける討論や議論が実質的に妨げられることもある。

もっと視野を広げるなら、長寿は指導者が国民の動向をいかに正しく把握し、効果的に対応できるかにも影響する。中国はもはや十年前のような若い国ではないが、大半の先進国よりはまだ若い。国民の約七割が五十歳以下、五人に一人を少し切る程度が十五歳以下である。そして二十世紀中国の歴史をつうじて変化をもたらす大きな勢力は若者だった。一九一〇年代、二〇年代の新文化運動や五四運動でも、一九七〇年代、八〇年代の「民主の壁」や天安門広場の運動でも、進歩的改革への呼びかけで一番声の大きかったのは若者だった。しだいに年を取る指導層は一貫してそれを押し戻した。改革時代以来、驚くべき経済成長が絶えず約束されては実現され、この改革の熱気を圧倒した。しかし、過去十五年の二桁近いＧＤＰ成長率も、もはや持続可能ではない。このような状況下で、どちらかと言えば柔軟性に欠ける政策アジェンダに固執する高齢の指導層は、自分たちが奉仕しているはずの国民からしだいに乖離し、政治的、社会的安定の見通しにあまり自信が持てなくなっている。

今年初め、アンドリュー・ネイサンは「ごく最近の中国に見るように、数十年かけて政治指導部を更新し、アップグレードするその能力は、権威主義的システムとしてはユニークである」と述べた。とはいえ、もし習近平への懸念に確かな根拠があるなら、中国は本当にある種の権威主義的「規範」に逆戻りして見えるはずだ。こうした状況で、中国のエリート指導層に長寿の傾向があるという事実は、中国のみならず、世界の未来の経済、社会、政治的展望にとって意味がある。

Q.7 中国共産党は歴代皇帝に学べるか？

王裕華
ハーバード大学准教授／行政学

〝中国共産党は毛沢東の知恵に倣って、歴史に学ぶことができるかもしれない。秦（前二二一—前二〇七）から清（一六四四—一九一一）まで、中国は四十九の王朝の二百八十二人の皇帝に統治されてきた。彼ら古代の支配者と政体の栄枯盛衰から、党は権力を保つには何が必要かを学べるかもしれない。〟

いかに権力の座にありつづけるか

一九一二年、十九歳の毛沢東は高校の先生から生涯の愛読書となる一冊の本をもらった。毛はそれを長征中も、延安の窰洞（ヤオトン）でも、中国全土を駆けめぐる列車の車中でも読みふけった。毛のベッドの脇机には寝る前に読めるように、その本が置かれていた。人にはもう十七回も読んだと言い、党幹部との会話にしばしばその本を引用した。

その本とは北宋の文人政治家、司馬光の編纂した、一〇八四年刊行の『資治通鑑』である。全二百九十四巻からなる三百万字の編年体の歴史書には、紀元前四〇三年から紀元後九五九年までの中国の歴史が綴られている。英宗は、先帝たちの教訓を吟味して、未来の皇帝たちがそれを学び、過誤を避け、良い統治者になれるようにと、司馬光にこの書物を書くことを命じた。

毛沢東はなぜ千年近く前に書かれた書物にそれほどのめり込んだのだろう。毛の時代の中国はもちろん古代と違う。経済が急速に産業化し、国家の機能はいよいよ複雑化し、西洋世界と日本の台頭とともに、中国はもはや世界の中心、「中つ国」ではなかった。だが毛沢東が直面した核心的課題は、まさに中国の先帝たちが直面したこととときわめて似通っていた。つまり、いかに権力の座にありつづけるかということだ。

現在の中国は古代中国からもっと隔たっている。伝統的農業社会が徐々に崩壊し、今では農村より都会に住む人の方が多い。かつての閉ざされた帝国は今や世界最大の貿易輸出国であり、二番目に大きな外国の直接投資先である。古代中国では軽蔑された裕福な商人が、今では人民大会堂に座って人々に崇められている。だがそれでも中国共産党の頂点にいる幹部たちは同じ問いをくりかえす――いかに権力の座にありつづけるか。

その懸念も無理はない。世界では一九七二年以後、六十七の独裁国が倒れた。ラテンアメリカの軍事政権、アフリカの個人独裁国、ソ連の共産主義政権。「アラブの春」では、最も長続きした独裁支配者、リビアのカダフィとエジプトのムバラクが政権を転覆され、殺されたり投獄されたりしている。アメリカの政治学者、フランシス・フクヤマは人類の政府の最終形態としてリベラル・デモクラシーの台頭を唱えさえした。

中国共産党はどうすれば、この世界的に広がる体制変革の「波」を乗り切れるだろうか。他の共産主義体制が経験したことはあまり参考にならない。キューバと北朝鮮は建国以来、それぞれカストロと金という一族に支配されてきた。ベトナムとラオスは中国に倣って、市場経済をともなう共産主義支配を維持しようとしている。

中国共産党は毛沢東の知恵に倣って、歴史に学ぶことができるかもしれない。秦（前二二一―前二〇七）から清（一六四四―一九一一）まで、中国は四十九の王朝の二百八十二人の皇帝に統治されてきた。彼ら古代の支配者と政体の栄枯盛衰から、党は権力を保つには何が必要かを学べるかもしれない。

中国史からの四つの教訓

二千年を超える中国の王朝支配から学ぶべき重要な教訓は何だろう。幸い私たちは『資治通鑑』を十七回も読まずにすむ。デジタルデータと近代統計技術で、歴史的統治者たちの盛衰の背後にあるパターンを系統的に研究することができるからだ。

私はさまざまな史料と伝記文献からまとめた王朝と皇帝のデータを分析して、中国史から四つの重要な教訓を引き出した。

教訓一。どんな王朝も永遠に支配することはできない。四十九の王朝は平均して七十年つづいているが、その持続年数は、一年ともたなかった桓楚（四〇三―〇四）から二百八十九年にわたって中国を統治した唐（六一八―九〇七）まで幅広い。中国共産党が二〇一九年にまだつづいている場合、持続年数はちょうどこの平均値七十年になる。

教訓二。王朝の滅亡の最も重要な原因はエリートの反乱である。ほとんどの王朝は外敵や大衆によって転覆されたのではなく、旧体制の一部だった政治エリートに倒された。たとえば漢（前二〇六―後九）の創建者で初代皇帝（高祖帝）の劉邦は、故郷沛(はい)県で治安の官職（亭長）にあったが、やがて秦に対する反乱軍に加わった。これとは別に二人の農民が率いる反乱軍がいたが、首都にたどり着くことができなかった。唐は中国史最強の王朝の一つで、創建者の李淵は前王朝、隋の地方長官をしていた。隋の末期には各地で農民反乱が起きたが、政府軍や李淵の軍に鎮圧されている。王朝支配の歴史を終わらせた一九一一年の辛亥革命さえも、そのリーダーは農民ではなくエリート集団であり、その多くが清朝政府の地方軍の領袖だった。後漢の張角、明末の李自成、清末の洪秀全などの農民リーダーは民間の英雄ではあっても、決して王冠をつかむことはなかった。統計分析からも同じパターンが見えてくる。王朝交替の主役は遊牧民でも大衆でもなかった。中国のさまざまな体制にとって最大の脅威だったのは、政治エリートである。エリートには大衆動員の原資と知識があるし、政治システムがどう機能するか知っている。彼らはまた、守備隊、武器庫、穀物倉庫、政府の書類、地図、金庫がどこにあるかも知っている。大都会に一度も足を踏み入れたことのない農民反乱軍にとって首都はまるで迷路だったが、エリートなら皇帝の寝室など楽にみつけられる。劉邦の参謀の一人で沛県の県令補佐官をしていた蕭何(しょうか)は、劉邦の軍が首都に入ると、ただちに秦の宮殿にあった地図などの書類すべてを押さえている。

教訓三。つつがなく帝位を去ることのできた皇帝は半数しかいない。**表7−1**は二百八十二人の中国皇帝のやめ方を示している。皇帝の半数が自然死によって在位を終えている一方、残りの半数は自然死以外の原因でやめている。そのうち約半数がエリートの手により帝位を去った(殺害、政権転覆、強制退位、強制自殺)。次に多いのは内戦中の死あるいは退位。対外戦争が原因で、あるいはその戦争中に退位した皇帝はごくわずかで、七人しかいない。皇帝の退位の原因は王朝の滅亡の原因と共通しており、最大の脅威は社会や外国からではなく、体制内部からやって来る。

教訓四。有能で忠実な後継者を得た皇帝は長生きする。二百八十二人の皇帝のうち百三十人(四六%)が皇太子を後継者とし、しかもその半数以上が即位五年以内に後継指名を終えている。古代中国の皇室の結婚

表 7–1　中国皇帝の退位原因（前 221- 後 1911）

原因	やめ方	頻度	%
健康	自然死	152	53.9
エリート	エリートによる殺害	34	12.06
	エリートによる追放	24	8.51
	エリートによる強制退位	17	6.03
	エリートの圧力による自殺	1	0.35
	小計	76	26.95
内戦	内戦中に追放	20	7.09
	内戦で死亡	10	3.55
	国内の脅威で強制退位	1	0.35
	内戦中に自殺	1	0.35
	小計	32	11.34
対外戦争	対外戦争中に自殺	4	1.42
	対外脅威による強制退位	3	1.06
	小計	7	2.48
家族	息子による殺害	5	1.77
	側室による殺害	1	0.35
	小計	6	2.12
その他	服毒	4	1.42
	自主的退位	4	1.42
	事故	1	0.35
	小計	9	3.19
	計	282	100

には宗教の縛りがなかったため、皇帝は多くの男子後継候補から自由に跡取りを選ぶことができた。だから選ばれるのは必ずしも長男とは限らず、最も有能な息子であることが多かった。私の統計分析によると、後継指名を終えた皇帝が退位を強いられたケースは、指名していなかった皇帝より六四％少ない。皇太子を後継指名しなかった皇帝は、息子がなかったか、異なる後継ルールに従った人たちである。たとえばモンゴル人は水平継承（皇帝一族から年齢の順に選ぶ）と、新リーダー（ハーン／大汗）を選ぶ選挙の組み合わせで後継を決めていた。その結果、モンゴル帝国（元）では皇帝の息子が跡を継いだケースは三三・三三％にすぎない。モンゴル人皇帝の平均在位年数は一〇・八年で、次の漢人王朝（明）の皇帝の一七・八年よりかなり短い。

後継指名はなぜ皇帝に有利なのか。経済学者のゴードン・タロックは後継指名の利点について、エリートたちが現在の独裁者よりも後継者に仕える期間の方が長いと見込んで、自分たちの戦略を練り始めることだと述べている。しかし後継指名はリスクもともなう。これについてタロックは、正式に後継者を指名した独裁者がこの状況で直面する基本的問題は、その後継者に皇帝を暗殺する強い動機と、罰せられずにすむだろうという合理的な保障の両方を与えることだと指摘している。これはよく「皇太子問題」と呼ばれるが、毛沢東の指名した後継者、林彪が毛の列車の爆破を目論んだとき、毛にとってこの教訓は身に沁みたことだろう。ここからタロックは、世襲こそが支配者の存命中も死後も体制の安定をもたらすと言っている。息子は父親が死ぬのを待った方が得策だからだ。

体制内エリートというリスクと後継問題

これら四つの教訓だけが中国史の豊かな資産から引き出すことのできる知恵ではないことは言うまでもない。経済をどう発展させるか、自然災害にどう対処すべきか、貧困をどう緩和するか、強い軍隊をどう作るかといった問題に対する答はそこにはない。だがここからは、いかに権力の座にとどまるかという問いに答えるのに役立つ貴重な洞察が二つ汲み取れる。

第一。体制の持続にとって最大の挑戦は外敵でも大衆でもなく、体制内部のエリートである。政治エリートは支配者へのクーデターを組織するための知識と原資の両方を持っている。そしていわゆる大衆反乱のときでさえ、エリートはふつう大衆動員に指導的役割を果たす。共産党がこういう歴史パターンに大満足なわけがない。習近平の現体制は外国の影響と大衆の抗議に被害妄想をつのらせる一方、とりつかれたように反腐敗運動に血道をあげ、エリートを攪乱している。

第二。後継は重要きわまる問題である。現代の独裁者は（北朝鮮の金一族を例外として）めったに息子に跡を継がせることができないが、現職リーダーは（辛抱強くポスト交替を待てるだけ）忠実で、（エリートが支持を寄せられるほど）有能な後継者を選ぶことが不可欠だ。一九七〇年代の中国政治の混乱は、毛沢東が不忠な後継者（林彪）、次いで無能な後継者（華国鋒）を選んだ結果と考えることもできる。ポスト毛沢東時代の指導者は後継者問題に細心の注意を払ってきた。鄧小平は後継者に江沢民、その次の後継者に胡錦濤を選んだと言われており、江沢民は習近平選出に力があったようだ。習近平の後を誰が引き継ぐのかは不明だが、習近平の後継問題への対応は、今後十年、十五年たったとき中国の政治風景がどうなっているか見きわめる指標になることだろう。

毛沢東は七十三歳の誕生日に側近を集めてこう言った。砦を落とす最も簡単な方法は、中から崩すことだ。表に出せる息子のいない毛沢東は後継問題に苦しんだ。だが彼は最も危険な敵は自分の身辺にいることを『資治通鑑』からしっかり学んでいた。中国共産党も同じ教訓を学んだだろうか。

第Ⅱ部　国際関係

Q.8 中国はアジアのリーダーになるか？

オッド・アルネ・ウェスタッド
イェール大学教授／冷戦史

〝現在の状況は、中国による地域支配が崩れはじめた十八世紀とはまったく違う。その頃の中国はみなに評価されていたし、ほとんどの国は自国アイデンティティがそれほど強くなかった。いま中国は恐れられ、他国民のナショナリズムは中国人と同じくらい強い。〟

アメリカの後退と中国の台頭

過去四十年をつうじて、中国はその長く複雑な歴史上かつて経験したことのない変貌を遂げた。一九七〇年代、極貧の中国は産業、テクノロジー、教育、農業生産で欧米に、それどころかアジアの一部にさえ遥かに後れをとっていた。今日、中国は世界第二の経済大国であり、最大の貿易国であり、車、船舶、コンピュータ、携帯電話の世界最大の生産国である。中国の億万長者の数は今やアメリカよりも多いそうだ。

この休むことを知らない現在進行形の超大国は、その興隆の意図をめぐって近隣諸国や既存の超大国アメリカに当然ながら懸念を抱かせている。アメリカにとっての懸念は、経済的、国際的優位性の喪失だった。ドナルド・トランプ大統領の選挙でわかるように、ますます多くのアメリカ人が職の海外流出や、他国との経済競争力の減退を不安がっている。ほかにも急速に経済成長し、アメリカよりも魅力的な投資先である国が多数あるにもかかわらず、進行中のグローバル経済調整の主たる受益者として挙げられるのは、中国であることが多い。

アメリカは影響力と国力の点で世界が多極化していくことも不安だった。第二次世界大戦後の世界でアメリカは終始優位にあり、一九九〇年代の冷戦終了後はその優位性はかつてなく揺るぎないものに思えた。しかし二〇〇〇年代に入り、イラク戦争、アフガニスタン戦争、大不況のあと、突然アメリカは超大国としての実効性を削がれたようだ。ロシアのウクライナ侵攻からシリア内戦まで、そして新たなテロ組織の出現など多くの事件は、容認できない結果を防ごうとするアメリカの介入がなかったせいで起きたと思われる。いっぽう中国は、東アジアの隣人に対し政策面でますます自己主張を強め、国際案件でアメリカとの協力に冷やかになった。二〇一〇年代後半のアメリカは、マデレーン・オルブライト元国務長官が一九九八年に述べた「不可欠な国」から後退し、列強の世界の巨大な一強国に甘んじたかに思える。

もしも世界の多極化というこの傾向がつづくと、その影響をもろに受けるのが東アジア地域だ。中国の台頭がその主な原因である。だが他の諸国もまた、自国リーダーの言う国益を主張するのに躍起だ。日本はこの巨大な隣国、中国に断固として立ち向かい、中国の海洋領土要求に屈するのを拒んでいる。韓国では中国が南北統一の主要な障害になっていると見る人々が増えている。南アジアと東南アジアでも同様に、ナショナリスト指導者たちが自国の国際的地位を守るのに懸命だ。もしもアメリカがこの地域におけるプレゼンスを縮小すると感じられたら、全アジア諸国は自国の先行きを確定するために、こうした傾向をいよいよ強めるだろう。

このように、中国が新たな重要性を示そうとしているこの世界は、アメリカが覇権を握っていた時代に中国のリーダーたちが見知っていた世界より遥かに複雑化している。その世界が抱える問題の解決に中国が呼び出される日は、わずか五年前に彼らが想像していたよりずっと早く訪れる見通しが強い。もしも地域案件あるいは国際貿易や投資のためのパラメータ設定に対するアメリカの関与が急速に弱まったら、どの国よりも早くリーダーとしての責務を感じるべきは、中国を措いてほかにあるまい。二十世紀前半、多極化した世界は二つの世界大戦と経済不況へと向かう不幸な経験を味わった。二十一世紀にそのようなシナリオを避けるためにも、中国の役割は重大だ。

悪化する近隣諸国との関係

だが中国は地域や世界を導く用意ができているだろうか。これまでのところ、あまり楽観的な兆しはない。中国を除く東アジアと同様、あるいは世界全体も実はそうだったが、中国は自国の利益とナショナリズムを強調して上昇してきた。二〇一〇年から二〇一五年までの時期、中国の地域外交政策は主としていかに敵を作り、潜在的友好国を遠ざけるかの見本のようなものだった。尖閣（釣魚）列島をめぐる日本との領土紛争は、日中双方にとって有益だった三十年にわたる緊張緩和を弱める役割を果たした。世論調査によると、いま中国を好意的に見る日本人は九％にすぎないという。韓国では、中国が北朝鮮の挑発——核兵器、ミサイル計画、延坪（ヨンピョン）島攻撃、韓国の哨戒艦チョナン（天安）号撃沈事件（この二つとも二〇一〇年）ほか、非武装地帯（DMZ）を越えた複数の攻撃——にあまり反応しないため、国民の多くが北京の本音は朝鮮半島を分断したまま、弱いままにしておくことだと考えはじめている。中には、中国の長期的目的は北朝鮮を中国に統合し、半島統一という朝鮮人の夢に永遠の幕引きをすることなのではないかと考える人もいる。

さらに南方でも雲行きが怪しい。中国と東南アジアの関係はこれまでほぼ三十年、順調に進展してきたが、近年もちあがった南シナ海の主権をめぐる争いによって関係が台無しになった。その結果、南の近隣諸国は北京が自分たちの国を支配、管理し、経済的影響力と軍事力で地域問題の解決を無理強いしようとしているのではないかと疑念をつのらせている。問題の水域でまだ工事中の七つの人工島によって、中国は近隣諸国に多極間交渉や国際法廷の判決を受け入れたくないというシグナルを送っている。

今やこんなに強くなった中国は、領土問題その他の紛争について自国に有利な解決を近隣諸国に強いるだろうと分析する人もいる。もしアメリカがこの地域で関与を弱めるならとりわけ、中国に対抗できる国はないだろう。その上、この地域のほぼすべての国が中国との経済協力に大きな関心を持っている。東アジアにはこの巨大な隣国に近づいて、その協力の真価を試したいと思うリーダーが必ずいる。だが彼らは自国民の反応に対してあくまで慎重であらねばならない。国民の大半が中国の影響力を恐れているのは日本だけではない。ベトナムやフィリピンの国民も日本人と同じくらい中国が恐い。ところがこれらの国々のリーダーは経済的理由から中国ともっと緊密に協力したがっている。現在の状況は、中国による地域支配が崩れはじめた十八世紀とはまったく違う。その頃の中国はみなに評価されていたし、ほとんどの国は自国アイデンティティがそれほど強くなかった。いま中国は恐れられ、他国民のナショナリズムは中国人と同じくらい強い。

アジアのリーダーになれるのか

国力が強まるにつれ、中国は国際社会でのふるまいを修正するだろうと考える人もいる。なにしろアメリカはその影響力が強まった十九世紀、権力をふりかざし、隣国のみならず遠隔地にとっても頭痛の種だった国だ。だが二十世紀後半、超大国に成長すると、自国の影響力が絶頂にあるかぎりにおいて、その手法は協力的（少なくとも統合主義的）だった。中国が同じパターンを踏襲すると期待してもおかしくあるまい。

中国がアメリカと同じ道をたどる可能性はあるが、少なくとも近々にそうなることはなさそうだ。これは単に、大国が近隣諸国に溶け込むには時間がかかるという問題だけではない。敵意、利己主義、狭量なナショナリズムを強調する今日の価値観が、中国の現体制下の統治の副産物だからでもある。中国にはアメリカやアジアの多くの国々が備えている政治的自己調整メカニズムがない。中国が国内統治を改善し、協力の原則に沿ったリーダーシップを導入するまでは、その国際的役割も向上するとは思えない。中国はたしかに地域や世界の問題削減のための解決策をもたらす能力という点でアメリカと肩を並べるかもしれないが、現行の指導部に自国を利する売買契約や商取引はできても、地域における他国の利益をも包含する形で長期的な歩み寄りができるかどうか疑わしい。

したがって、現在の中国の政策は総体に地域における優位性よりも紛争をもたらす可能性の方が高い。今日の日本とベトナムは、アメリカの隣人であるメキシコやカナダとはまるで似ていない。十九世紀のメキシコとカナダは弱小国で、アメリカの侵攻に抵抗する機会は限られていた。それと比べて二十一世紀の中国の近隣諸国はそこそこはっきりした国益とそれを追求する力があり、力を合わせて中国の圧力と脅迫に立ち向かうことすらある。アジアにおけるアメリカのプレゼンスが今のレベルにとどまるならば、アジア諸国の立場はむろん強まるはずだ。だがたとえアメリカの役割が弱まったとしても、中国が現在とっている政治的、経済的手段で地域の優位を達成することはまずあるまい。

中国がアジアのリーダーになる日は、したがって、なかなか来ないだろう。国内の未解決の緊張から生じる社会混乱によって後退しないかぎり、中国はさらに重要な国になるだろう。だが地域の優位は、近隣ともっと協力的、融和的につきあうことをつうじて獲得するものでなければならず、中国にそれが今できるとは思えない。そうした政策の変更は今後もちろん可能だ。中国の学者や役人は今その可能性を――少なくとも高級幹部の耳に入らないところで――議論している。自分だけの核心的利益だけでなく、共通の価値観のために立ち上がるもう一つの中国はまだ形成途中なのかもしれない。もしそういう中国ができたら、地域と世界にとってきっと「不可欠な国」になるにちがいない。ただし、そんなことがすぐに起こるとは思わない方がいい。

Q.9 中国軍はどのくらい強いか？

アンドリュー・S・エリクソン
米海軍大学教授／戦略学

〝中国の国家安全保障政策と能力を理解するには、中国軍を構成する三つの要素――人民解放軍、準軍組織である人民武装警察、民兵――をすべて検討する必要がある。〟

アメリカとどのように比較するか

現在、中国には世界第二の経済と防衛予算がある。[*] そして世界最大の通常型ミサイル戦力と海警（中国海警局）を誇り、事実上、世界唯一の海上民兵が主権を主張して一歩も退かない。たとえまだ世界第二の強国ではないにしろ、中国には世界第一の規模の外洋海軍があり、今にも一位のアメリカを抜こうとしている。その理由の一つは近代史上最大最速の造船拡大だ。であるなら、観測筋がこう問うてもおかしくあるまい――中国の軍隊は正確なところどのくらい強いのか？　そして他国と、とりわけ――議論の余地なく世界最強の国である――アメリカと比較したらどうなのか？　ついでに、決して起きてほしくはないことだが、衝突のシナリオも知りたい。これについては平時の認識が地政学的予測に、ひいては地域と世界の秩序に影響するのもやむを得ない。

＊　この分析は公開情報のみによる。これはフェアバンク・センターのウェブサイト当該の場所で入手できる（http://fairbank.fas.harvard.edu/china-questions/）。これは著者だけの見解であって、米海軍あるいはアメリカのいかなる政府機関の推測または政策をも意味するものではない。

しかし、包括的ネットアセスメント（総合評価）には公開情報では入手できない情報など、複雑で多変数の作戦方程式のすべての要素が必要だ。中国軍と米軍（のみならず、すべての国の軍隊）をそのまま比較するのでは誤認につながる。なぜなら両軍の構造はまるで違うし、その目的も使命もきわめて異なるからだ。双方向分析も同じく欠かせない。中国は明らかに、アメリカとその同盟国の地域基地、プラットフォーム、システムを標的にできる兵器システムの在庫を拡大している。しかしそれは標的にされた軍がとるであろう対抗策や、中国軍を標的にして成功する方法を教えてくれるわけではない。従って本稿は、とくに中国そのものと対峙した場合、関連方程式に影響する最も重要な力学と、アメリカ政府の機密扱いでない最新報告からわかる権威筋の判断の双方を検討する。

鍵となる力学

中国の国家安全保障政策と能力を理解するには、中国軍を構成する三つの要素――人民解放軍、準軍組織である人民武装警察、民兵――をすべて検討する必要がある。アメリカは資源、イノベーション、分権統治、近隣諸国の平和、海洋へのアクセス、主権論争の不在という羨むべき組み合わせでできている例外的な国であり、これらの要素が、明確に定義された軍隊によって、拡張的な対外安全保障政策と作戦を可能にする。中国の国家安全保障は、地理的に見て遥かに閉鎖的、連続的、複雑で、係争が多い。人民解放軍が中国本土を遠く離れた場所での戦闘作戦の主要な手段である一方、民兵の海上エリート部隊は北京が主張する地域の地物や水域に対する主権推進作戦に加わり、武装警察は国内治安と国境安全を支えている。

中国軍、および軍の構成や用途を反映する政策は、北京が国家安全保障上の関心の階層構造を進化させる中で形成されてきた。政治的安定、国内治安、（大半の）国境の安全をとりあえず固めた中国共産党は、中国本土から遠ざかるにつれ次第に弱まる「戦力の波紋」式に、その安全保障上の優先事項を外へ向かって作戦化している。現在、そして今後おそらく何年ものあいだ、その対象地域は中国にとって未決の離島と、海洋主権要求すべてが生れる「近海」（黄海、東シナ海、南シナ海）に最も集中するだろう。

この目標に向かって、北京は米軍とその地域同盟諸国ならびに安全保障の提携諸国の弱点を標的とすることを視野に軍を展開しており、これらの国々が中国の主権論争に介入するさい直面するであろうリスクは非常に高い。その方策の一環として、中国軍はミサイルなど地上発射の介入阻止システムに力を入れている。これを構築、運用する方が、人民解放軍の伝統的概念「以陸制海」（陸を以て海を制す）に新たな適合性をもちこんで防衛するよりもずっと安上がりで簡単だからだ。北京の目指すゴールは「戦わずして勝つ」ことであり、おそらく一つには東アジアで圧倒的な強国になることによって、自国の「核心的」な安全保障上の利害に従わせようとしている。

中国軍はそれを硬軟組み合わせた二重の方法で行なっている。（1）硬：アメリカとその同盟国がビビるほど高くつくぞとこれ見よがしに脅し、軍事力を（理想的には致命的にならない程度に）使って外国軍の介入を抑止する。（2）軟：主に海警と海上民兵を使って戦争ぎりぎりの一歩手前までジリジリと前進し、相手国に「グレーゾーン」作戦を強要する。こうした目標達成の見通しを強化するために、中央軍事委員会主席でもある習近平は、人民解放軍に近代戦遂行能力を高める意欲的改革を命じると同時に、他の二軍を増強した。

見通しと予測

アメリカ政府の刊行物は総合的で堅牢かつ慎重に吟味されたデータと、発表からしばらくしないと部外者にはなかなか入手できない分析を利用している。そうした調査結果は時がたつと検証可能な事実にかなり合致するという長所を発揮してきた。アメリカの政府系シンクタンクの報告やアナリストはそこまでの信頼性はないが、きわめて多様性と具体性に富んだ洞察が得られる。それに加えるとすれば中国政府と公開情報だ。ここからはめったに詳細な最終評価が得られないが、批判的に読解すれば、有用な文脈がわかる。

これらの材料をまとめると次のように総括できる——人民解放軍は近年、「近海」に対する北京の目標を裏打ちする作戦の遂行能力を大幅に高めたが、「近海」以遠になるとその戦力はがた落ちである。中国の優先事項と戦力を考慮に入れて、アメリカ政府ならびに関連情報源いずれにも共通する分析が指摘するように、「近海」での二つの大きな不測事態として懸念されるのは、台湾、および中国の主張をめぐって紛糾する南シナ海の南沙諸島である。これらの評価から一般的に導かれる結論は、今後十五年前後にわたり、米軍は長引く戦争で人民解放軍に優勢を保ちつづけるだろうが、人民解放軍は特定の海域と空域で一時的に優位に立つかもしれず、アメリカの勝利は数年前よりも遥かにコストのかかるものになるだろう。

台湾攻撃シナリオは、人民解放軍にとって高硬度の計画要素でありつづける。台湾が押さえている沖合の島の奪取、あるいは台湾本島へのミサイル攻撃のような重要軍事作戦は実行可能だという見方は広く認識されている。しかしこうした戦闘はほぼまちがいなく政治的に逆効果だろう。これより複雑な海上封鎖は、アメリカの介入が決定的要素なので、もしワシントンが強く反対すれば失敗に終わるだろう。人民解放軍の構造的限界、および難攻不落の自然要塞を活用する台湾の能力を考えると、台湾本島への陸海空軍によるあからさまな侵略は現実的ではない。

中国軍にとって南シナ海は遥かに束縛の少ない環境だ。対象となるのは、北京が中国人同胞と主張する人口二千三百五十万の高度な社会ではなく、せいぜいまばらに人が住む程度で、少数の先住民の生活を維持するだけの離島や岩礁である。中国の主張をめぐって係争中の近隣諸国が比較的弱いため、中国の海警局と海上民兵は多種多様の「グレーゾーン」作戦をしかけることができ、かなりの効果が得られる。大規模な戦闘作戦の場合、人民解放軍はアメリカの関与がなければ敵軍の優位に立つだろう。アメリカの同盟国フィリピンが危機に瀕するか、中国と衝突した場合、支援のために米軍が介入すると、米中両軍とも作戦上の大きな困難に直面することになろう。人民解放軍はきわめて防備の薄い南沙諸島に、兵を適切に配備し、兵力を補充するのが難しいだろう。しかし、多少の奇襲要素を加えて、充分な兵力を集結させられれば、アメリカに不愉快な選択肢を迫ることができるかもしれない。

目をさらに遠くへ転じれば、中国は主として拡大する海外利権に駆られて、習近平の「一帯一路」構想（中国の経済的、政治的影響力をかつてのシルクロードからヨーロッパへ、海路を含め、伸ばそうという提案）に一部要約されるごとく、実体と影響力のある、しかしやや力の劣る戦力の外層を紡いでいる。これが在留中国人とその海外資産を守るために、リビアやイエメンからの脱出支援、アデン湾の海賊対策護衛艦派遣などをつうじて、選択的進出を可能にしている。この護衛艦派遣は、中国の国連平和維持活動への参加機会を増やすとともに、国際安全保障への貢献度を高めるものとして歓迎すべきだ。中国の海洋大国への強化計画

――空母作戦のほか、ジブチで現実化した最初の海軍支持点をさらに増やすことによる海外施設へのアクセス強化など――を可能にする展開はやや緩慢である。

推測される結果

前述の力学の均衡から、近未来の中国軍戦力が形成される。中でも有効なのは地理学であり、そのため中国の国家安全保障を見通すには「距離というレンズをとおした」観点が不可欠だ。中国はすでに無敵の軍隊を備えた大国のレベルに到達している。まず近場で、中国共産党が国情をどのくらい良好に保てるかという点についてだが、党は内政の安定を維持し、係争中の海洋周縁部で優先する主権要求に対して築いた、強力な相乗効果と優位性をもとに強みを発揮するだろう。しかし軍がすべての面で実質的前進をしたとしても、軍を指導し支える党国家は経済の下降という大きなリスク、なかんずく国力を支える重要要素である成長率の全面的減速、そしておそらく内部から高まる課題に直面するかもしれない。その結果、一九八九年の国内不安は別として、一九七〇年代末以来北京が直面してきた状況を超えるような、国家安全保障と引き換えに政策選択を余儀なくされる複雑な事態になることはほぼまちがいない。未解決の主権要求をめぐる国の言辞と優先順位が変わらない以上、強く望まれている長距離戦力投射に特化した最上位戦闘能力の一部をめぐる計画は、おそらく対外安全保障の議論と政策調整によって抑制されるだろう。

目を遠くに転じるなら、他国の有力な軍隊と拮抗できる能力の向上に向けた――浮上しつつある駐留基礎戦力や非従来型安全保障作戦を超えた――中国軍の進化は途方もなく高くつく。中国軍の集約が進めば、それなりのコストがかかり、見返りは減る。これは、国家の優先課題および新参のライバルと競いながら相対的立場を維持するために格闘してきた欧米の軍隊を苦しめた悪弊である。中国の三軍はいずれも、人事からみのコスト上昇に直面するだろう。構造と組織の改革によって投資強化が求められ、それにともなう動員解除費用を強いられる。欧米の軍隊でもそうだが、給料の上昇と、有能な専門家を引きつけ、教育し、訓練し、維持するための便益供与が、予算に大きな比率を占めるようになる。手当てや給付金の上昇も負担を増やすだろう。とくに退役軍人に与えられる、ある意味ですでに充分すぎるほどの便益は増加の一途をたどるだろう。

中国の最も高度な軍隊である人民解放軍は、加えてとりわけ重要な技術的要請と、それに付随する課題に直面するだろう。最先端技術に近づけば近づくほど、その先へ進むのに金がかかり、困難も増し、外国のライバルに対して安定した立場を維持することすら難しくなる。最先端のイノベーションは難しいし金がかかる――長いことアメリカを苦しめてきた重荷だ。武器システムとそれにともなうインフラは、それまでの単純なものよりも建造、運用、維持コストがしだいに高額になる。軍事装備が労働力でなく、先進材料や技術に中心を移すにつれ、中国が持っていたコスト上の有利さは減じていく。人民解放軍のシステムが高度になり、技術中心になればなるほど、外国技術を入手して現地化することから得ていた相対的な恩恵は減り、そういうものを生産、維持する費用優位性は低くなるだろう。その上、要求の厳しい頂上技術の精密相互作用に依存する推進システム、エレクトロニクスその他の複雑なSoS（システム・オブ・システムズ、複合システム）が、中国の大きな弱点でありつづけている――その理由の一つは、こういったものが、国内技術と外国技術をばらばらに組み合わせる中国の得意技に反するからだ。

それでも北京はすでに、高度なアメリカの技術水準への接近抜きで、「近海」の目標推進に向けて侮りがたい手段をとっている。長距離戦にとっては、こういう最先端技術の達成がはるかに重要だ。ここでも地理が大切になってくる。

以上が中国の軍事安全保障の急激な展開の下でたゆみなく流れる底流である。これはアメリカからの対抗という見込みによって有効に抑止されると同時に、中国がその得意とする短距離戦のチャンスを生かし、それを懸命に利用しようとするのとまさに同じく、長距離戦という困難によって阻まれるだろう。

Q.10 中国の台頭はアメリカにとって何を意味するか?

ロバート・S・ロス
ボストン大学教授／政治学

〝二〇一〇年以降、米中関係は下降スパイラルをたどった。今や米中の戦略関係は一九七二年以後のどの時期よりも悪いだけでなく、東アジアにおけるアメリカの戦略的立場もジョージ・W・ブッシュ政権末期より悪い。〟

中国の台頭は、アメリカの外交政策に前例のない課題をもたらしている。第二次世界大戦以後初めて、アメリカは経済力でも軍事力でもやがてアメリカと肩を並べるかもしれない強大なライバルと向き合っている。中国はまた第二次世界大戦後の世界強国アメリカとその国家安全保障の基盤である海洋支配に、戦前の日本以来、初めて挑む強大国でもある。中国の台頭は、安全にとって不可欠な地域におけるアメリカの安全保障への挑戦だ。アメリカは自国の安全確保に必要な地域の勢力均衡維持のために、第二次世界大戦と東アジアの冷戦を戦ったのである。

中国の台頭によって、米中政策には二つの戦略的責務を果たす必要が生じた。第一。アメリカの政策は、この地域の軍を強化して中国の台頭と拮抗しなければならない。中国の拡充された軍事力を自国の軍事力増強で相殺しないと、東アジアの戦略的パートナーシップを持続させるアメリカの力を削ぎ、勢力均衡を保つアメリカの力を弱めて、アメリカの地域プレゼンスを損なうだろう。

第二。アメリカは米中協力と地域の安定を促進しなければならない。アメリカには米中協力を必要とする二国間およびグローバルな利益がたくさんある。この利益を米中戦略摩擦の人質にとられると、アメリカは多額のコストを強いられるだろう。米中の激しい戦略競争もまた、アメリカの安全保障と経済に巨額のコストを強いる。

米中政策――安定なき安全保障

二〇一〇年以降、米中関係は下降スパイラルをたどった。今や米中の戦略関係は一九七二年以後のどの時期よりも悪いだけでなく、東アジアにおけるアメリカの戦略的立場もジョージ・W・ブッシュ政権末期より悪い。

オバマ政権時代、日中間および中国フィリピン間の領土紛争は軍事化が進んだが、その争いで米中は対極にあった。米中両軍は東南アジアの空と海でたびたび互いのプレゼンスを競い、米中間で意図的あるいは偶発的な軍事衝突の起きる可能性が高まった。米中の軍事競争も激化し、ワシントンと北京はそれぞれ、戦争で相手を負かす明確な目的で武器を開発、配備した。このかん中国は南沙諸島で領土を埋め立て、今では南シナ海南端にいくつか海上施設を持ち、アメリカの同盟諸国に対する圧力を強め、米海軍の作戦行動に対する偵察の大幅拡大に役立てている。

アメリカは戦略的パートナーシップを強固にし、地域の勢力均衡を戦いとるために、海洋戦略プレゼンスを拡大して中国の積極行動に応えるとともに、日本、オーストラリア、そしてベニグノ・アキノ三世大統領治下のフィリピンとの同盟を強化した。オバマ政権時代にはまた、フィリピン、オーストラリア、マレーシア、シンガポールでの軍事プレゼンスを強め、最先端軍事技術の共有を東アジアに拡大した。

海洋東アジアにおけるアメリカの戦略パートナーの多くが米海軍との協力拡大を歓迎した。オバマ政権はいわば「開かれたドアを押していた」わけだ。米海軍も同様に、さしたる困難もなく防衛プラットフォームを東アジアに追加配備し、中国の海上活動に挑んだ。アメリカにとって難しいのは、地域安定と米中協力を図りつつ中国の台頭と拮抗することだ。だが、その意図はどうあれ、アメリカの政策は、戦略目的は封じ込めであり、地域の現状変更から生ずる米中対立の激化に寄与する中国のいかなる行動にも反撃するという合図を送っていた。しかし同時に、アメリカの政策はいくつかの重要な点で自国の安全保障進展に失敗した。

過去十年、北朝鮮の武力行使に対する米韓の強固な抑止がほころびることはなかった。ところが二〇一〇年以降、アメリカは韓国における地上軍プレゼンスを増強し、軍事協力を拡大した。二〇一六年、アメリカはソウルに、戦域〔現在は「終末」〕高高度防衛（ＴＨＡＡＤ）迎撃ミサイル防衛システムの配備を許可するよう圧力をかけた。だがミサイル防衛は韓国の安全保障に寄与できない。北朝鮮のミサイル発射台が韓国内の標的に近すぎて、ＴＨＡＡＤでは迎撃できないのだ。だがアメリカ推奨の韓国向けミサイル防衛レーダーは中国領土をカバーできる。だから拡大米韓防衛協力およびアメリカのミサイル防衛システム配備は、アメリカが中国の朝鮮半島への影響力を封じ込めて、その核抑止力を弱めようとしているという合図を北京に送ることになった。

米韓がＴＨＡＡＤ配備に合意した結果、中国は北朝鮮の核兵器計画抑制のためのアメリカとの協力を拒否した。しかし中国の協力なしに、北朝鮮の核拡散抑制はいかなる成功もおぼつかない。その上、この合意のせいで中韓に緊張が生じた結果、北朝鮮は自信を深め、最終的に二〇一七年の韓国大統領選で文在寅に勝利をもたらした。選挙中、文在寅はこの合意を批判し、大統領就任後ただちにＴＨＡＡＤシステム配備を停止し、中国との関係修復に乗り出した。

アメリカは二〇一〇年からベトナムと海軍協力を強め、二〇一六年にベトナムへの武器禁輸を解除した。だがインドシナは大陸の草刈り場であり、そこでは中国の優位がアメリカに大きく水をあけている。もしベトナムがアメリカと実のある防衛協力というリスクをとれば、中国の地上軍は最小コストでベトナムの北部国境に効果的、威圧的な軍事圧力をかけることができる。それに対しアメリカは、この地域に利害がなく、中国の圧力に対抗する軍事力もないから、効果的な反撃はできないだろう。アメリカはベトナムとの関係改善に努めたが、ハノイは中国の安全保障に挑まないと北京に約束した。こうして、ベトナムとの防衛協力は、アメリカの安全保障に資するというより、中国の台頭を封じ込めるというアメリカの意志を示唆するだけにとどまった。

東アジアの海洋領土紛争については、争点となっている島々の中に、米中関係にとって戦略的意味のあるものは一つもない。中国が埋め立てた島々は戦時作戦を支えたり、貿易や戦略的シーレーンを妨げるための便宜を供与したりするには小さすぎる。南シナ海の問題の水域には重要な鉱床もないし、漁業も経済的意味は限定的だ。

アメリカは、これらの海洋主権紛争にいかなる立場もとらないという宣言政策をとっている。しかしながらアメリカは、中国の主張に挑戦する同盟諸国を政策的に支持してきた。二〇一二年、日本政府がアメリカの助言を無視して東シナ海の問題の島々を購入したとき、オバマ大統領は日米安保条約により日本の島嶼防衛を支持すると公式に保証した。同じくオバマ政権時代、アメリカはフィリピンとの防衛協力を強化し、これ以上緊張を高めないよう中国へ公式に警告したが、フィリピンに公式に警戒をよびかけることはしなかった。このことは、アメリカの意図について中国を安堵させる役割を果たした可能性がある。

アメリカは中国の海洋主権の主張に対して、国連常設仲裁裁判所（ＰＣＡ）に訴えるようフィリピンに勧めた。アメリカが同盟国を支援する覚悟であることをアピールし、「道徳的優位性」に訴えて、東南アジアで中国を孤立させるためだ。フィリピンは裁判に勝った。だが最終結果は中国の勝利だった。フィリピンは地域の台頭する新勢力である中国のごり押しに遭って、中国が孤立するどころか、中国の主権に対する挑戦が、逆にフィリピンを東南アジアで孤立させてしまったのである。フィリピンの新大統領ロドリゴ・ドゥテルテはすばやく中国との和解に動いた。彼は、フィリピンの法的勝利は中国との交渉に最小限の影響しか及ぼさず、フィリピンはこれを「国際問題化」させる代わりに、中国とその本来の要求である二国間協議をすると発表した。ドゥテルテはまた、アメリカとフィリピンの防衛協力のレベルを下げると合図を送り、これに対して中国はインフラおよび軍事支援と、係争中の水域でのフィリピン漁業への規制緩和をもって応えた。

米海軍が東アジアにおける演習や航行の自由作戦を鳴り物入りで喧伝することも、同様にアメリカによる中国封じ込めを相手に認識させるのに寄与する。海軍の目的がたんに抑止や国際法支持だとしたら、目立たないように動けば足りる。だが米海軍演習をめぐる大々的な宣伝活動は、中国に南シナ海でこれ以上の海軍プレゼンスを許さず、中国の領土的主張に対する地域の積極的な抵抗を鼓舞する姿勢を意味する。アメリカの政策は、その圧力に抵抗する中国の決意を強めるだけだった。

中国の台頭に対するアメリカの対応は二つの点で失敗した。第一。韓国、フィリピン、ベトナムとの防衛関係改善の進展に失敗し、アメリカの東アジア政策の原則目標である南シナ海における中国海軍のプレゼンスの拡大抑制に失敗した。第二。アメリカの政策は、アメリカの意図に対する中国の認識を操作するのに失敗した。アメリカの韓国、ベトナム、南シナ海に対する取り組みが、中国指導層にアメリカの意図は中国の台頭を阻止することだと思わせてしまったのである。

抑制政策

アメリカの政策がいかに協調的であれ敵対的であれ、中国の台頭によって米中関係はいよいよ困難になり、紛糾するだろう。中国が先進的海軍力を開発しつづけ、アメリカが中国の台頭に拮抗して東アジアの同盟システムを維持するために資力投入を増やしつづけるかぎり、軍事競争は激化するだろう。

だが、戦争は構造力学の変化によるメカニカルな帰結であるというような決定論的議論はまちがっている。大切なのはリーダーと政策の選択だ。それは戦闘の可能性を含む衝突の程度やコストに影響する。米中の相互衝突は避けられないかもしれないが、そうした衝突の継続期間、激しさ、拡大局面をいくぶんかコントロールすることはできる。

アメリカの外交政策に力の最大化は必要ない。妥協なき戦略姿勢も必然とは言えない。こうした目的は現実的でも実利的でもない。それはナショナリズムの衝動だ。現実主義的な外交政策は、交渉と妥協に価値を置き、最小の血とコストでアメリカの安全を守ろうとする抑制策を最も根幹的な要素とする。

アメリカの安全保障上の利害は海洋東アジアにある。朝鮮半島における軍事プレゼンスの拡大やベトナムとの軍事協力構築は、アメリカの安全保障の助けにはならない。もし米韓の既存軍事力と、大量の従来型兵器および核による報復のリスクによって北朝鮮を抑止できないのであれば、それは抑止とは言えない。アメリカがベトナムにどれほど大量の軍事援助をしても、中越国境における中国の従来的優位は相殺できない。

東シナ海と南シナ海で、アメリカは主権紛争における同盟国の積極行動を公然と抑制できるし、アメリカの安全保障を毀損することなく中国の好戦的姿勢を穏便に抑止できる。また海洋東アジアの戦略パートナー諸国におけるアメリカの軍事プレゼンスを拡大することができるし、集団防衛への関与をパートナーに保証できる一方、同盟諸国がその領土的主張を積極防衛するのを抑制できる。そうすることで、アメリカは現在進行中の緊張に加担するのではなく、当事者全員がこの主権紛争を棚上げするのに寄与できる。

航行の自由作戦については、アメリカは原則より安全保障を優先すべきだ。露出度が高く、かつ頻繁な航行の自由作戦はアメリカの安全保障に寄与しない。平時にはそのような作戦は情報収集に何の意味も持たない。戦時には係争中の水域へのアクセスはアメリカの戦力によって決まるのであって、法的原則によって決まるのではない。同様に、派手な海軍演習はアメリカの同盟諸国を安心させるのにも、あるいは中国を抑止するのにも必要ない。

バランスのとれた中国政策へ向けて

米中の緊張の原因が中国であることははっきりしている。二〇〇九―一〇年以降の中国の政策は、地域の秩序変更への焦りの現れだった。二〇〇九年、中国の政府艦艇は南シナ海の係争中の水域へ哨戒を拡大した。二〇一〇年、北朝鮮が韓国の海軍艇一隻を沈め、韓国の島を砲撃して民間人を殺害したあと、中国は北朝鮮を支持したようだ。同じ年、中国は台湾防衛への貢献を理由に複数のアメリカ企業への制裁を発表し、また、係争中の水域で日本の海上保安庁の艦艇に自分の船をぶつけた中国人漁民が逮捕されたことに対し、報復すると脅した。二〇一一年と二〇一二年、中国の政府艦艇が係争中の水域で操業していたベトナム漁船と、同水域で作業中のベトナム政府調査船に嫌がらせをしている。

二〇一二年から二〇一四年、中国の行動はさらに抑制を失っていく。二〇一二年九月には中国海警局の船が東シナ海で日本の主権に、南シナ海ではフィリピンの主権に挑み、二〇一三年、中国は最小限の国際的協議を経ただけで勝手に東シナ海の防空識別圏の設定を宣言し、南シナ海の埋め立てを開始した。二〇一四年五月には南シナ海の係争中の水域で石油の掘削を始めた。この全時期をつうじて、中国は東アジアにおけるアメリカの空海軍作戦の偵察を拡大している。

なにしろこれはひどすぎるし、急ぎすぎる。中国が打ち出した複数の構想からは、中国がその領有権を主張しつづけ、戦闘リスクをとってでもアメリカの同盟諸国と海軍のプレゼンスに挑戦するに当って抑制は限定されるだろうということがわかる。中国の政策がアメリカと東アジア全域でその意図について大きな懸念を呼び起こし、アメリカからありがたくない反応を招いたとしても、中国の指導層は驚いてはいけない。

変わらぬ率直さをもって選択的和解に出れば中国は反応するかもしれないが、アメリカは中国の意図を試すために自国の安全を犠牲にする必要はない。海洋東アジアにおける戦略的プレゼンスを強化しつつ、戦略的関与の合図を送ることによって、アメリカは性急で威圧的で上から目線の中国に対し、強い立場で正々堂々たる威圧的な外交に立ち戻ることができる。

米中関係は戦略的岐路にある。中国の海洋戦力増強は、行動的外交政策を不安定化させてきた。だがアメリカの同盟諸国への懸念と勢力均衡防衛への信頼が、妥協と東アジア本土での軍拡に対する抵抗に貢献してきた。アメリカにとって、米中関係のこの動向は不必要かつ高価な緊張拡大、戦略競争、地域の不安定化、東アジアにおけるアメリカの安全保障の低下につながった。

アメリカにとっての課題は、関与と紛争の段階的緩和から得られる中国の利益を北京に伝えるという手段で、中国の外交政策に応えることだが、それを自国の安全保障を損なうことなく行なわねばならない。これはトランプ政権の課題でもある。米中のいっそうの協力と、より安定的な東アジアに貢献するとともに、地域の勢力均衡維持をつうじてアメリカの安全保障を強化する機会がここにある。その機会がまだあるうちに、しっかり摑み取ることだ。

Q.11

中国例外論は中国の外交利益を損ねるか？

アラステア・イアン・ジョンストン
ハーバード大学教授／中国外交

〝中国人の比類なく平和な国民という自画像のもつ逆説は、そのような信仰が実はリアルポリティークの世界観や政策選択と関係しているということにある。つまり、中国人が自分は平和的国民だと思えば思うほど、中国の外交政策選択はリアルポリティークや強硬策に傾きがちだということだ。〟

「平和を愛する国民」という自画像

中国で人々が心の底から信じきっていることの一つは、中国人が平和を愛する独特な国民であり、それは和を重んじる哲学的、文化的伝統から来ているというものだ。その結果、全時代をつうじて中国の支配者は外部の脅威に対処するとき、他に選択の余地がないかぎり、一般に暴力や侵略を避けてきたそうだ。この比類なく平和な姿勢を説明するのに、中国人はよく儒家の箴言「用和為貴」（和を用いて貴しと為す）や、軍事戦略家、孫子の兵法の名言「戦わずして人の兵を屈するは善の善なる者なり」を引用する。

ここ十年ほど、この比類なき平和性という情報遺伝子「ミーム」〔模倣子（mime）〕は政府系紙『人民日報』で、以前にはなかったような関心を集めてきた。李克強首相は「用和為貴」こそ伝統的中国文化のエッセンスを表す文言だと言い、習近平主席は中国人が生来「平和を愛する」国民だと言った。主席は「中国人の血には侵略の遺伝子がない」とまで言ってのけた。こうしたアイデンティティを中国のリーダーやアナリストが主張するのは、大国中国の台頭が過去の列強とは違うという文脈である。

こういう自画像は中国だけのものではない。多くの国で国民はそれぞれ独自の例外論を信じている。現に人々は自国の例外論をけなされたと感じると、相手をしばしば批判する。たとえばアメリカの例外論――「丘の上の輝く都市」〔世界の倫理的模範となる国〕なる自画像――を信じるかどうかが、政治家にとってのリトマス試験紙になる。オバマ前大統領を批判する右派の中には、大統領がこういう例外論を信じないと責める人たちがいた。

文化的に比類なく平和な国民という中国人の自己主張は、経験に照らしてむろん問題だ。前近代、近代を問わず、中国のリーダーが他の王国や近隣諸国に対してしばしば武力を使ってきた歴史的証拠は山ほどあるし、毛沢東時代を含む全中国史をつうじて、中国人による中国人の大量殺戮があった証拠もある。

さらに、社会心理学、社会学、政治学、経済学、社会精神科学の確固たる膨大な文献によって、内部集団が認識するみずからの独自性は外部集団を見下す意識と結びつくことが多く、とりわけ内部集団の結束が脅かされていると認識されるとき顕著になることがわかっている。こういう状況下では、往々にしてアウトサイダーは規範面で劣っているばかりでなく、脅威をもたらすライバルとみなされる。ここから危機感と恐怖が生まれ、やがてそれはアウトサイダーに対処するとき、絶対利得や共同利得と対立するものとして、相対利得の追求を強調するようになる〔自国だけの孤立した利益（絶対利得）や他国と共有する利益（共同利得）ではなく、相手の利益を自国の利益と比較したときの利益（相対利得）を重視する）。こういう世界観は自由貿易や軍縮のほか互恵関係の分野で、協力の利点に懐疑をもちこむことになりかねない。

だとすると、中国人の比類なく平和な国民という自画像のもつ逆説は、そのような信仰が実はリアルポリティークの世界観や政策選択と関係しているということにある。つまり、中国人が自分は平和的国民だと思えば思うほど、中国の外交政策選択はリアルポリティークや強硬策に傾きがちだということだ。

自己認識とのギャップ

平和的国民という中国人の自己認識と、リアルポリティーク的政策選択との関係は、北京大学中国国情研究センターが行なった二〇一五年の「北京社会経済発展年度調査」（ＢＡＳ）に関する私の分析で裏付けられる。この調査は無作為標本で、北京に住む約二千六百人を対象に行なわれた。一連の質問で回答者は中国人が「平和的」か「好戦的」かについて七段階評価を求められ、さらに日本人とアメリカ人についても同じ段階評価を問われた。その他の質問は特定の外交政策選択についてだった。

この調査データによると、中国人はきわめて平和的だと思っている回答者は、中国人はそれほど平和的でないと思っている回答者と比べて、日本とアメリカに対する好感度がかなり低い。中国人はきわめて平和的だと思っている人はまた、アメリカが中国の台頭を押さえつけようとしているという認識が強い。中国人は平和的と認識している回答者は、中国への軍事的脅威（たとえば日本やアメリカの軍事力）という、国家を軸とした従来型の見方をする人が多く、世界の脅威（たとえば世界経済の減退や気候変動）など非従来型の見方をする人は少ない。言い換えると、平和的な中国人なる信仰は、狭隘な自国中心の脅威認識と結びついており、グローバルな脅威の共有という認識から遠い。

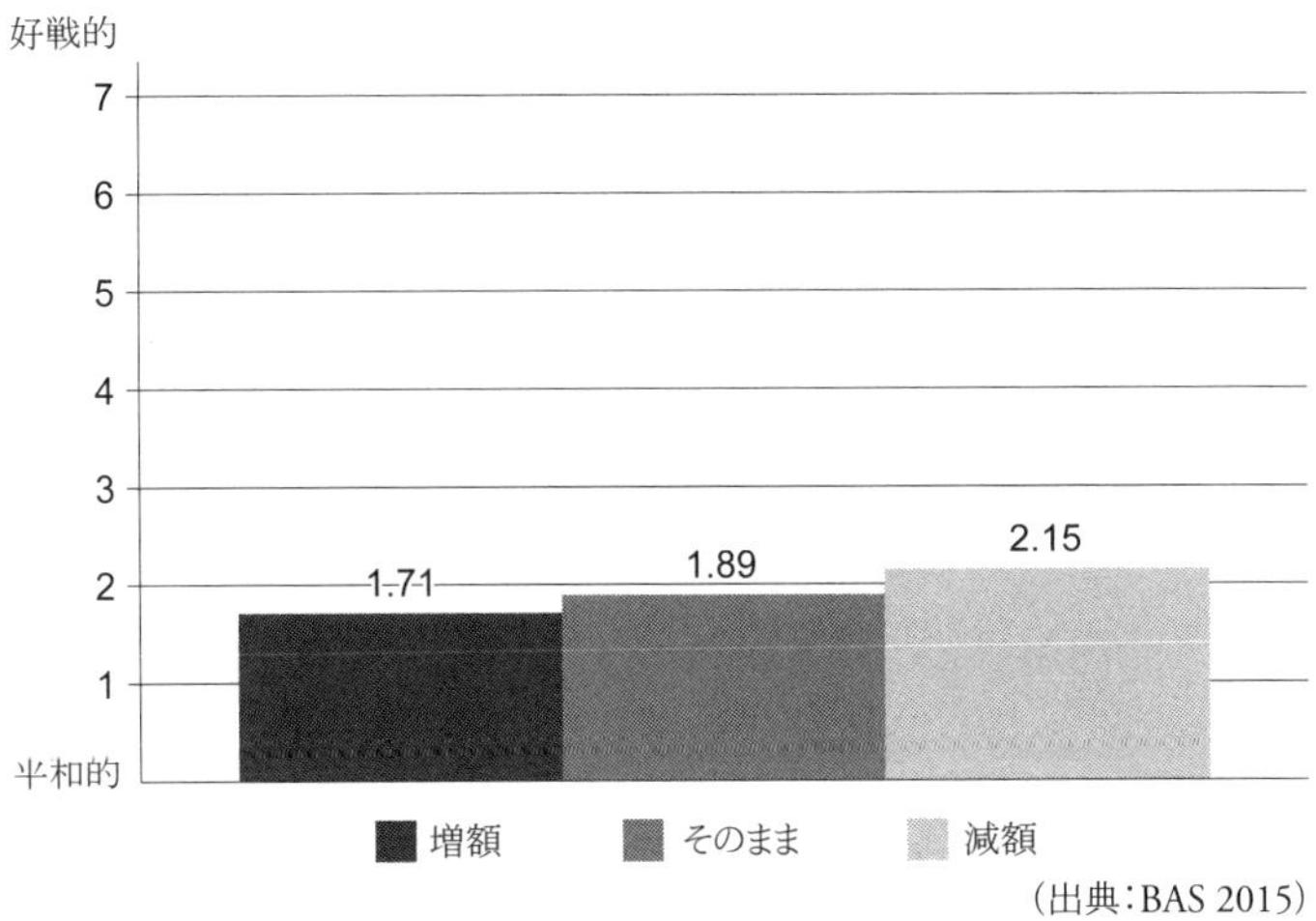

図 11–1　中国人の平和性信仰と軍事費への姿勢の関係

従って、平和的な中国人という認識と軍事費増額支持とのあいだに強い直線関係があっても驚くには当たらない。**図11―1**は、中国人の国民性に関する認識評価の段階を縦軸にとってある。棒グラフはそれぞれの評価段階に位置する人が、軍事費に対してとる姿勢の違いを示している。回答者は軍事費増額を支持するか、そのままか、減額すべきかを問われる。この図からは、平和的中国人を信じる人と軍事費増額支持派に直線関係があることがわかる。言い換えると、軍事費増額派は減額派よりも中国人の平和性を信じていることになる。この関係は統計学的に有意である。

この傾向は中国人と日本人の国民性に関する回答者の考えを比較したとき、さらに顕著になる。中国人の平和性と日本人の好戦性との認識の開きが大きいほど、回答者のタカ派的傾向は強まる。中国人と日本人は違う（中国人の方が日本人より平和的）と信じる度合いが高いほど、日本に対する好感度は低い。同様に、日本人より中国人の方が平和的と信じる度合いが高い人ほど、日本が中国の国家安全にとって第一の脅威であると考える傾向が強く、国家を軸とする安全上の脅威、あるいはグローバルで非従来型の安

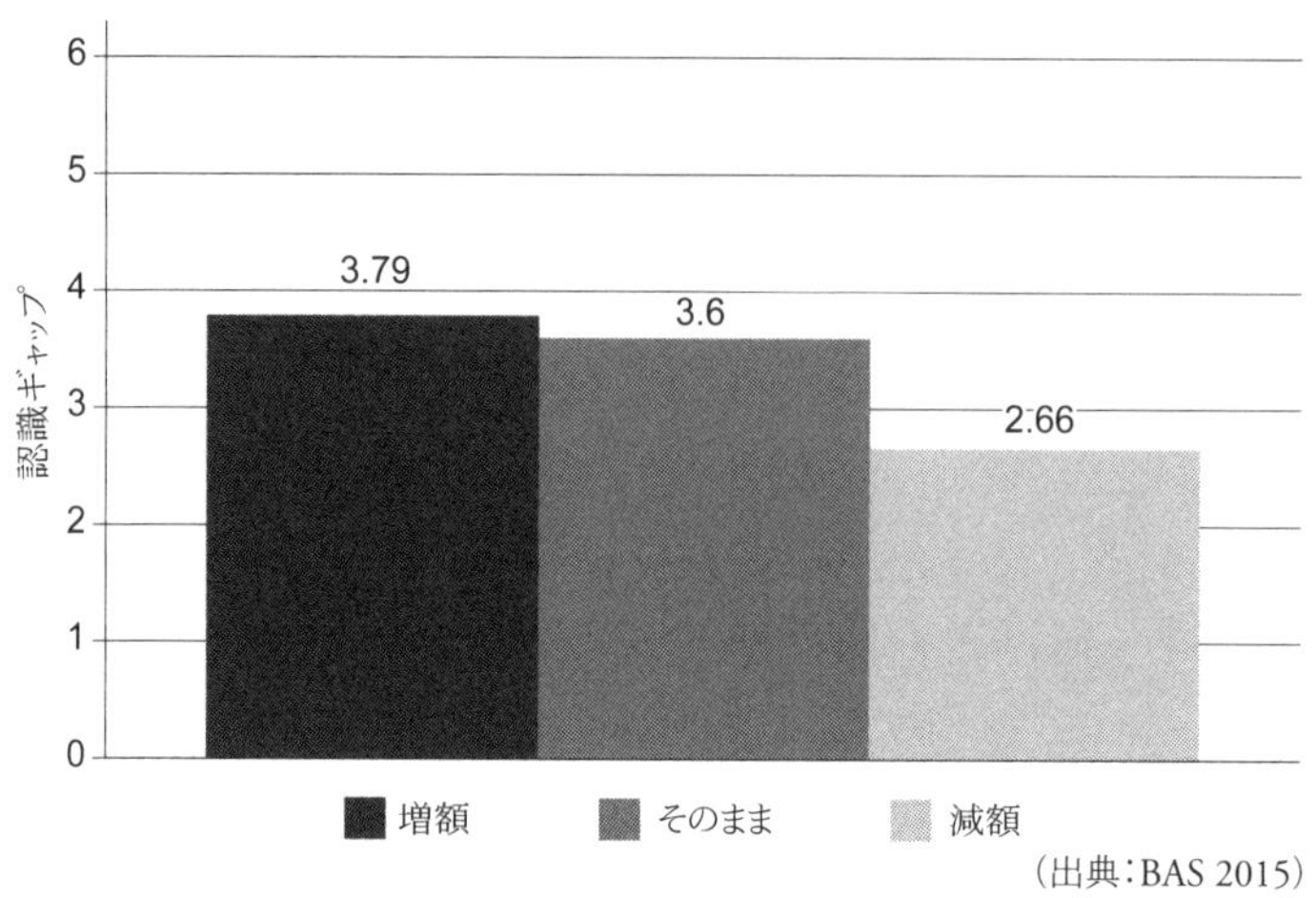

図 11–2　中国人と日本人に対する認識ギャップと軍事支出に対する立場の違いの関係

全上の脅威が勝ると考える人は少ない。そして中国人が平和的で日本人は好戦的という認識が強い人ほど、軍事費増額に賛成する傾向が強い。**図11－2**は縦軸に段階０（中国人と日本人は違うという認識ギャップがゼロ）から段階６（「平和的」中国人と「好戦的」日本人という認識ギャップが最大）までの評価の差を示し、棒グラフはこの差と軍事支出変更支持との直線関係を示している。つまり軍事費増額支持派は減額派よりも、認識ギャップがかなり大きい。

ここで強調しておきたいが、たとえ中国人自身はその逆を信じているにせよ、これは中国人が他と比べてそもそも平和的でないと言っているわけではない。これらのデータから私の分析が示すのは、こうした信仰の度合いの差が中国社会内部に歴然と存在することである。たとえば、若くて都会的で教育があり、海外への旅行経験がある人たちは、そうでない人たちよりも概して例外論をあまり支持しない。さらに言うなら、平和的中国人という信仰は、たとえば中国人は文明化された独特な国民、誠実な国民、謙虚な国民など、もっと複雑な例外論信仰の混合物の一つの要素にすぎないのかもしれない。

いずれも意外ではない。中国例外説を固く信じる人々は、アメリカの強固な例外論者と同様、おのれの自画像（中国人の場合は生来の平和性、アメリカ人の場合は生来の道徳性、遵法性、公正性）と食い違う強硬政策を選択する傾向がある。アメリカのＮＰＯ「公共宗教研究所」の研究によれば、宗教にもとづくアメリカ例外論的言説を信じる人は、そうでない人と比べて軍国主義的で、拷問を支持する傾向にあるという。アメリカのシンクタンク、ピュー研究所による二〇一二年のアメリカ人の中国に対する認識調査を用いた私の分析では、ティーパーティ支持者とそうでない人々の態度を比較した。ティーパーティ支持者はアメリカ例外論の強固な信者だが、この人々は対中国政策を含み、かなり強硬な外交政策を望んでいる。そして中国は敵であり、全政策領域をつうじて脅威であると見る傾向がある。共和党支持者を含むティーパーティ非支持者と比べると、彼らは台湾防衛における武力使用を含む対中強硬外交政策を支持する傾向が強い。要するに、例外論をめぐる中国とアメリカの信仰は外へは異なる表れ方をするが、外交政策の選択に関しては同様の傾向にあるようだ。

国際関係への悪影響

中国のリーダーは比類なく平和的な中国を本気で信じているらしいが、こういう考え方をわざと助長することが共産党の目的に適うという考え方もできる。その結果、中国のふつうの市民もエリートも、他国との紛争の原因はその他国であって、中国は潔白だと信じるようになるからだ。

だが結果は矛盾を招く。つまり中国例外論を推進すると、国内的に共産党の正統性をてこ入れするのに役立つ一方、より良い国際関係を築くことをつうじて共産党の対外的な正統性を強めようとする党の努力を妨げる恐れもある。北京の「ソフトパワー」外交攻勢の一つの重要テーマは「比類なく平和な国、中国」だが、この主張は二つの点で中国の外交努力を却って台無しにする恐れがある。第一。中国の比類なき平和性を強調すると、他国が劣っていると思わせかねず、中国が傲慢あるいは偽善的に見えてしまう。たとえば、中国の政府系メディアが行なった「中国国家イメージ世界調査二〇一五」によると、回答してきた先進諸国のうち、中国が平和的、協力的、責任ある大国だと思っているのは八%にすぎなかったが、それとは対照的に、中国人回答者の六五%が、そのとおりだと回答した。もしも中国の海外イメージを生来の平和的なものに改善したいなら、中国のリーダーはとんでもない大仕事を背負いこんだものだ。皮肉にも、中国国民がそうだと信じる並外れた平和性を強調すると、逆効果になりかねない。とくに、近年の膨大な軍事支出増大や国内の政治的抑圧の強化による中国の台頭という、それとは逆の話が聞こえてくる場合、それはいよいよ妥当性を増す。こうした話が際立てば際立つほど、他者の目には生来の平和性という中国の主張はますます偽善、妄想に映る。

これが第二の危険につながる——つまり、中国例外論へのリーダーの認識が、他国を理解する能力も低下させているかもしれないのだ。自分の独自性を固く信じていると、おのれのふるまいへの正当な批判に強い拒否感を抱きがちだ。BAS2013の調査で、中国人回答者に「誰かから中国を批判されると、自分が個人的に批判されていると感じる」に同意するかどうかが問われた。図11－3で分かるように、中国人の比類なき平和性への信仰と、外国からの批判を個人的に解釈してしまうこととのあいだには直線関係がある（この関係は統計学的に有意）。もしこれが中国のリーダーにも当てはまるなら、彼らの中国例外論信仰は、中国の台頭に対して他国が抱く懸念への共感的理解にとって、確かに障害になるだろう。

要するに、中国例外論信仰とその推進は他国との安全保障競争を緩和するどころか激化させる結果——中国の傲慢と偽善への批判、外部からの批判を無視——を招きかねない。

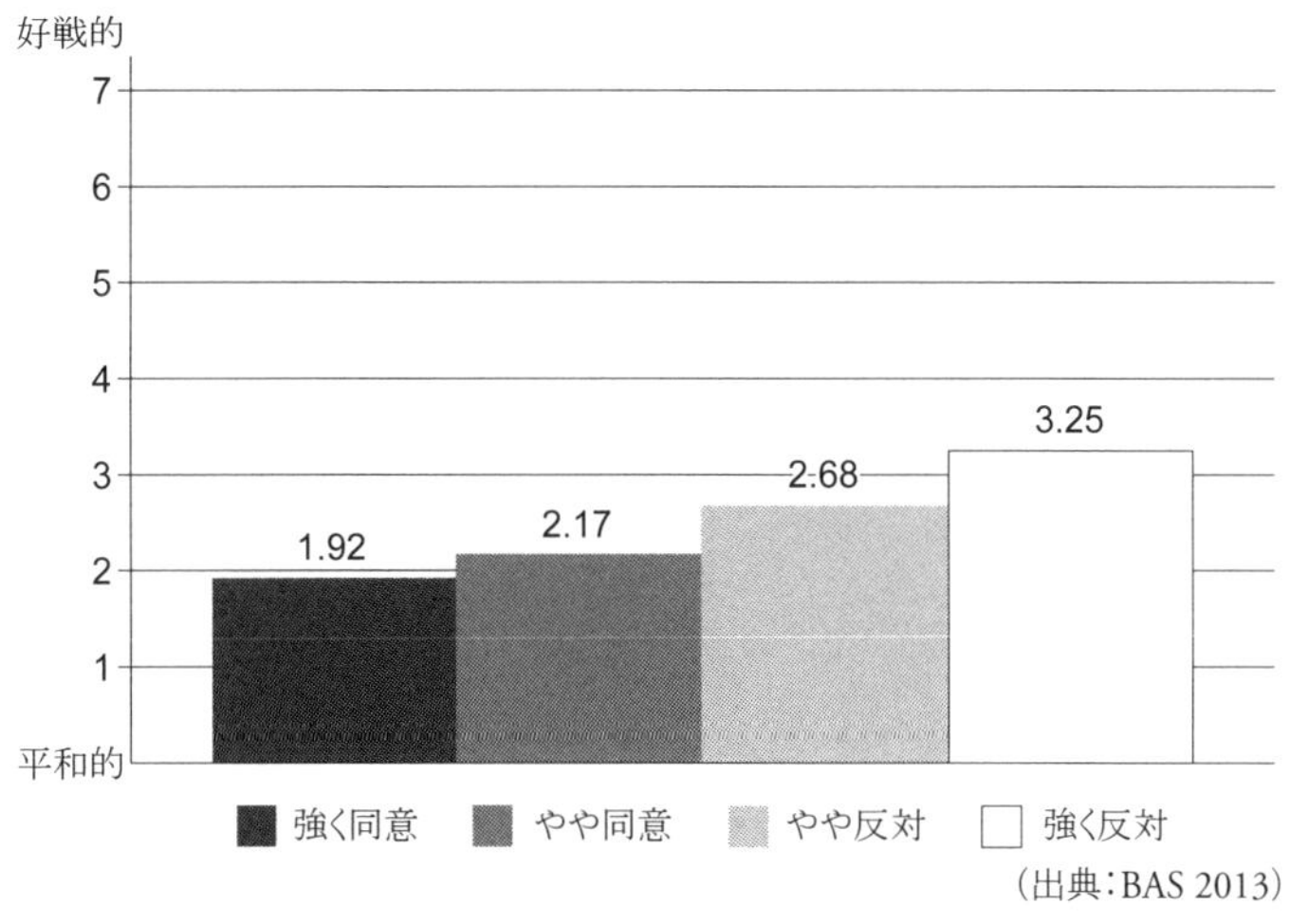

図 11–3 「中国人は平和的」に対する認識と中国批判を個人化することとの関係

しかし悪いニュースばかりではない。アイデンティティをめぐる信仰は厄介な代物ではあるが、それは変わりうる。研究室での実験や調査によれば、観光、留学、外国の文化製品の消費をつうじて他の社会や文化との接触が増えると、あるいは高等教育を受けると、白か黒かという見方が相互理解につながるグレーの見方に変わる証拠がある。北京大学の王棟（おうとう）教授と博士課程の学生ワン・パオユー（Wang Baoyu）と私とで学生を対象に行なった心理実験では、日本人との気軽な社会的接触を想像しただけで、そのような想像をしなかった学生と比べて、日本国民と日本国への全体評価が向上することがわかった。さらにBASの調査によれば、一九八〇年代以後に生れた中国人は、それ以前の世代よりも日本と日本人、アメリカとアメリカ人に概ね肯定的な見方をしている。これは先行世代と比べて、都会派の若い中国人は中国人の平和性という極端な見方に懐疑的であるという事実と合致する。端的に言うと、国際化した若い中国人は、どちらかというと中国例外論を受け入れにくいようだ。

ここで問題なのは、もしも中国のリーダーが他国との安全保障競争を緩和したいのなら、中国が比類なく平和的で例外的だという認識を推進するのをやめるべきという点、そして中国アイデンティティの一般的あるいは普遍的な要素を強調すべきという点だ。しかし、アメリカ人を含む全世界の愛国的政治家と同様、中国のリーダーが進んでこういう自己反省をする、あるいはできるとは思えない。

Q.12 台湾は（いつ）大陸と再統一するか？

スティーヴン・M・ゴールドスタイン
台湾研究ワークショップ所長／政治学・米台関係

〟もし武力行使の道を選べば、中華人民共和国は予想されるアメリカの介入と戦わねばならないだろう。一九五七年と同じように、アメリカは台湾海峡で中台両国の戦いに割って入るだろう。そしてアメリカの政策こそ、両岸関係が膠着状態に陥った主たる理由なのである。〟

過去六十年間、台湾と中国との緊張は武力衝突への脅威でありつづけてきた。本土の中華人民共和国のリーダーは、台湾を中国と不可分な一部であり、アメリカに支えられた現存しない体制に支配される島とみなしている。台湾の人々は、自分たちはこの島の正当な支配者であり、大陸とは別個の対等な主権を享受していると主張する。この地域における過去三十年の劇的な変化によって、両岸の違いを何らかの形で解消する可能性への模索が進んだ。

本稿はこの可能性を探るために、まず六十年前の台湾海峡がどのような姿だったかを見る。そしてそれを今日の状況と比較し、両岸を分けている先鋭な問題を六十年の歳月が和らげたかどうか、考察を加える。

冷戦と手詰まり

一九五七年時点では、中台関係に関するどんな議論も、両岸の緊張をめぐる内戦の起源に言及することなしには始まらなかった。一九四九年、国民党の支配する中華民国の政府と軍は戦いに敗れ、福建省沿岸沖の小さな島々を含む台湾へ逃れた。国民党はみずからを異国の地に逃れた亡命政府とは認めず、自分たちは台湾を含む中国の正統な中央政府であり、本土の「共匪」の反乱といまだに戦っていると考えていた。この島は本土回復を準備する「砦」だったのである。これからの戦いに備えて戒厳令が敷かれ、一八九五年以来日本の占領下に暮らしてきた中国系の人々は独裁支配下の民となって、台湾の歴史、文化、言語を捨てて本土の価値観を学ぶことを強いられた。

対岸では中国共産党が中華人民共和国の成立を宣言した。その観点は国民党のミラーイメージで、やはり自分たちが中国の正統な中央政府であり、国際社会における主権国家としての権利と特権を与えられている、台湾は中国の一部であり、国家の領土的統合と品位をとり戻すために「解放」されねばならないと主張する。端的に言えば、両者は台湾が中国の一部かどうかではなく、誰が中国を統治するかについて一致しなかったのである。降伏か軍事的勝利かが決着しないままに、海峡を隔てたライバル同士の内戦は膠着状態に陥り、結局二つの中国が生れることになった。

一九五七年の台湾は急いで戦いを降りる必要がなかった。経済は健全だし、国連加盟国でもある。承認争いでは中華人民共和国のおよそ二倍の支持票を獲得した。さらに、台湾海峡での軍事衝突があったばかりだが、アメリカに支援される台湾が簡単に負ける兆しはほとんどない。

台湾の本土への抵抗には、どうしてもアメリカの支援が欠かせなかった。一九四三年のカイロ会談でフランクリン・ローズヴェルト大統領は日本の降伏後、台湾を中国に返すべきだと言い張った。この条件はそのあと発表された連合国カイロ宣言で確認され、日本の第二次世界大戦敗北後に発効した。会談からまもなくアメリカは中国の政治に巻き込まれ、国共の仲介を試みたが、やがて全面的な内戦が勃発する。一九五〇年一月になり、中華民国に幻滅したハリー・トルーマン大統領は、新生の共産中国政府との交渉オプションを残しておきたいと考え、台湾を「中国の」共産党政府に返還すると明記したカイロ宣言の有効性を確認すると同時に、アメリカは台湾を「略取する計画」もなければ、中国に介入するつもりもないと確約した。

朝鮮戦争が始まるとトルーマンは前言を翻し、中華人民共和国による台湾占領は「太平洋地域の安全保障の直接的脅威」であると宣言し、「フォルモサ（台湾）の将来の去就は太平洋の安全回復、日本との平和協定の決着、国連の判断を待たねばならない」と述べた。ワシントンはカイロ会談の約束を破り、台湾の地位は未決だと宣言したのである。

これは、中国からの撤退というワシントンの方針をくつがえし、台湾海峡の手詰まりを促す政策を進め、さらに「二つの中国」という状況を生む多くの決定の第一弾だった。一九五〇年夏以後、アメリカと中華民国との関係は回復し、アメリカが両岸の衝突で台湾支援に来たのを機に、一九五五年、相互防衛協定が施行された。さらにアメリカの国際支援によって、中華民国が中国全土の正統な政府だというフィクションが持続した。

この支援はワシントンのアジア政策に不可欠の要素になった。国民党の権威主義的独裁支配にもかかわらず、それは「共産中国」に対抗する「民主的」オプション、冷戦期アメリカのアジアへの関与の一例として維持された。だが台湾は白紙の小切手を与えられたわけではない。アメリカの目的はこの地域での姿勢を維持することだった。それは本土抑止によって台湾を確保しておく程度の支援を与えると同時に、中華民国が本土を挑発してアメリカを中国との戦いという陥穽に落とさない程度に支援を控えるというものだ。ジョン・フォスター・ダレス国務長官の目標は、長期的にはドイツと同じような分断国家という解決だった。ダレスは短期的には手詰まりの内戦と二つの中国という現状を維持しようとした。一九五五年、ふたたび両岸関係はアメリカが中間点に立つ内戦のトライアングルになった。

新しいアイデンティティと「一つの中国」

一九七九年、アメリカは中華人民共和国を承認した。アメリカの観点からすると、今や中華民国は未決と宣言された一九五〇年当時の状態と同じ非政府の島である。ワシントンが中国本土と和解したことも中華民国の国際的地位を著しく下げ、一九七二年の国連除籍に始まり、中華民国を見限って中華人民共和国を承認する国が相次いだ。

台湾の国内政治もこれに応じて変化した。二十世紀の終わる頃、台湾は民主制に移行し、全国の政治機関が普通選挙の対象になった。本省人が多数を占める独立志向の野党が出現し、内戦期に施行された政治的自由に対する規制が取り消され、本土との経済関係が始まった。

民主化は台湾と台湾人のアイデンティティに大きな影響をもたらした。戦時の諸規制の撤廃は、本土支配のための内戦が終わったことの暗黙の了解だった。さらに台湾人だけによる国会議員と大統領の選出は中国を代表する中華民国という神話を崩すと同時に、台湾分離を示唆していた。中国全土の統治を主張する政府が、たった一省からどうやって統治者を選べるだろうか。

さらに民主制のおかげで、台湾と本土の異なる歴史のような、これまで禁じられていた話題を自由に語れるようになり、それまで本省人から奪われていた機会、つまり本土当局に強いられたアイデンティティ以外のアイデンティティを主張する機会が与えられるようになった。選挙で選ばれるリーダーは今やこうした変化に対応する必要があった。

こうした変化の結果はめざましいものだった。個人のアイデンティティ問題については、ある調査によると、自分を「台湾人」とする回答者が一九九二年の一七・六％から二〇一五年の五九・五％に増えた一方、自分は「中国人」だと思う人は二五・五％から四％に減った。さらに二〇一五年後半のアンケートでは、被験者のうち最大比率（六九・三％）を占める回答者が、本土との関係を「（海峡の）両岸に一つずつある国家」ととらえると答え、「両岸とも一つの中国に属する」という本土の立場を支持する人は一六・二％にすぎなかった。内戦に敗れ、本土復帰を渇望する敗軍の将たちとは対照的に、今日の世論は別個の存在としての台湾アイデンティティ（島と政府の両方）を強く示唆している。

同時代の政治家はこの空気に敏感だ。台湾の二大政党はいずれも、台湾（中華民国）を統治する政府は「独立した主権国家」であり、国際社会への参加のほか、対等な立場で本土と交渉する資格があると考えている。たとえば蔡英文総統は、両岸の会話を二〇〇八年以降可能にしてきた「台湾は中国の一部である」という、どこか嘘くさい定義をこれまでのところ拒否しており、最近の海外出張ではゲストブックに「台湾（中華民国）総統」とサインしている。一連の帰属意識の流れは偶然ではない。

台湾のこうした変化とは対照的に、中華人民共和国の立ち位置はこの六十年間ほとんど変わっていない。北京は「世界にはただ一つの中国しかない、本土と台湾はともに一つの中国に属し、中国の主権と統一領土は分けることができない」と主張する「一つの中国」原則に拘泥している。ここから出発して、この問題に対して中華人民共和国が出した答は、鄧小平が一九八三年に提起し（後に香港に適用された）「一国二制度」を根拠にしている。これは台湾を「特別行政区」として編入し、中国とは異なる国内制度を適用するが、「国際関係においては中華人民共和国のみが」中国を代表するとしている。本土はこの目標達成のために平和的な方法を約束しているが、武力行使のオプションは確保している。

言い換えれば、本土はいかなる交渉が始まろうと、あらかじめ解決を宣言しているのが明らかだ。具体的には、中国の統一領土を回復し、いかなる妥協も許さないという共産党の誓いを実現させようとしている。しかし、この立場が台湾にとってさらに不快なのは、中華人民共和国が、最終的解決の核心すなわち「一つの中国」原則を認めることが、将来の交渉に必要な前提だとしている事実である。この要求は与党民進党に却下されたが、それだけではなく、それまでの交渉を可能にしていた曖昧な常套句も退けられた。

本土もこの抵抗に対して経済のインセンティブを利用し、政府を迂回して台湾国民の心をつかもうとした。中でも大事なのは、農民への特恵関税、企業への投資や貿易チャンス、大卒の雇用などをつうじて、社会のさまざまな層で経済的きずなを強めることだった。しかし、経済的きずなの増大と進展にもかかわらず、本土の条件を進んで受け入れてもらう空気を作り出すことはほとんどできなかった。

このため、北京は台湾の本土からの分離と主権国家の容認がそれ以上進むのを抑止することに集中した。中華人民共和国は北京の同意がなければ、台湾が（非政府組織まで含む）国際機関から、あるいは台湾の主権を示唆するいかなる指名からも排除されるよう、積極的かつ執拗に動いた。その上、他に手段がなければ武力行使するための理論的根拠を言語化し、そのための能力を開発するのをためらわなかった。この理論的根拠は二〇〇五年に「反国家分裂法」として成文化される。そこには、もし台湾の「中国からの分離」を生じさせる行為が行なわれたら、あるいはもし「平和統一の可能性が完全に失われたら」、中国領土の一体性を「守る」ために武力を使ってよいとされている。そのような不測の事態に備えて、中華人民共和国は台湾をはるかに超える能力を備えた陸海空軍、ミサイル、サイバー戦力などの近代兵力を開発した。これは北京が台湾の独立への策動とみなす中華民国の行為に対する強烈な抑止力になる。

だがもし武力行使の道を選べば、中華人民共和国は予想されるアメリカの介入と戦わねばならないだろう。一九五七年と同じように、アメリカは台湾海峡で中台両国の戦いに割って入るだろう。そしてアメリカの政策こそ、両岸関係が膠着状態に陥った主たる理由なのである。全体を分析するなら、接近手段として中間的立場をとろうとするアメリカのスタンスは矛盾だらけだ。

両岸関係の性質をめぐる中国のスタンスに関して、ワシントンは中華人民共和国を中国の政府として公式に「承認」しているが、台湾が中国の一部であるとする北京の主張は「認識」しているだけだ。公式発言はめったにないが、アメリカの立場は実のところ一九五〇年以来変わっていない。つまり、この島の地理的地位は「未定」である。さらに、武力行使という中国の威嚇に対して、アメリカは一貫して平和的解決の必要性を表明しつづけている。

台湾に関して、アメリカは国際社会における主権国家としての中華民国をもはや支持しておらず、公式の外交関係も維持していない。このスタンスは一九九五年にクリントン大統領の「三つのノー」――台湾独立の不支持、「二つの中国」あるいは「一つの台湾・一つの中国」の不支持、国家という資格の必要な組織機関への台湾の加盟不支持――に組みこまれた。言い換えれば、台湾は一つの島を統治する存在しない政府として、国際社会ではある種の辺獄（リンボー）（宙ぶらりん状態）であり、その地位はいまだ未決のままにとどまっているというのが現在のアメリカの立場である。

しかしながら、これはアメリカが中華民国と一切接触せず、何の責任も負わないということではない。中華人民共和国承認の際に交渉ずみの条件と、一九七九年にアメリカ議会を通過した「台湾関係法」によれば、アメリカは中華民国と「非公式の関係」を持ち、中華民国に防衛兵器を売る権利を有するとされている。さらに、台湾は「台湾関係法」によってアメリカの法廷で外国政府として扱われ、いくつかの協定の継続が許されている。だがこの法律の最も大事な部分は、「台湾国民の安全や社会、経済制度に対する脅威ならびにこれによって米国の利益に対して生じる危険」があれば、それがいかなるものであっても、大統領と議会は可能な行動について検討しなければならないという規定である。この法律はさらに、米軍は呼集されたら、そのような場合の行動に備えなければならないとしている。

最後になるが、一九七九年以降、米台関係の結びつきの強さと範囲は着実に増してきている。その幅は、防衛協調の大幅強化から経済協力、政府高官レベルの相互訪問、「三つのノー」政策から外れない国際組織に加盟しようとする台湾への支援まで、広きにわたる。

アメリカはこの状態から交渉による解決を見るまで、台湾海峡の現状（平和的膠着状態）を維持しようとしている。中台両国はむろんこの現状に満足はしていない。台湾は主権国家としての承認を得たいし、本土は島を中国に編入したい。しかし、この状態がアメリカによって維持されている結果、双方の最終目標の実現が抑止されている一方、もし台湾が独立を求めて本土を挑発するならアメリカは支援を保留するだろうし、もし中華人民共和国が解決を強行するなら台湾を防衛することになろう。このように、双方とも相手が抑止されていることを知った上で、抑制的に行動することが期待されている。現在、ある学者が「二面的抑止」と呼んだこの政策が、台湾海峡の危うい平和を保つ中心的役割を果たしている。

この両岸関係が六十年たってみると、「物事は変われば変わるほど、同じ状態にとどまる」という警句が思い出される。中台双方はいまだに和解不能な立場をとりつづけ、アメリカはいまだにその中間にあって、双方ともに受け入れ可能な協定に平和的にたどり着くその日まで、平和な現状を維持しようとしている。

だが外見は現実を裏切る。時の経過によって両者の距離が縮まるどころか、問題はいっそう解決困難になった。この状況で最も重要な変化は台湾の民主化である。それは台湾のアイデンティティを、内戦で一方が軍備増強のために築いた部隊集結地から、国際的プレゼンスを要求し、中国の一部としての地位は考えられないと宣言する主権国家に変貌させた。さらに、この状況は少なくとも二十年つづいており、台湾国民、とりわけ青年層のあいだに明確に根を下ろしている。端的に言えば、内戦期とは対照的に、台湾もそこを統治する体制も、台湾が中国の一部であるという前提をもはや共有していない。

この状況が台湾に恋い焦がれる本土の使命を複雑なものにしている。とはいえ、それで北京の台湾政策が根源的に変わったわけではない。北京は昔と同じように、両者の関係を「一つの中国」、両者の違いの解決を「一国二制度」と呼び、変貌した台湾に接近している。こういうアプローチは台湾にとってほとんど牽引力がない。

もちろんこの新しい状況には、たとえば主権共有や連邦制など、いくつかの妥協的解決が考えられる。しかし、中国のリーダーが中国の主権領土をただで進呈するような案におめおめ同意することは今では難しいだろうし、台湾のリーダーにしてみても、これほど多くの国民が受け入れ、行使してきている島の主権を進んで縮小するのは難しいだろう。

別の可能性もいくつか指摘されてきた。たとえば本土へ向かう経済という自然の引力であり（台湾の輸出の約四〇％、台湾からの外国投資の約七五％が本土に向かっている）、地域経済ネットワークが出現した時代に台湾が支払わねばならない孤立のコストである。さらに、もしも本土がこれ以上繁栄したり民主化したりすれば、台湾の人々の多くが本土との協定を受け入れるだろう。とはいえ、今のところこれらの実現性が高まり、現状を変える方向に動いている気配はない。

最後になるが、中台どちらかが現在の手詰まり状態にただ単に痺れを切らすという可能性もある。たとえば台湾の政治家が正式の独立をごり押しして本土を挑発するかもしれない。あるいは中国のリーダーが、現状維持のままでは段階的、平和的な台湾の分離をもたらすことになると判断し、解決のために武力行使に出るかもしれない。

もちろん多くはシナリオの細部にかかっているが、中間にいるアメリカが巻き込まれることはほぼまちがいない。そうした関与は休戦確保の試みから現実の武力介入まで幅広い。いずれの道をとろうと、当事者全員が紛争の急速拡大の危険性と、それにともなう経済コストおよびおのれの評判にかかわるコストに気づいている。それが海峡をめぐる三つの紛争当事者の誰もが望まない「解決」であるのは目に見えている。

とりあえずのところ、台湾海峡の平和は膠着状態と緊張をともないながら、地域の現状のままにつづくだろう。それは三者ともに満足できない現状だが、全員が認めなければならない。そして今のところ、それを維持するために努力せねばならない。

Q.13

中国と日本は果たしてうまくやっていけるのか？

エズラ・F・ヴォーゲル
ハーバード大学名誉教授、フェアバンク・センター元所長／社会学

〝圧倒的多数の中国人が、第二次世界大戦で日本がもたらした恐怖を日本人は正しく認識していないと思っている。日本人の圧倒的多数が、日本は侵攻を謝罪したのに中国人の多くがその謝罪のことを知らず、自分たちが生まれる前に起きたことについて充分な謝罪をしていないと国民を批判するなんてバカげていると思っている。〟

途絶した対話

もし世界第二、第三の経済大国である中国と日本が協力する道を見出せなければ、東アジアに、いや、世界に安定は訪れない。両国が衝突を避け、手を携えて経済交流を促進し、地球温暖化を防ぎ、環境を改善し、自然災害に対応し、医学の進歩を共有することは、双方の国民にとっての利益だ。それなのに両国の関係は脆く、両国の軍は係争中の島をめぐって角突き合わせ、両国のリーダーは、外務高官ですら、めったに会おうとせず、何年も真摯な話し合いをしていない。

ピュー研究所による最新の世論調査では、日本に好感を抱く中国人は七％にすぎず、中国に好感を抱く日本人は六％にすぎない。圧倒的多数の中国人が、第二次世界大戦で日本がもたらした恐怖を日本人は正しく認識していないと思っている。日本人の圧倒的多数が、日本は侵攻を謝罪したのに中国人の多くがその謝罪のことを知らず、自分たちが生れる前に起きたことについて充分な謝罪をしていないと国民を批判するなんてバカげていると思っている。中国人は日本のリーダーが戦争犯罪人の魂を祀る靖国神社を参拝するのを批判し、領有をめぐって係争中の島々（日本では尖閣、中国では釣魚）を日本政府が民間所有者から買い取ったことを批判する。日本側は、第二次世界大戦終結のときに日本は軍国主義を捨てて平和の道を歩み、軍事費はＧＮＰの一％しかない――中国、アメリカ、その他多くの諸国より遥かに少ない――と説明する。日本は過去数十年中国に寛大だったのに、中国国民は日本がどれだけ中国に貢献してきたか知らないと日本人は思っている。係争中の海域における相互利益のために行なう海底共同探査の可能性をめぐる対話は数年前に途絶え、再開されていない。

習近平主席と安倍晋三首相が現在のポストに就任して以来、二人は習＝オバマ大統領、習＝トランプ大統領の会談と比べて、長時間の真摯な議論を一度も交わしておらず、多国間会議のついでにちらっと会ったきりだ。両国の首脳や高官が会うときは、たがいに相手国のふるまいを責めたてる。

取るに足らない小さな島々から最大の衝突リスクが生れる。日中はともに尖閣／釣魚列島の領有を主張するが、日本は第二次世界大戦以来この島々を管理してきており、領土紛争は存在しないと主張している。中国は島の近辺の海域に船舶や航空機を出し、日本はそれに警告するために船舶や航空機を出す。

冷戦終結と台湾民主化という転機

一九九二年以後、両国の関係は低迷したままだった。それより前、中国は一九八九年六月四日の天安門事件以来つづいていた欧米諸国の制裁から抜け出ようともがいており、それを一番助けたのが日本だった。日本は中国との貿易拡大に欧米諸国より積極的で、制裁緩和を試みるジョージ・W・ブッシュ大統領を支えた。一九八九年から一九九二年までの三年間、日中は密に接触し、両国の高官は互いに批判を控えた。両国の関係はそこそこ良好で、一九九二年には史上初の日本国天皇の訪中が実現し、天皇は手厚くもてなされた。

だがその後、関係は急速に悪化した。一九七八年から一九九二年のあいだ、中国は他のどの国より多くの支援を日本から受けている。当時の中国は大躍進と文化大革命の災厄のあと、国庫がほとんど枯渇し、経済成長のために外からの援助をどうしても必要としていた。日本政府はＪＥＴＲＯ（日本貿易振興機構）をつうじて技術や産業アドバイスを与え、ＪＥＴＲＯはやがて政府のほか日本企業までに呼びかけて、中国への援助のために職員が派遣されるようになった。一九九二年になると中国はそれほど支援を必要としなくなり、他の国々も一九八九年の天安門事件の対応として科された制裁を外しはじめた。こうして日本はもはや唯一の援助国ではなくなり、同時に中国は批判を控えなくてもよくなった。

一九九二年にソ連が崩壊して冷戦が終わると、中国、日本、アメリカその他の諸国はソ連に対抗して協力する必要がなくなった。

一九九二年になると、中国は急速に発展する経済に自信を深めた。成長があまりに速くて、二十年以内に日本を超える見込みが出てきた。一八九四―九五年の日清戦争で日本に破れて以来、それまで日本より遥かに進んだ文明国だと思っていた中国は屈辱的な下関条約（一八九五年）を受け入れなければならない羽目に陥った。このとき中国は台湾を日本に譲り、莫大な賠償金を科せられて、あちこちの国に資金提供を求めなければならず、恨みは残った。第一次世界大戦で、それまでドイツに占領されていた山東省の一部を日本に渡さなければならなかったのも屈辱的だった。「屈辱の世紀」に泣いた多くの中国人にとって、今こそ中国は本来あるべきアジアのヒエラルキーの頂点にふたたび立ったのである。それは目の前にあるただの政治的、経済的問題ではなく、もっと大きな国家の名誉の問題であり、今や中国はアジアを先導する大国だと日本が認めることこそ、正しく適切な道だった。ところが日本は確かに中国が大きくなったことは認めたが、いまだに日本の方が近代的で成功した国だと思っている。

日中関係悪化のもう一つの原因は、初の台湾生れの総統、李登輝のもとで強まる台湾分離運動である。李登輝はたいへん日本に近しく、中国が強く反対する台湾の独立運動を日本が支援するのではないかと中国は懸念した。一九九二年、李登輝は初の台湾国民総選挙を実施し、台湾独立に向けた一般大衆からの圧力は、一九九五年、李登輝が母校コーネル大学訪問から帰国したあと、とくに強まった。一九四五年以前、台湾が日本統治下にあった半世紀のあいだ、地元の人々は学校で日本語を話し、日本文化にどっぷり漬かっていた。一九四五年以後も日本は台湾と親しい関係をつづけたため、一九九二年以後の北京高官は東京が台湾のパワフルな独立運動を支援しているのではないかと不安だった。

一九九二年、中国の若者の忠誠心を懸念した中国指導層は愛国教育運動を開始した。この運動テーマのうち、最も中国の若者の心をつかんだのは、一九三一年から一九四五年に至る日本の侵略と占領の残酷さを描いたものだ。このメッセージを伝えるために中国当局は近代的手法を使い、たとえば中国人が日本に対して英雄的に戦うテレビ映画などを放映する。これが大当たりしたため、大手映画会社は商業的理由から、さらに制作に励んだ。若者向けの電子携帯ゲーム機もまた日本人侵略者をやっつける中国人を題材にして、商業的大成功をおさめる。時がたつにつれて第二次世界大戦を直接経験した中国人の割合が減っても、こういう映画やゲームによって伝わる日本人の否定的イメージが対日姿勢を悪化させた。

こうした問題のインパクトをさらに強めたのは、もしも両国に高レベルの意思疎通や深い相互理解があれば避けられたはずの気まずい政治的動きだった。一九九八年に訪日した江沢民主席は、もっと圧力を加えれば小渕恵三首相は数週間前に金大中韓国大統領にそうしたように、第二次世界大戦で日本がもたらした恐怖への謝罪声明にサインするだろうと誤った判断をした。だが金大中と違って、江沢民は両国の将来の協力を声明に盛り込まなかったため、江沢民の圧力に対する日本国民の反応を懸念した小渕首相は署名を拒否し、両国の緊張は却って高まることになった。二〇一二年、石原慎太郎東京都知事が尖閣諸島を購入すると持ちかけたとき、野田佳彦首相はそれが日中関係にどれほど深刻な結果をもたらすかよく理解しないまま、もしも石原都知事が尖閣を所有したら起きるであろう問題を避けるために、日本政府として列島の購入を決定した。中国側は激怒し、それがさらに緊張を高めた。

関係改善に向けて

両国の関係が劇的に改善する望みはあるのだろうか。短期的には無理だ。どちらの国のリーダーも相手の圧力に屈することはできない。国民の人気を保ちたいリーダーとしては、国益のために立ち上がって、力量を示さないわけにはいかない。

日中が長期的に良い関係を発展させる望みはあるだろうか。答はイエスだ。周恩来元首相がかつて言ったように、また国民的リーダー鄧小平がのちにくりかえしたように、日中には約二千年に及ぶ関係があり、深刻な問題が生じたのは一八九四年から一九四五年のわずか半世紀にすぎない。一千年を優に超す昔、隋と唐の時代（当時の日本は奈良時代から平安時代）、日本は基礎的文化――書き言葉、仏教、儒教、建築、政府組織、都市計画、美術――を中国から得た。似たような文化とはいえ、アメリカとイギリスは武力紛争を避けられなかったが、文化の共有は理解のための強い基盤を築き、それが肯定的なきずなを生む。

成功裏に終わった一九七八年十月の鄧小平訪日から十四年間、日中は比較的良い関係にあった。一九八〇年の中国にまだ世論調査はなかったが、当時の日本の世論調査では七八％が中国への好感を示している。鄧小平と当時の日本のリーダーは相互協力を話し合った。この時期、双方から若者を含むさまざまなグループによる多くの交流があり、日本のふつうの生活を描いた映画やテレビドラマが中国で人気を博した。日本は中国産業の近代化を助け、経営や政府の計画に助言を与えた。

では今どうしたらいいのか。どちらの国のリーダーも尖閣／釣魚列島からいきなりすべての圧力を取り除くことはできないだろうが、覚悟を決めたリーダーが一人いれば、圧力を徐々に弱め、相手がそれに応えれば、双方がその先へ徐々に進むことができるはずだ。協力できる分野でプロジェクトをみつける努力を再開させられるはずだし、環境改善や、成長率が右肩下がりになったときの経済運営という日本の経験を、中国人はもっと拡大した規模で学べるだろう。両国のリーダーや政府高官はもっと出会いの場を持ち、相手国について深い理解のある人材を重要な地位に就けることができるはずだ。若者の交流を促進し、相手国に深い理解と友情を持つ若いリーダーの育成も奨励すべきだ。中国人観光客の増加は理解を育てる。観光客はメディアの一部がもたらす現代日本像よりも正確な姿を提供してくれるからだ。日本人観光客を中国に呼ぶために、中国を魅力的な観光地にする方法もたくさんあるはずだ。端的に言おう。関係改善のためのチャンスはふんだんにある。

二〇一八年は日中平和友好条約締結と、大成功に終わった鄧小平の訪日から四十年目に当たる。両国が関係改善のために誠実な一歩を踏み出すには、この四十周年を祝うに勝る方法はあるまい。

第Ⅲ部　経済

Q.14 中国の高度成長はつづくか?

リチャード・N・クーパー

ハーバード大学教授／国際経済

〝一九七八年以後の中国では成長の多くを資本蓄積が占め、労働力の増加はわずか一〇―二〇％にとどまったことが指摘されている。つまり全要素生産性が大幅に上昇したということだ。だが、その原因は何だろう?〟

中国は人類史上最大の貧困削減を経験した。どう定義するかにもよるが、四億から六億人が貧困を脱出したのである。経済は三十年間にわたり毎年一〇％近い伸び率で十六倍に成長し、人口増を考慮に入れると、一人当たり収入十二倍増を達成した。これで各家庭は人生で初めてほんとうの選択ができるようになった。それも自分のためだけでなく、とりわけ子供たちのためにそれができるようになった。文字どおり夢のような変化だ。もし一九八〇年に誰かが二〇一八年の中国経済がどうなっているか予測したとしたら、中国人も外国人もお前は夢の世界に生きているのかと笑い飛ばしていただろう。だが、それが起きたのだ。

この予期せぬ成長の源は何なのか?　そしてこれはつづくのか?　この章では七つの要因をあげ、そのうちの六つが消えるか、大幅に後退することを議論したい。つまり、今後十年で中国の成長は大きく落ちこむ。ただしメディアを賑わせはするものの、それを政策の失敗ととらえるべきではない。成長鈍化には根源的な理由がある。ひどい失政があったにせよ、低迷そのものは失敗とはいえない。

高度成長の七つの要因

経済専門用語で言うと、成長には(教育と経験の向上を含む)労働供給量の増加と増資のほか、その他すべてを含む全要素生産性と呼ばれるものが必要だ。大半の研究において、一九七八年以後の中国では成長の多くを資本蓄積が占め、労働力の増加はわずか一〇-二〇%にとどまったことが指摘されている。つまり全要素生産性が大幅に上昇したということだ。だが、その原因は何だろう? ここでは理由を七つあげるが、むろんその他にも理由はあろう。

その一。政府のリソース配分が大きく変わった。社会主義システムによくあるトップダウンの中央指令型経済(政府の指示による製造割当と広範な供給配分など)から、もっと市場ベースのアプローチへ徐々に移行した。これは、家庭も企業も、需給によって、また製品ごとに、順次大きく左右される価格をもとに、消費判断や投資判断ができるようになったことを意味する。さらに国内価格は世界経済の価格と緊密に紐付けされるようになる。

その二。ほぼ孤立状態から世界経済参入へ、国ごと移行した。輸出が奨励され、最初は税や規制が優遇される経済特区をつうじて、のちに一般的な輸出へと移行する。日本や韓国とは対照的に、国内向け外国直接投資(FDI)も、一部は経済特区をつうじて、だが一部は国内市場向けにも奨励された。これは、最初は合弁事業、のちに完全な外資系国内企業をつうじて行なわれた。当初の目的は希少な外貨獲得のため、のちには（マーケティングや経営の技能を含む）外国の技術を中国に持ちこむためである。

その三。海外華人を広範に利用した。彼らは外国人との取引を熟知しており、孤立した中国本土と世界の架け橋として活躍できる。外国にいる華人実業家は、とくにアメリカとヨーロッパで、どんな品物とサービスがよく売れるか知っており、マーケティングのルートや外国貿易を成功させるための技術的局面に詳しい。当初、経済特区の投資の大半は香港、台湾、その他の海外華人社会からやってきた。

第四の要因はアナリストが人口ボーナスと呼ぶものである。中国本土では人口全体に対する労働年齢（十五歳から六十四歳）人口の比率が、一九九〇年の六六％から二〇一二年の七四％へと大きく伸びた。もし彼らが生産的に雇用されれば――実際そうなったが――総合経済成長と一人当たり収入を押し上げるだろう。むろん中国の一人っ子政策は、深刻な高齢化が訪れるまでこの劇的な「配当」に貢献した。

第五の要因は、農業からもっと生産的な活動への労働者の劇的な移動である。これは当初圧倒的に農業国で、おそらく作付けと収穫の季節以外は生産性の低いすべての貧困国で起こる基本局面だ。農場から工場（またはサービス業）へのこの移動によって、一人当たり生産高が大幅に伸びた。一九八〇年には中国の労働力の七〇％が農業従事者だったのが、二〇一六年には三〇％以下に下落した。ある重要な研究が見積もったところでは、この変化だけで、GDP成長率の年一・一％から一・三％を占めているという。

第六の要因は、（国際水準に照らして）とくに高い貯蓄率と投資率である――これが国民生産の半分近くまでとどいた年もあった。投資は国有企業と地方政府からもあるが、多くは地方の町や村が始めた、中央政府の関与しない新規事業体からのものだった。これに続くのが純民間投資で、北京政府が導入した新しい規則により外国人の投資も含まれる。二〇一二年には全投資のおそらく六五％が民間投資で、これが急増する非農業労働者のための建物や設備を供給した。だが投資の多くは、急増する高給取りの都市労働者のために新しいモダンな住宅も供給した。その他、上下水道、道路、電気、交通などの都市需要に、また港湾、空港、高速道路や鉄道など都市間交通インフラにも多くが投資された。

第七の要因は教育である。かつて一九五〇年代、新たに就任した共産党は小学生全員に無償で教育を提供し、農民に最低限の識字教育を行なうという戦略的判断をした。この判断は中国ではうまく機能した。きちんと学校に通い、先生の言いつけを聞くことを身につけた若者が増え、工場の定職に就くようになったからだ。無料の公教育は一九八〇年代半ばに九年制に延長され、高等中学（高校）と大学の進学率が伸びて、一九八〇年代初めにはわずか二％だったものが二〇一六年には若者の約三割が何らかの大学教育を受けるまでになった。

以上が、最初の経済改革後の三十年に中国の高い成長率をもたらした主たる要因である。もちろん主に外国から入手した技術の進歩も重要な役割を果たした。だが新しい技術は主として前述の要因――外国からの投資（と助言）、海外華人の貢献、高い投資率、（外資企業での訓練を含む）教育の向上など――から来ている。

七要因の未来像

さて、それでは未来はどうなるか？　この七つの要因は重要な役割を果たしつづけるのか？　そうでないとしたら、それに代わりうる代替物はあるのか？　残念ながら七つとも答はノーだ。ただ、可能性があるとしたら教育だろうか。では、一つ一つ説明していこう。

中国は価格ベースの市場経済におおむね移行をすませた。ただ若干の例外はまだあって、とくに銀行、石油、遠隔通信が弱い。だからまだ課題はある。だがこれからの成長の要因として、リソース配分のさらなるルール変更――さらなる経済改革――は、一九八〇年代、九〇年代よりもかなり限定されそうだ。外国直接投資はアメリカへの投資に次ぐペースで中国に流れこみつづけている。これに付随して近代テクノロジーが一部流入するだろうし、その未来の貢献度はこれまでと変わらないかもしれない。だがグローバル化のもう一つの局面である外国貿易は、これまでより貢献度が限られるにちがいない。中国の輸出はドル換算で一九八〇年代から二〇一〇年代までの三十年間、年一七%という驚くべき数字で成長し、中国を取るに足らない存在から世界一の輸出国に変えた。したがって、これからは輸出に大きな増加は望めまい。輸出増は世界経済の成長に匹敵する程度――(多少のインフレ込みで)おそらくドル換算で年五－七%――にとどまるだろう。海外華人はこれからも重要な存在でありつづけるが、成長にこれまでほど大きな役割は果たすまい。本土の中国人は外国人とどう直接つきあうか(だいたい)学んでしまった。こういうキャッチアップは一回限りのことで、すでに過去のものとなった。

人口ボーナスは、二〇一二年に労働年齢人口の全体に対する比率がピークを打ったとき終わった。現在は下降局面にあり、最初は緩やかだが次の十年はスピードを増し、中国の高齢化が急速に進むにつれ一九六〇年代半ばのレベルに戻る。出生率は人口政策が子供二人を上限とする政策に変更されて、これから盛り返すかもしれないが、高齢化は最も重要な要因になるだろう。二〇一〇年に三十五歳だった年齢中央値は二〇四〇年には四十七歳になるはずだ――この驚くべき数値を超えるのは韓国しかない。人口政策が変わっても、他の東アジア諸国と同様、出生率は低迷しつづけると見られる。

中国の農業労働人口は全体の三割以下に落ちた――工業国の標準ではまだ高い。だからこの要因はこれからの成長にいくらか貢献しつづけるかもしれない。だが移動できる農業労働者の大半はすでに移動しており、農村部の成人平均年齢は急速に上昇した。また、土地保有政策と(「戸口」と呼ばれる)都市戸籍政策によって、農村の人々は農地を完全に手放すのを禁じられている。それを許すと他人に再譲渡されるだろうからだ。したがって、農村からの人口移動はこれまでほど劇的なものにはならず、成長への貢献度も低まるだろう。因みに、農業の労働生産性は上昇し、これからも上がりつづけるだろう。したがってこの再配置からの経済利益は減る。

最近、中国政府は輸出と投資に依存する経済から民間および公共消費に比重を移す――つまり消費者社会をつくる――「リバランス」政策へ移行すると表明した。さらに、新規投資――とりわけ公共投資（インフラ）や国有企業、製材業からの投資――の収益率がここ十年落ちたことは、大規模な新規投資ですら、これまでのような成長への貢献は望めないということを意味する。この二つの材料すなわち（対ＧＤＰ）投資率と収益率の低下は、全体の成長への貢献がこれまでより減ることを意味する。

したがって、以上六つの要因はこれからの成長にとって、ポスト改革時代初期ほどの貢献は望めない。こういう変化は根本的なものであり、政策に簡単に左右されることはない。だから中国の未来の成長鈍化は失政と呼ぶべきではない。第七の要因、教育のみが、急速な教育制度の拡大を伴えば、これまでどおり貢献するだろう。ただし、卒業生が良い職につけることが前提だが。

中国政府はこうした低迷要因を意識しており、近過去の成長率九―一〇％よりもかなり低い七％前後の成長率という「新常態」を唱えた。これは国民の期待を現実と一致させようという試みだ。こうして第十三次五カ年計画（二〇一六―二〇）は平均年成長率六・五％を想定することになった。政府はまた未来の拡大の鍵となる要因として「イノベーション」の重要性も強調しているが、これがどの程度成功するか判断するのはまだ早すぎる。教育制度は、丸暗記や質問に対して一つの答しかない教育では広範なイノベーションにつながらない。中国のテクノロジー利用のレベルは多くの分野で先進世界の基準に達しておらず、外国からの技術輸入がまだ有効だ。だが中国はこれを三十五年つづけてきており、外国のテクノロジーの吸収率を高めると同時に、国内のイノベーションを伸ばせる保証はない。

もしそれができなければ——仮に重大な政策ミスがなかったとしても——中国の経済成長率は次の十年に設定された六・五%の目標値を大幅に下回り、今後十年でおそらく五%を割りこむのではないか。だがこうした低迷にメディアが警鐘を鳴らしたとしても、それは根本的失敗のサインではない。中国人も外国人もそれを理解する必要がある。

Q.15 中国経済はハードランディングに向かうのか？

ドワイト・H・パーキンス
ハーバード大学教授／経済学・中国学

〝ここ一、二年、この経済の減速が、中国は「ハードランディング」に向かっているのではないかという恐怖をかきたてている。もしこれが何かを意味するとすれば、それはたぶん中国が数四半期ないしはそれ以上長期の景気停滞に向かうという恐怖だろう。〟

金融崩壊は起こらない？

中国の三十年にわたる高速キャッチアップ成長が終わったことは、今や広く認められている。どこの国でもキャッチアップ成長は最先進経済の所得レベルに達するずっと手前で終わるが、中国も例外ではなかった。地方の生産性の低い職業から生産性の高い都市部の職業へ移る余剰労働力の移動は、田舎の祖父母のもとに残された出稼ぎ労働者の子供たちを除いて、概ね終わった。中国の輸出の急拡大も終わった。一部は世界不況のせいだが、大半は安い労働力――もはや安くないが――に依存する中国製品が市場にあふれたせいだ。

中国のこれからの成長は、自動車など他国がとっくに唾をつけている分野でイノベーションを起こし、国際的に競争していくみずからの能力にますます依存するようになるだろう。

ここ一、二年、この経済の減速が、中国は「ハードランディング」に向かっているのではないかという恐怖をかきたてている。この言葉はほとんど定義されることがないが、もしこれが何かを意味するとすれば、それはたぶん中国が数四半期ないしはそれ以上長期の景気停滞に向かうという恐怖だろう。この恐怖は経済に予期せぬ何か――最近のできごとで言えば、たとえば人民幣の交換レートのわずか数ポイントの下落や、大きな証券市場バブルの崩壊――が起こるたびに増幅していく。こういうできごとそれ自体が中国全体の経済実績に大した影響を及ぼすことはないが、ずっと大きな危機が始まる兆候だという懸念はある。危機への恐れの呼び水となるのは、たいてい借金、とりわけ急速に積み上がる維持不能な企業債務や、通常の銀行システムの外側で運営される貸金業者など無秩序な闇の金融市場の拡大である。

維持不能な借金の増大と闇金融問題はかなり現実的だが、それが金融崩壊や本格的景気停滞につながる可能性はそれほど現実的ではない。中国経済が直面する真の危機はほかにあり、金融セクターだけでなく、それ以外にも遥かに大きな問題を抱える政策の現在の動向によって引き起こされる。

金融崩壊が深刻な不況にいたると考えにくい理由だが、これは中国の借金のほぼ大半を国内の他の事業体、とくに（しかしそれだけではないが）国有大銀行が負っているという事実から来る。ほかでもない、こういう銀行では不良債権の増大が始まっており、全銀行資産に対する不良資産の割合がこれからも巨額の単位で膨れ上がると広く認識されている。もし不良資産が全資産を上回ると、公式にはこれらの銀行の多くは倒産するはずで、それはありうることだし、たぶんそうなるだろう。だが一九九〇年代の中国の不良債権はもっとひどい状況にあり、国有銀行全資産の四分の一に相当する不良債権を抱えていた（これは公式の数字で、非公式には四〇%に達していたらしい)。このとき政府は資産運用会社をつくって銀行不良資産全額を肩代わりし、次いで銀行の政府借換を行なった。

最近になって、政府は銀行債務を株式と交換することで不良資産を削減した。要するに、こうしたあれやこれやの手法は、政府が紙幣を印刷して流通させることにより、銀行を健全な経済に戻すということだ。政府がそれを過去にも行なった以上、金融崩壊や深刻な不況が政治の安定に重大な影響をもたらしかねないことを考えれば、将来またやらないはずがない。紙幣の印刷は望まれぬインフレを招くかもしれないが、救済なき不況の脅威という文脈では、インフレは考えにくい。

中国の金融危機が不可避的な不況をもたらすことがあるとすれば、それは債務の多くが外貨建ての国際債務である場合だ。その場合でも、中国の外貨準備が最近の四兆ドル前後を保っている限り、大した脅威にはならない。だが昨年、外貨準備が七〇〇〇億ドル以上減少したことは、中国の外貨総額が必ずしも見た目ほど磐石ではないかもしれないと示唆している。この外貨減少に主として関わったのは、十中八九、人民元がこれからも上がりつづけるだろうと踏んで、長年巨額の人民幣を貯めこんできた企業などの事業体だ。中国の国際的資本流入が部分的に自由化された今、元は上がる(切り上げ)より下がる(切り下げ)可能性の方が大きいし、もはや巨額の人民幣を保有する意味はない。だが中国が別の理由でこれから通貨流出を経験しないとも限らず、その結果、準備高が危険レベルまで低下して、大きく通貨切り下げを迫られるかもしれない。もしそのとき中国が外貨建てで巨額の外国債を抱えていれば、倒産が相次ぎ、政府にはほとんど打つ手がないだろう。これがタイ、インドネシア、マレーシア、韓国で起きたのが一九九七—九八年のアジア金融危機だった。しかし現在の中国にそういう危険はまずない。中国には巨額の外貨準備があるし、外債の額は小さい。

成長鈍化のリスクは高い

中国にとって真の危険はハードランディングではなく、二〇一六年から二〇二〇年までカバーする第十三次五カ年計画が定めた年六・五％の成長率を大幅に下回るような激しい成長鈍化である。そういう事態は下手な融資政策やさらなる銀行不良債権からも起きるが、深刻な脅威は金融セクターとは間接的にしか関連していない。中国の大きな構造問題は、対ＧＤＰ投資率があまりに高すぎることだ。投資総額は二〇一一年の対ＧＤＰ比四七・三％でピークを打ったが、二〇一五年になっても四四・一％に高どまりしている。中国の消費および輸出品目すべて（そしてそういう品物を作るための機械類）を生産するのにどれだけの投資が必要かを示す統計はいまのところ手元にないが、その額は中国が実際に毎年行なっている投資額の半分を大きく超えることはないのではないか。中国がその資源をフル活用した状態を維持するためには、対ＧＤＰ比二〇％前後の追加投資があればいい。

一、二年前まで、中国はこの総需要の欠落を埋める生産投資をみつけるのにほぼ何の問題もなかった。一九七八年以前のソ連型投資政策は住宅と交通への投資をほぼ無視してきた。その結果、中国都市部の住宅はまったくお粗末で（一九七八年時点で一人当たりたった七・二平米）、交通システムは一九八〇年代初めのささやかな交通量を扱う程度のものを無理して使っていた。一九九〇年代後半、そしてとりわけ二〇〇〇年以降、中国政府と民間セクターはこの怠慢の結果を克服すべく、猛烈な投資を開始した。この投資熱は、二〇〇七年から二〇〇九年の世界不況に引きずりこまれるのを避けるために中国政府が行なった巨額の刺激策によって、さらに強化された。

この巨額投資は中国の交通システムを一変させた。自動車専用高速道路は一九八八年以前の中国には存在しなかったが、二〇〇〇年までに一万六〇〇〇キロ、二〇一五年には一二万三五〇〇キロが開通。これはアメリカの州間ハイウェイより長い。乗用車は一九九〇年の百六十万台から二〇一五年には一億四千百三十万台に増えた（そのうち一億二千七百六十万台が個人所有の自家用車）。遠くの町や村を結ぶ二車線道路のほとんどが全天候型の舗装道路になった。省都など大都市すべてに近代的な大型空港があり、民間旅客機の数は千九百機を超えた。国土を縦横に走る高速鉄道システムも今では世界一の規模を誇る。交通システムにまだ改善の必要な部分が残っているのは確かだが、中国が必要とするものはだいたい第一世界の水準に整ったし、これから出費が必要なのは新しい高速道路や空港ではなく、既存システムのメンテナンスだろう。

住宅部門も似たようなものだった。住宅投資は二〇一〇年以前からすでに大きかったが、中国は二〇一〇年から二〇一四年までに六十七億八千万平米の住空間を用意した。アパート一戸あたり百平米として、三人家族六千七百万世帯分の住宅である。二〇一〇年の一人当たり住宅面積は三十一・六平米だったが、この数字はそれから数年で増加している。このレベルの住宅だと需要が追いつかず、とくに二線、三線都市で在庫が増えた（「〇線都市」は経済の活性度を基準にした都市ランキングで、「級」とは異なる。「一線」から「五線」まであり、「二線」はほぼ省都レベルの中規模都市。「三線」は例えば珠海やウルムチなどの中小規模都市）。地方から都市に流入する移民を収容する住宅建設に本格的な努力が払われていたなら、中国は一年あたり十億平米の住宅を建てつづけることができただろうが、二〇一〇年から二〇一四年の毎年十三億六千万平米というペースはつづかなかった。大都市を除き、すべての都市で住宅価格が下がった。

この巨大な交通・建設ラッシュから生れた問題を悪化させたのは、主要なサプライヤー産業の生産能力が拡大しつづけたことだった。そこには明らかにこのブームが永遠につづくという前提があった。二〇一四－一五年の中国には世界の鉄鋼とセメントの半分以上を生産する能力があった。これは国内需要をはるかに上

表 15–1　中国の成長のサプライサイド資料

期 間	成長率(%)				
	GDP	固定資本	未熟練労働者	教育強化労働者	TFP（全要素生産性）
1953–1957	6.5	1.9	1.2	1.7	4.7
1958–1978	3.9	6.7	2	2.7	− 0.5
1978–2005	9.5	9.6	1.9	2.7	3.8
2006–2011	11	15.1	0.4	2.1	3.3
2012–2015	7.4	11.9	0.4	2.1	1.1
1953–2005	7	7.7	1.9	2.6	2.1

この表は、2016 年 6 月に深圳で開かれた Chinese Economists Society（中国留美経済学会）の会議で著者が使ったもの。2005 年までのデータは Dwight H. Perkins and Thomas G. Rawski, "Forecasting China's Economic Growth to 2025," in Loren Brandt and Thomas G. Rawski, *China's Great Economic Transformation* (Cambridge: Cambridge University Press, 2008), pp. 829-886。2006 年から 2011 年の「教育済み労働者」の数字は、Dr. Zhang Qiong がそれ以前のデータと同じ方法を使ってまとめたもの。2006 年から 2015 年の資本金と全要素生産性のデータは本章の著者が同じ方法でまとめた。

回る量だ。中国の鉄鋼メーカーは急激に輸出を増やすことで、この問題を解決しようとしたが、そのせいで中国からの輸出を抑え、北米とヨーロッパの鉄鋼工場をつぶさないために、世界中で反ダンピングの動きが起こる。造船部門でも民間企業、国有企業の両方で生産過剰が起きた。

これらの投資は何年も収益をあげ、建設ラッシュは危険なバブルにはならないという議論がときどきあった。だが中国人研究者の報告にあるように、二〇一〇年以降の桁外れの投資率によって、それまで一〇%以上あった収益（つまり全国投下資本利益率）が二〇一二年には六・六%に落ち、その後さらに下落したようだ。同じく重要なのは、全体の生産性（全要素生産性＝TFP）上昇率が二〇一二年から二〇一五年にかけて大きく下落したことだ（表15－1参照）。十年前には、もし中国が二〇一五年以降、年率六%の経済成長率を維持しようと思うなら、TFP上昇率を少なくとも年率三%にする必要があり、また、六%以上の経済成長には四－五%を大きく上回るTFP上昇率というありそうもない数字が必要だから、おそらく六%以上の成長は無理だろうと思われていた。結果として、二〇一二年から二〇一五年の中国のＴＦＰ上昇率はわずか一％しか達成できなかった。だが、その衝撃は資本投資の激増でなんとなく帳消しにされてしまった。

政府がうまく利用できる未来投資がある。とくに有望なのが環境浄化だ。もし環境改善を反映するような方法で進展が測定できたら、生産性上昇率を高止まりさせられるだろう。中国はまた、経済全体に対する家庭消費比率の増加と組み合わせれば、高い投資率依存から低い投資率へ移行できるだろう。しかし消費ベース経済への移行は困難をきわめ、かなりの努力が払われたものの、中国のこの方面での成功は限られたものでしかなかった。

最後になるが、二〇一三年の中国共産党三中全会のあと発表された改革の長いリストを精力的に実行すれば、中国は高いＴＦＰ上昇率を達成できるだろう。これらの改革の多くは、精力的に実行されれば生産性を著しく高めるはずだ。しかしこれまでのところ、金融セクターのような分野で動きがあったものの、全体の進展は遅い。こうした改革でまちがいなく一番重要なのは、国有企業を真っ向から市場競争に直面させることだ。さらに、大企業の一部を放任し、成功も失敗も自己責任としたらどうかという議論すら出てきた。しかしこれまでの現実を見るかぎり、こうした企業は今や国内でも国外でも以前よりさらに大きな役割を果たしており、背後で管理する中央政府の強力な後ろ楯をこれからも享受しつづけるだろう。この国営企業への依存がつづくことにより、また他の経済分野での市場主導改革が進まないこと、高い投資率がつづくことと相まって、六％の成長率はしばらく維持されるだろう。だが、ＴＦＰと対資本収益率が下がりつづけ、それとともにＧＤＰ成長率も下がる可能性も捨てきれない。

Q.16 都市化は中国経済を救うか、それとも滅ぼすか？

メグ・リスマイア
ハーバード・ビジネススクール准教授／比較政治経済学

〝持続可能な都市化は、中国の経済成長や社会安定の未来とともに、都市化を早め、そのプロセスを変えるための独自計画を中国共産党がいかに実行するか、また、ほんとうにそれにとりかかるかどうかにかかっている。〟

二〇一一年、史上初めて、中国の十三億五千万の人口の半分以上が都市部に住むことになった。中国に新しい都市中産階級が出現したことを外野がしきりに喧伝した結果、世界のビジネスの視線は需要と供給の源たる中国の都市住人に向かった。その一方で多くの人が指摘するのは、インフラへの過剰投資、一線都市（上海や北京）における不動産価格の急上昇と、それ以外の場所での価格下落、加うるに中国の都市が世界の成長エンジンではなく、破裂を待つバブルであること、その証拠としての「鬼城」〔ゴーストタウン〕の存在だった。

中国の都市の未来について、これら異なるビジョンの核心にあるのは、大いなる経済的矛盾である。中国は都市部に過剰投資する。ところが同時に、中国は同じレベルの発展、産業化を遂げた国々と比べて都市化が遅れている。いま全国民の半数が都市部に住むが、そのうち二億人、都市人口の一七%が公式に農村戸籍と登録された人たちで、都会の公共、社会、福祉サービスがうけられない。都市部以外では三億人という驚くべき数の農村戸籍の人々が農業セクターで年百五十日くらい働く過少雇用でありながら、まだ都市部に引っ越せずにいる状態だ。この矛盾は労働、土地、資本を管理する中国独特の政治経済制度の産物である。この制度——そしてそれが大きな改革に向かう可能性——を理解することが、中国の都市の未来を理解する鍵である。

独特な制度的景観

そうした政治経済制度の中でも、人口移動を管理する中国の戸籍（「戸口」）制度はおそらく最も評判が悪い。この制度は、都市への移住を防ぐために、中国共産党が国内パスポートシステムを採用して、一九五〇年代に始まった。一九八〇年代に制度が緩和されて、都市への労働移民が認められたものの、農村戸籍のまま都会に住む人たちはほとんどの学者が指摘するように二級市民扱いされ、偏見に苦しむ。これではまるで「パス法（アパルトヘイト）」だと言われることもある。このシステムは、他の先進諸国で無計画な都市化によって引き起こされる政治混乱や社会摩擦を首尾よく食い止めはしたが、同時に労働配分の劇的な誤り、異様に高い貯蓄率、都市の消費減退をもたらした。その略式性と排斥による人的被害は言うまでもない。

労働市場と市民権をめぐるこの二重性は土地制度にも重なる。都市の土地は国家所有、農村では「集団」所有のままだし、農村の住人が都市へ移住しても、たいていの場合、土地の権利を売ったり移転したりできなかった。これで移民が抑止できると同時に、農村部は空家や所有者不明で未耕作の土地だらけになる。農村の集団所有の土地を都市の国有地にして開発できるのは国家だけだ。都市部では、地主である「国家」を地方政府が代行し、貸し出した土地の巨額の賃貸料を一括徴収する。このしくみのせいで、地方政府は農民から安い値段で土地をとりあげ、高い市場価格で貸し出すようになる。こうして人の都市化よりも土地の都市化の方が早く進み、社会摩擦や誤った土地資源配分が起きた。食糧生産用の土地がしだいに減ったため、国土資源部は国家の食糧安全保障のために必要な農地一億二〇〇〇万ヘクタールを「レッドライン」と発表した。その結果、政府の各レベル間で、このレッドラインを守りながら土地造成枠を競う争奪戦が起きた。

中国の財政・金融システムも、地方政府が土地と都市投資に食指を伸ばす一因である。地方政府は都市部の社会的、物理的支出に最大の発言力がある一方、税収は中央政府と比べてはるかに少ないし、直接借入を禁じられてきた。その結果が、政治学者リリー・ツァイの言う「雀の涙の予算に頼る地方政府」である。つまり地方政府は、ごく基礎的な支出負担すら土地収益と中央からの交付金に頼らざるを得ない。

財政制度が地方政府を都市建設の過剰供給に走らせたとすれば、金融システムは不動産投資需要を生み出した。前述したように、中国は貯蓄率が異様に高く（GDPの四九％と、データ入手可能な国の中で最も高い部類）、国内需要はきわめて低い（GDPの三六・五％と、世界でも最低の部類）。貯蓄率が高い原因は、健康保険や老齢保険の不安、人口逆ピラミッドと急速に進む高齢化社会、前世代が経験した社会混乱から生れた保守傾向などさまざまだが、原因が何であれ、家庭内の貯蓄は出口を求める。長きにわたる資本規制でふつうの家庭は海外投資ができなかったし、銀行預金金利は低い。残された投資先で筆頭に来るのは国内株式市場と不動産である。多くの中産階級家庭が、結婚した子供たちのために、あるいは資産価格が上がって貯蓄が増えるのをただ見たいがために、投資用の資産として二軒目、三軒目の物件を買う。

こうした制度が人と資本を特定の流れに導く。これを見れば中国都市部で起きている劇的で矛盾した現象が分かりやすくなる。先進世界なら、ある種の非公式なコミュニティの充満する都市風景が見られるが、中国ではそれがないまま急速に都市化する。住人のいないまま大都市郊外に広がる空虚な衛星都市開発。さらに貪欲に拡大しようとする都市。そして東海岸沿いの大都市では賃金が上昇しているというのに、過少雇用の状態に置かれた三億人の農民。

中国の都市の未来

中国の都市化の現状が、好ましくない結果と大きなひずみだらけであることに議論の余地はない――中国共産党ですらそう認めている。問題は、このひずみが秩序だった方法で、たとえば経済や制度の大改革をつうじて解決されるか、それとも経済や政治の危機といった無秩序かつ混乱した方法で糺されるかという点だ。深刻な危機――たとえば不動産価格の突然の下落によって生じる大きな経済混乱――はありそうにもないが、全く無痛の解決もあるまい。持続可能な都市化は、中国の経済成長や社会安定の未来とともに、都市化を早め、そのプロセスを変えるための独自計画を中国共産党がいかに実行するか、また、ほんとうにそれにとりかかるかどうかにかかっている。

中国特有の制度と、それが生み出す経済パターンを理解すると、中国の都市現象には西側のレンズをとおして見てはいけないものがあることがはっきりする。たとえば平均的アメリカ人が空家だらけの住宅開発やうなぎ登りの不動産価格を見たら、アメリカで二〇〇七年に住宅ローンのデフォルトから始まった債務の暴走に対して無力だった不動産バブルと同じものを感じて恐怖してもおかしくない。だが大半の中国の家庭は借金ではなく貯蓄で不動産投資している。中国の不動産市場は価格調整には無力だが、借金の心配は土地を担保に借金している地方政府やデベロッパーに向けられるべきであって、住宅購入者にではない。

公共セクターや、企業など民間セクターにとって借金の懸念は深刻だ。二〇一五年の政府債務はGDPの半分をちょっと超えるくらいで、そんなに多くないのに、債務総額はGDPの二五〇%を超える。民間、公共合わせた債務総額の算定が難しいのは、債務文書や借入機関の多くがそういう情報を曖昧にするようにできているからだ。たとえば「地方政府融資平台」という半官半民の企業は、地方政府が銀行から借金するのを禁じる規則を迂回するために作られた。こういう機関は地方政府が背後にいるという暗黙の（しかし非公式の）了解にもとづいて、土地を担保に地方政府に代わって借金する。「平台」の活動がどの程度広まっているか中央政府が気づいたのはようやく二〇一〇年になってからのことで、それからは何とかこれを抑制しようと若干の努力はしたものの、これまでのところ、本気だとは思えないし、もっと重要なことだが、地方政府が土地ベース、借金ベースの融資に頼らないですむような財務調整を試みているようにも思えない。

北京が金融の混乱に厳しい姿勢を見せていることからして（二〇一五年には大きく株式市場に介入した）、深刻な債務危機が起こるとは考えにくい。苦境にある地方政府やデベロッパーが全体の経済を危うくしかねないと思って、中央政府が救済に入るはずだからだ。いずれにせよ主要都市の資産価格は高止まりし、どんな価格崩壊があろうとも、それは経済全体を巻きこむ恐れのない下層の市場に局地化されるだろう。

無秩序な破綻がありそうにもないとすれば、持続可能な解決は中国共産党みずからの改革計画しだいで、その大半が二〇一二年から二〇一四年にかけて出た「新型都市化計画」に要約されている。この計画では二〇三〇年までに新規都市市民を二億五千万人増やすと言っている。その多くはすでに都市に住んでいる帰化移民に、残りは土地運営や戸籍登録制度の改革によって、都市に流れこんでくる新規移民になるだろう。中国最強の経済アドバイス集団である「国家発展改革委員会」によれば、この「新しい都市化」は単なる人的移動計画にとどまらず、農村と都市の経済をともに変貌させ、環境、経済面で持続可能な成長をもたらすという。

この計画が目指すのは、非公式な都市住民ではなく都市型市民を創出し、社会福祉改革を実行することによって、中国経済が（そして世界経済が）喉から手が出るほど必要としている、消費をしてくれる安定した都市中産階級を生み出すことだ。共産党の試算では、改革の結果としてＧＤＰに占める消費率は二〇三〇年までに六六％になるという（投資率は三〇・九％に低下）。重要なのは、こうした都市新住民が小規模な都市や町に誘導され、大都市への定住が抑制されることだ。戸籍制度のおかげで共産党は何人の移民がどこへ移住するかを管理できる。計画では、人口百万人以下の都市は戸籍から完全に自由、中級都市では部分的に自由とされ、五百万人以上の大都市では戸籍制度はそのままになる。

戸籍改革にともなう土地改革計画では、農村の住民に地権の一部移転を許し、移民と農村の土地利用の合理化へ誘導する。これらの改革は大都会の成都と重慶で先鞭をつけたあと、三十一の省級単位のうち二十九カ所において、何らかの形で採用される。農村の住民は自宅の敷地の土地開発権をデベロッパーや都市の地方政府に直接売ることができるようになり、代わりに資本金をうけとる。その際、都市戸籍ももらえることが多い。（より正確に言うと、農村の住民は自分に所属する集団所有の農地は売れないが、自宅の建っている敷地だけは売ることができる）。デベロッパーは市街近くに同じサイズの区画を開発し、農村の自宅敷地だった土地は耕地に変える。こうすれば地方政府の都市建設用地の枠に影響しないですむ。「新しい都市化」の目標には、農村と農業セクターを一変させることも入っている。農民が移住すると、いま平均一ヘクタールの農地をまとめて高品質化でき、あとに残るのは「プロの専業農家」だけだから、労働市場のゆがみを解消できるし、望むらくは農業効率化も実現したい。

こうした国営の都市化計画を理解すると、「鬼城」も違った見方が可能だ。さんざん写真に撮られて有名になった内モンゴルの砂漠に建つオルドスの「鬼城」のように、その多くは「鬼城」のまま、投資熱に駆られた都市成長の成れの果てとしてその姿をさらしつづけるだろう。だがその他は、とくに都市郊外の大規模開発や、三線・四線都市における開発は、数年で中国の新しい都市景観のふつうの姿になるかもしれない。その意味で、共産党の都市化アプローチは「建てれば人は集まる」式の、ある種意図せざる戦略だ――党には人口と土地の管理という独自の手法があるから、都市インフラと開発の過剰供給も需要増で解消できることになる。

人口管理も土地改革も、制度を入れ換える代わりに既存の制度を使って、農村から都市への移民プロセスを正式なものにするのを目的にしている。こうした改革は戸籍制度と土地の公共所有制度を一変させる途中の段階というより、この二つの制度の狭間ぎりぎりに位置している。社会福祉や、地方と中央の政府間の財務関係など、他分野の重要な改革はまったくと言っていいほど欠落しているし、地方政府がどうやって歳入を増やすかについて実質的な改革がなければ、とりわけ最も弱い小都市で人口が膨れ上がる場合、土地ベースの融資や借金への依存をいかに減らせるかを想像するのは難しい。

因みに、都市化計画にいちばん関係が深いのは李克強現首相である。過去三十年で最も弱い首相と言われる人だ。党内浄化政治と、共産党リーダー習近平主席の支配する現在の政治風土では、都市化の議論は脇に追いやられ、改革はほとんど進まない。市場はリソース配分すべきだと習近平は言うが、彼の政権はこの問題そのものを市場原理にまかせることに頑として首を縦に振らない。政権があまりにも政治、忠誠、反腐敗対策に力を入れているため、共産党は経済運営について言わば「後手後手の先送り」状態にあり、市場に主導権を取らせることもせず、中国の成長モデルが抱えるさまざまな問題を改善するための積極的な改革もやらない。

一番良い解決は、現状の手詰まりと、国家主導の都市化の精力的な推進の中間にあるのだろう。機会が一番多い場所へ移民を誘導するのに市場がもし失敗したら、結果として中国は国家主導の人口移動によって社会的、政治的、経済的にこれ以上悲惨な事態に陥らずにすむと期待して良いのかもしれない。そこに待ち受けるのは、集中する貧困、社会的きずなの破綻、圧倒的に職が足りない新たな都会のジャングル、政治的抑圧の世界だ。中国共産党は前の世代に対して行なった改革と同じやり方で——社会実験、反響と批判に開かれた道、地方の成功と失敗にもとづく政策調整をつうじて——つぎの経済改革と都市化改革の波を推進するのに全力を尽くすことだろう。

Q.17 中国は貿易についての約束を守っているか？

伍人英（マーク・ウー）
ハーバード大学ロースクール教授／法学

〝二〇〇二年から二〇一六年まで、中国に対するＷＴＯへの提訴は三十八件あった。平均すると年に二件。微々たるものだ。これと同時期にアメリカに対する提訴が全部で七十三件あったという事実を考えてみよう。〟

ＷＴＯ加盟の意味

二〇〇一年十二月十一日、十五年にわたる厳しい交渉のすえ、中国は百六十四カ国が加盟する国際通商ルールの管理組織ＷＴＯ（世界貿易機関）に加盟した。これによって中国は貿易慣行をめぐる数千の法的義務を遵守することに同意した。中国はこの約束を守っているだろうか？　数々の難問と同様、答はそれぞれの見方によって違う。だが、多くの事柄をめぐっていちいち屁理屈をこねなければならないという事実は、中国との通商における緊張がなぜ近年これほど政治色の濃い問題になったかを浮き彫りにする。

確かなのは以下のとおり。WTO加盟に際して、中国はWTOの要求を遵守することを保証するために国内法や規制の徹底的な見直しを行なった。これまで外国企業に閉ざされてきた新しい市場が開かれた。WTOの求める分野での司法審査のプロセスと透明性が強化された。政府内では商務部が、他の政府機関が協定義務に従っていることを保証する番犬の役割を担った。

WTO加盟によって、経済改革のこれからの方向性をめぐって行き詰まっていた中国指導層内部に、打開に必要な強い推進力が生れた。WTOの義務を果たすために政府は中国の政治経済を一変させる。国有企業は徹底的な再編を行ない、市場勢力はその役割を強めることが許され、経済成長の重要な推進役として民間企業がしだいに台頭してきた。

これらの改革から中国が得たものは計り知れぬほど大きい。関税をめぐる法的不確定性がWTO加盟によって一掃され、膨大な額の外国直接投資――その後十五年間で一兆ドル相当以上――が国内に流れこんできた。生産が中国に移り、この国は輸出大国になる。中国の輸出は二〇〇一年の二六六〇億ドルから二〇一五年には二兆三〇〇〇億ドルに伸び、二〇一三年に中国はアメリカを抜いて、世界一の貿易大国になった。

だが中国のWTO加盟で恩恵をうけたのは中国だけではない。多くの外国企業が巨大な中国市場に参入し、企業収益の増加に拍車がかかった。外国の消費者も、中国からの安価な輸入品や、中国の貿易黒字から還流する低利融資の恩恵をうけた。

ではいったいなぜ、これが貿易とグローバル化から相互に恩恵をうける幸福な「ウィンウィン」関係にならないのだろう？　重要なのは、中国がグローバル経済に溶けこむにつれ生じる恩恵が全員で分かち合えるものではなかったことだ。先進経済の内部にある閉鎖的な小社会が、長引く「中国ショック」の影響により無数に破壊され、中国はフェアでない、現行のルールに従っていないという批判が起きる。二〇一六年の米大統領選でトランプ候補は「中国に我々の国をレイプさせつづけるわけにはいかない」とまで言った。

発足したトランプ政権は、中国の重商主義と戦う大胆な新政策を約束した。国家通商会議（NTC）委員長のピーター・ナヴァロは、中国を「世界最大の貿易詐欺師」と呼んだ。中国の不公正な商慣行とされたのは、輸出補助金、知的財産権の保護、為替操作、強制的な技術移転、労働条件、余剰品のダンピングなどである。

昔ながらの「チャイナハンド（中国通）」のあいだに漂うムードも変わろうとしている。アメリカ政府の元高官数名からなるチームが書いたアジア・ソサエティの二〇一七年の報告には、米中貿易関係がアメリカ企業にとって「しだいに不均衡、不利益になっている」と書かれている。この超党派団体はさらにこう書く。とくに懸念すべきは「これまで以上にゆがめられた競技場、とくにハイテクセクターでは、中国の保護主義がいよいよ強まっている」。

どれだけ「違反」しているのか？

中国が世界貿易で得をしたのは、WTOの義務をうっかり無視したせいだろうか？　二〇〇二年から二〇一六年まで、中国に対するWTOへの提訴は三十八件あった。平均すると年に二件。微々たるものだ。中国が加盟時に協定で約束した数千の義務と比べたら、この数字を組織的な無視とは言えない。

さらに、これと同時期にアメリカに対する提訴が全部で七十三件あったという事実を考えてみよう。経験的証拠に照らせば、WTOの義務違反にかけて、中国の行為はアメリカよりましという解釈もできる。その上、提訴されて敗訴したとき、中国は少なくとも表面上、裁定にほぼ従ってきた。

これらすべてに鑑みて、中国はアメリカその他の西側先進経済がつくったルールでなりたつ現状の貿易体制におおむね責任を持ち、それを尊重してきたかに見える。中国が国際社会に理解してもらいたいと思っているのは、まさしくこの協定遵守の実績だ。しかし、この解釈を裏切る一連の事実がある。

第一。提訴の数というのはおそらく、ある国が協定を遵守しているかどうかを示す不確かな目安であろう。言わば、その国を訴えるのにかかる巨額の法廷費用を相殺するだけの勝機ありと原告側が思った回数にすぎない。違反のすべてが必ずしも正式な訴訟になるとはかぎらない。中国政府から報復される恐れを見越して、WTO提訴をためらう企業もあるだろう。

それに、その訴訟に勝てる証拠が入手できる場合にのみ、人は提訴する。中国のシステムは先進民主諸国と比べて閉鎖的で不透明だという事実を思えば、必要な証拠が入手できないために提訴できなかった違反もあるはずだ。

第二。告訴そのものの性質を調べてみると、取り上げられた案件の範囲は他の貿易国よりも中国の方がずっと広いことがわかる。アメリカに対する訴訟の数が中国に匹敵したとしても、その告訴内容は比較的狭いカテゴリーに集まっている。WTO加盟国からの提訴は、主としてアメリカの貿易救済慣行と、航空機や農産品など一定の品目への貿易補助金に対するものだ。

この種の告発は中国に対する提訴とも共通する。だがそれは告発の中でも少数派であり、中国に対するWTO加盟国からの提訴は、アメリカよりもはるかに広範な違反行為に対して行なわれる。たとえば中国は遵守を約束したはずの知的財産権を守らない、特定のサービス市場（たとえば映画や電子決済システム）を開かない、国内生産者のために特定の鉱物の輸出を規制するといった案件だ。

第三。たとえWTO裁定の文面に従ったとしても、中国は必ずしもその精神を遵守していないという漠然とした不信感がある。たとえば原材料や鉱物の輸出規制に関して中国に向けられた一連のWTO提訴を考えてみよう。この規制は外国のライバルの金で中国の末端生産者を潤し、企業は生産を中国に移すよう誘導される。二〇一二年、WTO上級委員会は、ボーキサイトや亜鉛など九種類の工業鉱物に対する中国の規制が協定違反であるとした。いわゆる「中国・原材料」事件だ。つづいて二〇一四年、WTO上級委員会はふたたび十七種類のレアアースと二種類の金属に対する中国の輸出規制を協定違反とした。この二件の規制は撤廃された。この経過を見るかぎり、中国はたとえ敗訴してもWTOの決まりをしっかり守っているという印象をうけるかもしれない。ところがその二年後、今度は別の鉱物の輸出税をめぐって、中国は三たび提訴された。このようなふるまいは、中国が決め事を本気で守る気があるのか、それとも義務を守る段になると「鬼ごっこ」でもしているつもりなのか、疑念を呼ぶ。

WTO自体の「古さ」

しかし、中国の貿易慣行をめぐる不満の最大の原因はおそらく約束の不履行ではなく、WTOの法的義務が不的確、不完全であるところから来るのだろう。WTOの定める法的義務は大半が中国のWTO加盟以前の一九九〇年代半ばにつくられた。だから必ずしも中国の政治経済の現在の構造を念頭に置いていない。中国のWTO加盟を支持した人たちは、中国が貿易で豊かになれば、その政治経済も変化して、急速に成長する東アジア経済や共産主義崩壊後の国家群と不可避的に似てくるのではないかと希望を抱いていたのかもしれない。その期待は叶わなかった。仮に期待どおりになったとしても、加盟支持者たちはWTO加盟後の中国の政治経済がどれほど変貌するか、想像もできなかったにちがいない。

中国の市場勢力が一九九〇年代より積極的な役割を果たしているにせよ、中国の政治経済の独自性は変わらない。今日の複雑でダイナミックで絶えず変化する「中国株式会社」の独特な性格ができあがったのは、いくつかの要素が集合的に働いた結果である。たとえば重要戦略産業や銀行セクターに対する党国家の統制、「国家発展改革委員会」の権限と役割、党国家と私企業をつなぐ公式非公式のきずなだ。

WTOのルールは必ずしも、この種の政治経済構造から生じる問題すべてに対処できるようにできていない。たとえば中国の銀行が中国の民間企業にローンを貸し出すと、それは国内産業に不公正な補助金を出してはいけないというWTOの規約に違反するのか？ これに答えようとすれば、国家は銀行を支配、管理しているのか、またそうしたローンの条件が現行の市場慣行と比べて有利なのかという問題となって返ってくる。だが統制メカニズムが不透明で、(国家と対抗するものとしての) 党の構造の支配下にある国の場合、この問いに答えるのは難しい。

さらに言えば、いくつかの分野は現行のWTOの規定ではまったくカバーできないという単純な事実がある。たとえばWTOの規定では、不公正な為替操作という問題については、国際通貨基金 (IMF) のルールにほぼ従う。IMFには為替レート問題に関して司法権があるが、WTOの司法権が及ぶのは具体的な補助金など、ごく狭い問題に限定されている。それに、WTOの規定は公正な労働条件の保証という面では弱い。また付加価値税 (VAT) についても、その割戻しが国内物資調達要件の適用に左右されるか、あるいはWTOの規定で決められた補助金の範囲内である場合を除き、輸出業者への割戻しに対処するメカニズムが必ずしも存在しない。最後になるが、WTO協定はデジタル経済が出現するずっと以前につくられた。だからアメリカその他の外国テクノロジー企業からの提訴に対処する国際訴訟の道が開かれていないことが多い。

こういう分野では、たとえ中国の貿易慣行に問題があって、外国企業に害がおよんだとしても、貿易約束そのものに違反したと中国を責めるのは難しい。できるのはせいぜい、中国が市場開放と互恵貿易の義務という精神に逆行していると文句をたれる程度だ。二十一世紀の新しい義務と貿易ルールをアップデートするための交渉が促進されねばならない。それができるまで、ＷＴＯ提訴をつうじて中国の貿易義務の実行を強化しようとしても、それにはおのずと限界がある。

ここで言いたいのは、冒頭の問いへの答は、当面問題になっている具体的な中国の貿易慣行を検討するしかないということだ。一定の分野については、もちろん中国は約束を果たしていない。だがその他の多くの分野で中国は誓約を遵守している。そして特定の問題については、問題は誓約そのものに、もっと端的に言えばその不完全な守備範囲にある。中国はＷＴＯの規定の空白をうまく利用して、独特の産業政策と半重商主義的政策を進め、自国の生産者を富ませてきた。こういう慣行は中国の生産バリューチェーン（価値連鎖）を強めるのに役立っているかもしれない。だがそれはまた先進経済のポピュリストの敵対意識を高め、中国の台頭をもたらした貿易エコシステムを徐々に磨耗させようとしている。

Q.18

中国のニューリッチはその富をどのように社会へ還元するか？

トニー・セイチ
ハーバード大学教授／国際関係

〝二〇一六年九月に発効した慈善法は、状況の明確化をねらうとともに、公式支援を得ている分野に献金を誘導しようとしている。この法の肯定的な側面は、認可される慈善活動と、どんな組織がそれに関われるかについて広義の定義を加えた点だ。〟

中国でここ数年最も顕著なできごとの一つは、個人の富の増加だった。中国共産党が舵取りを迫られる新たな領域である。いまだにマルクス主義が社会理解の指針だと言明する党にとって、国家と関わりなく自由に使える金を持つ億万長者があふれることは、新たな課題だ。江沢民総書記が二〇〇二年に「三つの代表」と呼ばれる大きな政策変更を打ち出し、私企業の起業家にプロレタリア政党であるはずの共産党への入党を許す道を開いて以来、大富豪たちがどのようにその富を使うかは疑惑のままだった。北京のアプローチは概して、彼ら新しいエリートを制度や規定に取りこみ、伝統的「レーニン主義者」像にしばりつけて、その篤志家としての衝動を公式の優先事項とマッチさせせることだった。

この章では、まず国家がこの膨れ上がる富を管理する方策として作り上げた枠組を検討し、次にニューリッチたちの慈善活動を見ていくことにする。

新しい「慈善法」の制定

はっきり見えてきたのは、共産党がいかにこの新しい富を誘導しようとし、またそれが国家の庇護を受けない市民社会の創出を促す可能性を制限しようとしたかという図式である。そのために、体制はこのセクターを規制すると同時に、中央政府の認可したセクターにより多くの献金を促す「中国慈善法」という新しい法を通過させた。

これまで、（理由はいくつかあるが）、個人としての中国人はあまり金離れの良い方ではなかった。たとえば二〇一五年の中国は、世界の慈善献金ランキング「世界人助け指数」で百四十四位だったし、二〇一三年には、中国の篤志家上位百人からの寄付を全部合わせても、フェイスブック創業者マーク・ザッカーバーグ夫妻の献金額より少なかった。さかのぼってみれば、献金は個人よりも企業からがほとんどだ。例外は二〇〇八年の四川大地震で、このときは全国から圧倒的な同情が寄せられた。しかし慈善セクターのさまざまなスキャンダル、巨大な腐敗の報告、寄付を託すのに信頼できる組織の不在により、この熱意はやがて冷めていった。たとえば中国の赤十字「紅十字社」では二〇一一年から寄付が激減した。これは、紅十字社の経営陣の一人と自称する郭美美（クオメイメイ）なる女性が豪勢な私生活の写真をネットに上げて、同社の寄付金の使い道について世間の疑惑を招いたためだった。彼女の贅沢話は嘘だったが、慈善団体に集まる寄付がきちんと監視されているか、どのように使われているかが懸念されて、寄付金が減ったのだ。（二〇一五年九月、郭美美は違法カジノ経営（！）で罰金と五年の懲役を言い渡された）。

個人が寄付に慎重になったのは、曖昧な、あるいは善意をくじくような規定のせいだった。だからeコマースの大手アリババの経営責任者ジャック・マーが自身の慈善トラストを立ち上げたときも、彼は中国の法律が「まだ完全ではない」からと、シンガポールでその団体を設立した。さらに税控除の不透明さ、基金団体の高すぎるペイアウト（利益還元）率、許容される管理費の低さなどすべてが、基金団体や慈善組織をつうじた寄付をためらわせる原因だった。慈善団体は毎年、寄付金の八％を価値ある目的に還元せねばならないが――アメリカで同様のペイアウトは通常五％――その一方で、毎年集めた額の二〇％を税金として政府に納めねばならない。アメリカのようにペイアウト率が低いと基金団体の持続可能性は高まるし、こうした団体はアメリカの税法で非課税組織に指定されている。

基金設立には費用がかかる――地方基金の設立には二百万人民元、全国基金には二千万人民元（一米ドル＝六・七人民元）。このペイアウト率の高さ、税制優遇の欠如、スタート資金の敷居の高さは、おそらく国家の紐付きでない基金が発展するのを妨げる目的で、意図的にそう設定されたのだろう。このセクターを管理、指導する効果的な法律が通過するまで、自前の資金源を持ち、ある程度の自由があって党を不快にさせるようなどんな組織も、共産党は警戒した。その結果、企業が慈善基金を立ち上げたとしても、その人件費や管理費のほとんどがいまだに企業をつうじて支払われている。

共産党はその出自からしてそもそも私財に懐疑的だ。近年、習近平体制の腐敗との戦いが強化されると、事の是非はさておき、地方の役人は民間基金を受けとるのを警戒するようになった。政府の役人と地元起業家の談合の話がたくさん聞こえてくることを考えれば、それも不思議ではない。政府メディアからは、裕福なビジネスマンと政府役人の密接な、しかし違法な関係が有罪判決に行き着く記事が山ほど流れてくる。

二〇一六年九月に発効した慈善法は、状況の明確化をねらうとともに、公式支援を得ている分野に献金を誘導しようとしている。この法の肯定的な側面は、認可される慈善活動と、どんな組織がそれに関われるかについて広義の定義を加えた点だ。その団体リストには、基金団体、社会団体、社会サービス機構（それまでは「非企業単位」と呼ばれていた）のほか、定義なしの「その他の形態の組織」がある。これでこの分野はより多くの慈善組織に開かれるはずだ。だが支援を受けられるのは、救貧院、老人介護や孤児の世話、災害援助、教育・科学・文化・スポーツの振興など、非政治的分野に限られている。信頼できると判断された組織はこれまでのように、まず出資者をみつけてから民政部の関係部門に届け出る二度手間をかけずに、第一段階をスキップして関係する民政局へ直接届ければよいことになった。いちばん重要なのは、公共募金ができるようになったことだ。ただし、前もって免許をとっておかなければならない。管理費は、各年の支出総額の一〇％を超えてはならない。これは組織が大きくなりすぎるのを防ぐためだ。最後に、税制優遇もあるはずだが、法律には具体的に記されていない。

であれば、この新しい枠組によって、きっと献金は増えることだろう。新たな篤志家たち数人と話してみたところ、彼らの関心は、自分たちを富ませてくれた社会にどうやって恩返しをするか、またどうしたら最も効果的にそれができるかにあった。ジョン・D・ロックフェラーのようなアメリカの「金ぴか時代」の偉大な篤志家に興味津々な人もいた。ロックフェラーはその財を投じて北京協和医学院を創設し、一九四九年に共産党が引き継ぐまで運営費を拠出していた。社会背景はまったく違うのに、中国の篤志家たちは、死後も長くその名を残した西洋の篤志家たちの書いたものに共感していた。マイクロソフトのビル・ゲイツやフェイスブックのマーク・ザッカーバーグのようなテクノロジー業界の現代の篤志家も似たような憧れの対象だ。

慈善献金の向けられる先

では、富豪たちは具体的に何をしているか。ハーバード大学ケネディ・スクールの「民主的ガバナンスとイノベーションのためのアッシュ・センター」による、中国の慈善家トップ百人に関する二〇一五年の研究に答の一部がある(http://chinaphilanthropy.ash.harvard.edu)。この百人が拠出した三八億ドルは中国全体の献金額の約二五%を占め、中国の経済生産総額の〇・〇三%に当たる。(中国の慈善献金はGNPの〇・一二%に相当、アメリカは二・一%)。だがこれらの数字は実際の献金額を下まわっているかもしれない。地方の寺院、教会、宗族団体への寄付金が含まれていないからだ。

興味深いのは、献金が圧倒的に地元中心で、献金者は地元のプロジェクトに寄付していることだ。つまり中国の深刻な問題である地域格差を埋めるのに、慈善はあまり役立っていない。たとえば北京では全献金の一五・七%をうけとるのに対し、チベットでは〇・〇一%しかうけとっていない。北京は首都だから、北京以外を拠点とする企業が、おそらく寄付をつうじて愛顧をうけたいと思って、寄付金全額の九〇%近くを献金しても不思議はない。これはおそらく首都に学術機関が集中しているせいだろう。教育は献金者の得意分野だ。これに対して北京拠点の企業は他の地域の組織に進んで寄付し、自分たちの基金の実に八六・五%という驚くべき額を他の地域に寄付している。献金側全体として、教育は最も人気のある分野で、寄付金全額の七〇%が教育に流れている。

献金者の大半が一系統だけしか支援しておらず(七一%)、教育分野が一番人気だ(百人のうち五十九人がこの分野に寄付しており、その額は全寄付金の五七・五%にのぼる)。アメリカでは教育支援が一五・四%で、宗教施設や活動の三三%に次いで多い。異なる二系統に寄付しているのは七人しかおらず、百人のうちジャック・マーだけが教育、環境、社会福祉、災害支援の四系統に寄付している。環境劣化への関心が高まり、党指導部が大都市の大気汚染を懸念しているのに、大気清浄化への寄付金は少なく、全体の〇・九％しかない。

新しい慈善法は、慈善献金というこの分野がもっときちんと整備される方向に拡大するだろうという希望を与えてくれる。現に上位百人の篤志家のうち約半数が個人基金や一族の基金をすでに開設しており、その総数は増える傾向にある。独立の慈善訓練センター第一号がすでに南方の産業集積地である深圳に、北京師範大学の中国公益研究院との協力で登録されている。だが一部のアメリカ人研究者たちが言うように、裕福な民間起業家たちは国家に取りこまれてしまっただけでなく、国家の政策のおかげでさまざまに儲けさせてもらっている。これはとくに二〇〇一年に中国がＷＴＯに加盟して、外国市場との接触が増えてから顕著な傾向だ。こういう起業家たちは党や国家権力に挑むことにはほとんど興味がないし、共産党の優先事項に挑んだり、周辺に追いやられた大義や団体を支援したりするような慈善献金が現れる兆候はない。

将来的に、これらの新しい法律や規定は、「官弁非政府組織」（政府が組織した非政府組織＝ＧＯＮＧＯ）や、党が組織し、政府と密接なコネを持つ非政府組織を潤すだろう。教育は変わらず優先され、社会サービス提供者も恩恵をうける。後者が慈善法に指定されていることからも、これが重視されていることがわかる。これと対照的に、「周辺団体」と呼ばれてきたものへの支援は厳しく監視され、今後の献金から大した恩恵は受けられそうもない。出資者がなくてもいいとされたことによって、優れた業績やコネを持つ個人は、基金団体や慈善トラストを登録するのが楽になるだろう。ただし公共募金は公式の証明をとる必要があるため、厳しく監視される。これと対照的に、二〇一七年一月一日に発効した新しい規定にあるように、外国の篤志家はもっと厳しい監視下に置かれそうだ。外国人には従来どおり二重の登録義務が課され、民政部ではなく公安部に登録することになった。共産党は、真の目的が疑わしい外国の団体よりも、自分たちの管理下にあるシステムから生れた裕福な中国人市民の方をはるかに信頼するだろう。結果として中国の第三セクター（ボランティア組織や地域組織）は拡大するだろうが、正常な市民社会の一部である自由な組織のための空間が収縮してもおかしくない。

Q.19 貧困との戦いについて、私たちは中国から何を学べるか？

ナーラ・ディロン
ハーバード大学講師／政治学

〝貧困緩和に向けた中国の戦略全体には、貧困と戦う世界にとって重要な教訓が含まれている。この戦略には鍵となる三つの要素、「データ、発展、福祉」があった。〟

三つの反貧困戦略

二〇一五年、国連は世界の極貧半減「ミレニアム開発目標」（ＭＤＧ）が達成されたと鳴り物入りで発表した。これは世界銀行の国際貧困ライン一日一・二五ドルを用い、この基準を下まわる生活を送っている人の数が一九九〇年の十九億人から二〇一五年の八億三千六百万人に下落したと算出したものである。この貧困計測法は日々の生活基礎物資を得るのが困難な人々、中でも食べるものが不足している人々を特定するように設計されている。

この世界目標への歩みにはムラがある。全世界で五十五の先進国がMDG目標値を達成しており、それを大幅に上まわる国も少なくない。同じ時期に貧困が増加している国が十九カ国あるのと対照的だ。この五十五の成功物語の中で飛び抜けた存在、それが中国だ。この一国だけで世界の極貧縮小の半分以上を占めている。さらに言えば、国連の貧困縮小目標は、もしも中国が極貧発生を九四％削減して、劇的にMDG値を押し上げていなければ、達成できなかった。

中国はどうやってこれを達成したのか。答は単純ではないし、中国の政策すべてを、経済・政治システムの異なる先進国で再現するわけにはいかない。だが貧困緩和に向けた中国の戦略全体には、貧困と戦う世界にとって重要な教訓が含まれている。この戦略には鍵となる三つの要素、「データ、発展、福祉」があった。

データ

中国の反貧困戦略の一つ目の要素はデータである。キューバなど他の共産主義国と違って、中国政府は独自の基準を開発し、世界銀行の貧困ラインや、経済学者で哲学者のアマルティア・センの潜在能力アプローチなど、国際的な方法論も広く研究して、貧困を計測してきた。学者のあいだにはこの政府統計の質について議論があったが、データは集められ、公開された。さらに中国内外の学者は、変化する貧困の性質や貧困縮小政策のインパクトについて大規模な調査や実験を行なった。こういうデータは役人がプログラムを改良し、貧困の性質の変化に対応するのに役立ち、中国の政策策定プロセスに重大な役割を果たす。

このデータはまた、今日の中国で極貧とはどんなものかを可視化してくれる。世界銀行の貧困ライン以下に暮らす中国人を代表するのが、中国西部の山岳地帯に住む一人の少女だ。この少女は村の小学校に通っている。最寄りの鉄道駅から七十五マイル以上離れた場所にある村は、舗装されていない道路で外界とつながっている。少女の家族は農業で暮らしを立て、一家が食べるものの大半は自家の畑で育て、余りを売ってわずかな現金収入を得ている。一家に電気はあるが、水道はない。一家の最大の経済的懸念は学費と医療費だ。それも当然。両親の健康と少女の教育こそが——骨の折れる労働と良い職業に就く機会をつうじて——一家の貧困脱出にとって最善の道筋だからだ。

経済発展

こういう貧しい家庭を救う中国の戦略の第二の要素は経済発展である。中国の急速な経済成長はずいぶんメディアにとりあげられてきたから、貧困との戦いにおけるこの側面は理解しやすいだろうが、他の先進諸国がそれを再現するのは難しい。だが、経済成長がいかに貧困削減と置き換えられたかは複雑な話だ。さらに、その複雑さは、経済成長を収入増に変え、それをみなで共有する、あるいは、貧しい人々を効率的に標的とする政策がいかに大切かを物語る。中国ほどの経済成長のペースを実現できる国がたとえあまりないにしても、こういう政策は、ふつうの成長率の国でも貧困と戦う役に立つはずだ。

中国は一九八〇年代の一連の農業改革をつうじて貧困削減に最大の成果をあげ、大半の農家で収入が爆発的に伸びた。たとえば一九七〇年代末から一九八〇年代初めにかけて行なわれた集団農場の解体は貧困に大きく影響した。この土地改革運動は農民に生産管理をまかせることで労働インセンティブを高め、また、土地の公平な配分によって農産品収入が広く共有されるようになった。農民に余剰品を民間市場で売ってもよいとする市場改革がこれと結びついて、農業生産高と収入が上昇した。

だが一九八〇年代で唯一最大の貧困軽減政策は、市場改革と何の関係もない。政府はまた農産品の買取価格を大幅に上げ、たとえば一九七八年から八五年までに穀物価格は九一%上昇する。この価格上昇の背後にあった政策によって、経済発展戦略に大逆転が起き、「鋏状価格差」が排除されたのである。「鋏状価格差」は、毛沢東時代のスターリン主義的な産業化の推進に必要な資本を生み出すために中央の経済プランナーが使った手法で、農産品価格をわざと低く設定することによって農村の生活水準を最低限レベルにとどめ、農業セクターからの経済的余剰をすべて都市部の産業投資に向ける成長戦略である。残念ながらこの共産主義的経済発展戦略は誤りだった。中国が一九八〇年代に「鋏状価格差」を終わらせる決断をしたことは、経済発展にとってきわめて効果的なアプローチだった。同時にこの政策転換は、一九五〇年代以来初めて、農村の生活水準を大きく向上させた。

表向き、こうした政策は、土地の再配分や農産品価格の管理をしている共産主義や半社会主義の国々にしか縁がない——したがって今日の大半の国々の貧困との戦いとはあまり関係がない。だが、資本主義のほとんどの発展政策もまた重度の都市バイアスを特徴としているため、経済発展におけるそうした偏重を均そうとする広義の原則は、資本主義諸国の極貧の削減にも役立つはずだ。農業発展の促進は産業化と相剋するのではなく、これを補完するのであって、社会全体に繁栄をもたらすというゴールに貢献すると同時に、おそらく極貧を経験しているはずの農村の貧しい人々のニーズに対応することができる。

中国政府が一九八〇年代末から一九九〇年代初めにかけて徐々に中央の経済計画から撤退したため、中国経済はますます市場に決定されるようになる。その過程で、中国の貧困削減政策もまたしだいに資本主義諸国の政策に近づいていった。その結果、中国のケースから学べる教訓も広義の原則を脱して、具体的な政策へと移っていく。

一九九〇年代に中国沿岸地域で産業化が加速するにつれ、農場以外の雇用と農村から都会への移民が極貧削減に最も重要な影響力になった。農村家庭の収入源多様化の機会がこのように増えたとはいえ、貧困縮小率は一九八〇年代の猛烈なペースの半分以下に鈍化する。新しい職の配分は、農業生産や農産品価格の上昇ほどには進まなかったのである。

貧困の原因も時とともに多様化した。たとえば医療費の急騰が一九九〇年代の農村の貧困の最大原因になる。さらに、国有産業の民営化と改革が産業空洞化を招き、一九九〇年代末から二〇〇〇年代初め、中国のラストベルト諸都市で都市型貧困を引き起こした。

こうした変化に対応して、中国政府は貧困層への特別経済発展計画を模索する。一九九四年に採用された地域の貧困削減プログラムでは、一人当たり収入が全国平均を下まわる五百九十二の貧しい「県」に助成金や補助金付き融資が与えられた（「県」は「省」より下、「郷・鎮」より上の行政区分。日本の「郡」(county) に近い）。こうした援助は非農業雇用の促進、作物の多様化、インフラ開発、なかでも道路建設計画に向けられた。これらの「県」では援助によって経済成長が進んだが、ほとんどの場合、貧困削減のペースを大幅に早めることができなかった。問題の一部はこれらの「県」のどこで効果的にプログラムの収益があがったかつきとめるのが難しかった点にある。貧困が大きく削減されたのは、援助によって貧困層が就ける仕事を創出でき、人々と市場をつなぐ道路を建設できた場所だった。だが、最大収入を経験したのは、これらの「県」内の比較的豊かな村や家庭であることが多かった。二〇〇一年、政府はもっと効果的に貧困層を救えるように、プログラムの対象を「県」から「郷」レベルに落とした。

福祉

この流れの中で、貧困との戦いの第三の要素「福祉」もしだいに重要さを増す。中国政府は過去二十年にわたり、対象を貧困「地域」から貧困層という「人」にしぼって、貧困削減のためのさまざまな新しい福祉プログラムをつくってきた。

この新しいセーフティネット計画は中国の経済政策に起きたもう一つの変化を反映している。中国の経済政策は長いあいだ、福祉と経済発展は相剋し合うのもやむなしという前提で進められてきた。だが中国の政策策定者は、極貧を防ぎ、人的資本を強化する福祉プログラムを、長期の安定した経済成長への投資としてとらえ、しだいに経済と社会政策を統合することを考えるようになった。たとえば一九九九年には、国有産業の改革に役立たせるため、都市の大規模な社会援助プログラムが新しく採用された。このプログラムは二〇〇七年に地方へも拡張され、収入が地方政府の定める貧困ライン以下の貧困家庭へのセーフティネットとした。このプログラムが提供する現金支援は、生活費のレベルや地元政府の財務能力によってさまざまに異なるが、その目標は、自力では生活できない人々の最低限のニーズを満たすことである。

さらに、中国政府は二〇〇八年に全国の農村部の健康保険プログラムを施行した。新しい農村医療協同組合は都市の同様の組織よりも供与される便益が限られているが、入院看護費用の七割以上をカバーすることで、農村部の貧困の新しい原因の一つに対応している。人的資本への投資のもう一つの形は二〇〇六年の農村の教育無償化政策で、これに中央政府からの財政支援が加わって、予算の不足分を埋めた。

他の国々ではありえない反貧困戦略の一つが中国の一人っ子政策である。政府は、この政策はお国の経済目標達成に必要な犠牲であると大半の国民を納得させるのに成功し、まもなくこれは都市部の一人っ子政策、農村部の二人っ子政策に進化した。この政策が終わった今、人口統計学者は、経済発展と都市化のあとのもっと漸進的で自然な少子化であれば、これほど急激な高齢化社会問題を引き起こすことなしに、同様の結果をもたらしていたかどうか問うている。

貧困削減は現在進行形

習近平主席は二〇二〇年までに中国の極貧を完全に一掃するという目標を掲げ、あらゆるプログラムを動員して貧困ラインを下まわる家庭のニーズに対応するよう、地方の役人にハッパをかけた。この目標は大半の先進国が思う以上に野心的かもしれないが、貧困と戦うための戦略にデータ、発展、福祉の三要素を総動員することは、中国や共産主義の専売特許ではない。今日のアジア、アフリカで極貧に生きる残り七億八千四百万人が直面するさまざまな問題に対処するために、同じアプローチが採用できる可能性はある。

現代中国の貧困との闘争戦略のうち他の国々と関係する最後の特徴は、原則や政策ではなく、現在進行中の試みとしての貧困削減という概念だ。繁栄の共有を妨げる古い障壁が克服されると、貧困の新たな原因が登場して新しい解決を求める。いちばん重要なのは、高まる期待と増大する不平等が、中国の貧困というものに再定義を迫っていることだ。遠い山村に住む少女たちが充分に食べられるようになったことは歴史的偉業だった。だがこの子供たちは、両親や祖父母が生きぬいた苦しい生活をしなくてもすむようになったあと、人生からもっと別のものを得たいと思うようになる。極貧という問題を解決したとしても、中国は貧困層のニーズや憧れに応えるという課題に直面しつづけるだろう。

第Ⅳ部　環境

Q.20 中国は大気汚染と気候変動に対処できるか？

マイケル・B・マカロイ
ハーバード大学教授／環境学

〝中国には気候変動の懸念以前に化石燃料の使用を削減しなければならない重大な理由がある。中国は国民の健康を脅かす深刻な大気汚染がもたらす諸問題に対処する必要があった。〟

気候変動への対処

二〇一五年十二月、世界百九十六カ国を代表する「国連気候変動枠組条約」（ＵＮＦＣＣ）の関係者がパリに集まり、人間由来の気候変動の問題に取り組んだ。この問題の主犯は化石燃料（石炭、石油、天然ガス）の燃焼にともなう二酸化炭素排出であり、中国はその最大の原因国である。この問題に対処する総合戦略がないと、中国は、そして世界は、不確実な、そしておそらく危険な未来の気候に順応を強いられるだろう。その未来を決めるのは、おそらく熱波、洪水、干ばつなど、破壊的で極端な気候の増大であろう。同時に中国はもっと喫緊の課題に直面している——国民の健康を脅かす大気汚染だ。これらの問題はそれぞれ分かちがたく関連している。気候変動問題への取り組みは最終的に中国のエネルギー経済の大転換、すなわち現在の化石燃料への依存から、害の少ない風力、太陽光、原子力、水力への転換を迫るだろう。もし中国がこの移行をうまく乗りきれれば、大気の質は元の清浄なレベルに戻れる。だが、それは簡単ではない。

UNFCCの関係者たちは、未来の平均地表温度の上昇を産業革命以前の水準より上、二℃以下にとどめるという目標に合意した。これを達成するために、各国は将来のエネルギー需要をどう満たすかについて、困難かつ多くの点で前代未聞の変化を求められるだろう。優先されるのは、地球から宇宙への赤外線熱放射の調整に中心的役割を果たす温室効果ガス、中でも最も重要な二酸化炭素の排出制限である。温室効果ガス濃度が上がると、他の要因すべてが同じだったとして、地球が吸収する太陽光エネルギーの純増を招き、それは地球の平均地表温度の上昇だけでなく、海洋に蓄えられる熱量の増加を意味する。結果はまったく異なる気候の未来であり、私たちはそれに対する備えができていない。そこでは気温と降雨量が極端になり、洪水や干ばつの頻度が高まり、暴風雨は激しさを増し、海水位の破滅的な上昇が見込まれる。過去数世紀にわたって大気中に蓄積されてきた二酸化炭素をさらに増やす第一原因は化石燃料の燃焼である。

南極大陸の中心部で掘削した氷に閉じこめられた大気の分析から、過去八十五万年にわたって二酸化炭素濃度が百八十から二八〇ppmのあいだを上下し、氷河期は低く、間氷期は高いことがわかった（氷河期と間氷期は十万年ごとに交替する）。長いあいだこのパターンがつづいたあと、約百五十年前、産業革命によってエネルギー需要が高まるにつれて、二酸化炭素濃度は急上昇しはじめた。それが二十世紀後半に加速し、現在のレベルは四〇〇ppmを超えている。パリ協定で採択された排出制限を前提に算出した最も楽観的なデータでは、二酸化炭素濃度はこれから数十年上昇しつづけ、六千五百万年前、地球を恐竜がうろついていた頃から経験したことのないレベルに達すると思われる。

気候問題への対処計画に影響する重要な進展があったのは、パリの会合に先立つ二〇一四年十一月十一日に北京で開かれた習近平主席とオバマ大統領の会談である。二人は米中両国が未来の温室効果ガス排出を制限すると誓った。中国はアメリカを二〇〇六年に追い抜き、いま世界最大の排出国である。習主席は、中国の排出量を遅くとも二〇三〇年にピークアウトさせ、非化石燃料をそのときまでに中国の一次エネルギー総消費量の二〇%にすると約束した。この数値を前後の事情に照らすと、二〇一二年の中国の一次エネルギー消費の七三%を石炭消費が占めていたことになる。いっぽうオバマ大統領は、アメリカの炭素排出量を二〇二五年までに二〇〇五年より二六―二八%減らすと誓った。米中両国の約束は意欲的で、他の諸国がこれに匹敵する計画でパリの会合に備えるのはなかなか難しい。ホワイトハウスの発表した概況報告書によると、「習近平の約束を守るために、中国は二〇三〇年までに八百から一千ギガワットの原子力、風力、太陽光、その他の〔二酸化炭素〕排出ゼロの追加発電量を必要とする――これは現在の中国にある石炭火力発電所すべての発電量を合わせた数字より多く、アメリカの現在の総発電量に迫る数字だ」。

習近平主席の約束は、それより前に発表された中国の第十一次、第十二次経済発展五カ年計画に盛りこまれた構想の論理的帰結と見ていいかもしれない。このあと、もっと短期的な目標が練られ、発表された。それによると、石炭消費は上限四十二億トン、天然ガスは一次エネルギー供給総量の一〇%とし、原子力発電は五十八ギガワットに増量（追加三十ギガワットが建設中）、水力発電は三百五十ギガワットに増量、風力発電二百ギガワット達成への投資、太陽光発電は百ギガワットまで増量、非化石燃料熱源は一次エネルギー消費総量の一五%とされ、このすべてを二〇二〇年までに達成することになっていた。この意欲的な目標値が実現できるなら、習主席の言う長期目標を中国が達成する見込みもあながち非現実的とは言えまい。

大気汚染という喫緊の課題

前述したように、中国には気候変動の懸念以前に化石燃料の使用を削減しなければならない重大な理由がある。中国は国民の健康を脅かす深刻な大気汚染がもたらす諸問題に対処する必要があった。この大気汚染の原因は直接か間接かに分類できるだろう。低品質で未処理の石炭を燃やすと出る煙は直接原因だ。不完全燃焼の結果つくられる一連の炭素化合物はまとめて煤煙と呼ばれるが、それ以外にも煙は二酸化硫黄（SO_2）、窒素酸化物（NO_X）、一酸化炭素（CO）などさまざまな有毒ガスと結合する。その発生源はふつう明白だ。工場や発電所の大煙突、石炭暖房の家屋の煙突から出る煙、走行中の車やトラックの排気ガスなどは直接目に見える。その解決もふつう明白だ。発生源除去のための行動を起こせば、この問題に対処できる。だが、行動のきっかけには極端な汚染事件をしばしば必要とする。

一九五二年のロンドンで、直接排出ガスによる大気汚染のため四千人以上が死亡した事件があった。中には人が街頭で倒れてこと切れた極端なケースもある。きっかけは直接排出されたガスが大気中に蓄積されたことで、これにごくまれに起こる特殊な気象条件——高度が関係して起きる気温逆転——が重なった。その結果、市内の工場や家庭から排出される煙や有毒ガスが大気中にこもったまま動かないまれな状況が十二月四日から八日まで四日間つづいた。政治はただちに動いた。議会は市内での歴青炭の使用を禁じ、次いでイギリス全土の都市ですべての家庭に石炭の使用が禁じられた。いま中国は、ロンドンで起きた事件と同じような汚染物質の影響だけでなく、大気中の二次反応をつうじて間接的につくられる物質の影響にも対処を迫られている。この問題への対処は、したがってもっと難しい。

中国への警鐘が鳴ったのは二〇一三年一月である。最初は大気中に蓄積された（直径二・五μm以下の）微粒子（通称ＰＭ２・５、煙霧）が注目を集めた。北京のアメリカ大使館の屋上に設置された機器で測った数値がＰＭ２・５の発生を告げ、それがソーシャルメディアで拡散されて懸念が広がった。この数値は政府の公式発表によるＰＭ２・５濃度を大幅に上まわっていた。状況は深刻で、通りを隔てた人や物が見分けられないこともあった。だが視界の問題より深刻なのは、この有毒な混合物質が人体に与える影響だ。この物質の粒子はあまりに小さくて、人の肺まで浸透し、血流にまぎれこむ。その結果、それを吸いこんだ人や脆弱な人に、命に関わる心臓血管や呼吸器の疾患を引き起こす。

二〇一三年の状況は、一月をつうじて中国東部を覆った気温逆転現象によって悪化し、六十年前のロンドンが経験した災害よりも大規模で、もっと長期間つづく事態となった。中国で起きていることについて、一月十三日の『ロサンゼルス・タイムズ』紙は、関連する大気汚染で「高速道路は閉鎖、空の便は欠航、スポーツイベントは中止になり、多数の人が呼吸器障害を訴えて病院へ運ばれた」と伝えた。政府系紙『中華日報』は「高層ビルの密集にもっと注意が払われていれば、住宅地区の数に比例してもっと樹木が植えられていれば、車の数がもっと規制されていれば、大都市の大気の質はもっとましだったはずだ」と書いた。国民のすばやい反応を受けて、中央政府はただちに活発な行動に移り、この問題に対処するため「大気汚染防治（防止と管理）行動計画」を新たに発表した。ＰＭ２・５が二倍を超えた都市の数が計測値とともにリアルタイムで政府のウェブサイトに掲載される。注目度抜群のこの問題を緩和する必要に迫られた中央政府は、威信を賭けて対処した。一般国民にしてみれば、この問題は明らかに気候変動の脅威より重大だ。

逆説的だが、中国タイプの汚染は気候に肯定的インパクトをもたらすこともできたはずだった。この汚染物質に含まれる微粒子のかたまりは比較的色が薄い。その上、この物質には雲をつくるのに必要な核化剤の濃度を高める力がある。つまり雲をつくる粒子が多ければ、反射雲が増える。最終的に太陽光反射が強まって、温室効果ガスの濃度上昇の結果生じた余剰熱をある程度相殺する。しかしだからといって、これが、局地的、地域的汚染の原因となる有毒物質の発生条件の緩和に向けた行動を先送りする決定を正当化すると解釈すべきではない。

汚染の間接原因を生み出す物理的、化学的要因はおそろしく複雑だ。関連プロセスへの緻密な理解がないと、具体的な問題に対処する行動が助けどころか害になり、逆効果になってしまう恐れがある。一九五〇年代、六〇年代の光化学スモッグに対処したアメリカの経験はその格好の例である。ロサンゼルス市民の肺疾患の原因が主としてオゾンレベルの上昇であると当局が結論を下すのに、しばらく時間がかかった。自動車の排気ガスが原因だという間接的証拠はあったが、オゾンは自動車から直接つくられるわけではない。オゾンは窒素酸化物と炭化水素の混合した大気が太陽光の作用で光化学変化を起こした結果生じる。窒素酸化物の主原料は自動車の排気ガスである。炭化水素は人的要因と自然要因が混ざって生れるが、後者は植物や樹木が主犯である可能性が強い。オゾンの過剰が起きるのは、窒素酸化物と炭化水素の相対量が大きく影響している。ある「気域」(オゾン生成レジーム)で、窒素酸化物の排出量を減らすとオゾン濃度が上がる(炭化水素濃度に感応する状態:NMHC-limited と呼ばれる)。この逆の場合が問題だ。窒素酸化物が多ければオゾンが増える(窒素酸化物の濃度に感応する状態:NOx-limited)。中国の政策策定者はＰＭ２・５によって引き起こされた問題に対処するにあたって、同様のジレンマに直面するだろう。

中国の汚染源であるＰＭ２・５には有機炭素、元素状炭素、硫酸塩、硝酸塩を含む複雑な化合物が混ざっている。これらの粒子の組成と密度は時間と空間によって大きく異なる。前駆的に排出されるガスには二酸化硫黄、窒素酸化物、アンモニアが含まれている。石炭と、それより少ないものの、石油と天然ガスの燃焼によって発生するのが二酸化硫黄と窒素酸化物で、農業、畜産、そしておそらく人糞などすべてが、アンモニアガスの生成と排出に関わっている。ある汚染ケースの深刻度は多くの要因に影響されるが、第一の要因は排出されたガスの組成と濃度だ。第二の要因はそのときの気象条件で、それが前記のガスが拡散するかとどまるかを決める。第三は、ガスが排出されたときの大気の光化学的状態で、二酸化硫黄と窒素酸化物が、粒子をつくる硫酸塩と硝酸塩に変わる率を高めるか、それを妨げるかは、これによって決まる。事態が深刻だと、それはみずから拡大しはじめることがある。大気中に浮遊するエアロゾルの組成物が太陽光を吸収し、上空の大気を温めると同時に、地上にとどく太陽光の力を弱める。最終的にそれは地表を冷やし、大気を温め、大気が安定して動かなくなる。その結果、効率よく汚染を閉じこめることができる。何とも複雑な問題である。だがそれに対処し、少なくとも調整することが重要だ。

本稿の題名となった問い――中国は直面する大気汚染と気候変動問題にうまく対処できるか――に戻るなら、答はイエスである。だがそれは簡単ではない。まず手をつけねばならない標的は大気汚染であろう。窒素酸化物や二酸化硫黄や微粒子といった従来の汚染物質の排出を制限する技術的条件はある。これはできるだけ広範かつ迅速に行なわれるべきだ。また背後にある物理的、化学的プロセスの理解を深めるための研究を推進することも大切だ。これは、これからの政策への効果的な指針になる。長期的には、気候変動にうまく対処できたら、大気汚染の問題は歴史の中にまぎれこんでしまうかもしれない。大気汚染にともなって山積する問題は化石燃料の使用と関係している。石炭、石油、天然ガスではなく、風力、太陽光、水力、原子力、地熱の組み合わせにもとづくエネルギーシステムへの移行には、大気清浄化への長い道のりが待っている。

Q.21 中国に環境意識はあるか？

カレン・ソーンバー
ハーバード大学教授、ライシャワー日本研究所所長代行／東アジア比較文学

〝おそらく国民の環境意識は今日かつてなく高まっている。中国人はこれまでにないほど環境問題を語り、環境破壊に抗議し、中国の作家、映画監督、ビジュアル・アーティストその他、独創的な制作者たちはおそらくかつてない規模で環境劣化をとりあげている。〟

高まる環境意識

この問いに対する簡単な答はイエスだ。中国の環境意識はきわめて高い。そしてここ十年さらに高まった。中でも注目すべきは、教育程度が高く、経済的に豊かになった都会の中国人が自分と子供たちのために、より良い生活の質を求めていることだ。すべての階級で中国人がとくに懸念するのは大気汚染である。この問題はますます破壊的になるばかりで、あまりの酷さに空港も高速道路も閉鎖され、都市機能がマヒすることもあるほどだ。気候変動を押し戻すことはできなくても、せめて遅らせることも大切である。二〇一七年一

月の世界経済フォーラムの開会演説で習近平主席は中国を気候変動と戦う世界のリーダーと位置づけた。アメリカはどうやらこの役割を降りたようである。

最近の報告によると、中国はインターネットの速度で不名誉な九十一位にランクされ、おまけに政府はさまざまなネット規制をかけている。だがソーシャルメディア——とくにツイッターに相当する微博や微信（WeChat）——が中国の環境の危機についての議論や討論に大いに役立っている。文学も環境意識や行動主義の高まりに貢献した。世界的な反響を呼んだ作家の閻連科は、何が何でも経済成長や富にしがみつく中国当局を情け容赦なく皮肉り倒す。この点で注目すべきは近作『炸裂志』〔二〇一三、邦訳二〇一六〕である。「炸裂」という山奥の寒村が巨大都市へ大変貌をとげるさまを描いたこの小説が暴き出し、鋭く批判するのは、人の健康を損ない、中国の景観を傷つけ、破滅的汚染や地球温暖化を招く経済的優越への執拗なまでの衝動だ。

映画は中国人の環境意識を強めるのにもっと力がある。中国中央電視台の記者だった柴静が自費で撮ったドキュメンタリー映画『穹頂之下（ドームの下で）』は、必ずしもすべてが正確ではないにしろ、中国の大気汚染を鋭く告発する作品だった。アル・ゴアの『不都合な真実』（二〇〇六）の系譜に属するこの映画は、二〇一五年に公開されたその日から三日間で一億五〇〇〇万ビューを稼いだ。当初、この映画は検閲にひっかからなかった。中国環境保護部部長の陳吉寧は初めのうちこの映画をレイチェル・カーソンの記念碑的著作『沈黙の春』（一九六二）に匹敵する作品と讃えた。おそらく当局がこの映画を宣伝したのは、この作品が習近平の反腐敗運動の標的だった「中国石油天然気集団公司」（ペトロチャイナ）に焦点を絞っていたからであり、マスコミに報じられたとおり、政府が汚染との戦いに世論を使って厳しい手段をとるにはこの映画を利用できると考えたからでもあった。だが、公開から一週間で閲覧が三億ビューに達すると、この映画は中国のウェブサイトから削除を命じられた。

このような検閲があるとはいえ、おそらく国民の環境意識は今日かつてなく高まっている。中国人はこれまでにないほど環境問題を語り、環境破壊に抗議し、中国の作家、映画監督、ビジュアル・アーティストその他、独創的な制作者たちはおそらくかつてない規模で環境劣化をとりあげている。さらに、歴史家のプラセンジット・ドゥアラが言うように、中国政府は環境教育に力を入れ、二〇〇三年からは全国の公立学校でそれを教えるよう命じている。確かに環境課目は必ずしも真剣に受け止められていない。それは大学入試に出ないからだが、このカリキュラムは中国の子供たちに自分たちが受け継いだ課題として確実に伝えられている。また、草の根の環境主義者たちの戦いはしばしば中国人作家やアーティストの仕事に触発され、それが成功することもある。たとえば前主席の胡錦濤は二〇〇七年に経済発展に代わって「生態文明」(エコ文明)を国家の核心要素とすると唱え、二〇〇八年には「国家環境保護総局」が「環境保護部」に格上げされて、全国各地に環境保護支部が設置された。

古来の環境意識

だが、昔の中国の環境意識はどうだっただろう。中国人は大規模な森林伐採から水利事業(運河、灌漑システム、ダムなど)まで、数千年にわたって生態系の持続不可能な行為をくりかえし、険しい斜面を削って台地に均すなど、技術開発によって村々は生活環境をしだいに整えてきた。だが中国の全歴史をつうじて、環境への配慮はつねに生態系の破壊と同居していた。

中国の環境意識の芽生えは古代の哲学者、孟子(前三七九―二八九)の時代をはるかに遡る。孟子は「目の細かい網を池に投げなければ、魚や亀を食べ尽くすことはなく/もし適切な時期だけ斧を持って山林に入るなら、樹木を伐り尽くすことはない」という名言を残した〔「不用細密的網子在魚池裡捕魚、魚鱉將食用不盡；柴夫帶著斧頭、在可以砍伐的季節到山林裡砍木伐樹、木材就可以無限量供應」『孟子』「遁詞」〕。また、二千年以上前、春秋の東周王朝の時代、斉の宰相として桓公に仕えた管仲（かんちゅう）は、「草地に牛を多く放ちすぎてはいけない。草の育つのが間にあわない。穀物はあまり密に植えてはいけない。地味が痩せてしまう」と言った。また、同じくらい古い思想エッセイ集『淮南子（えなんじ）』は、富める者に対して森林の乱伐、過剰な乱獲など環境の濫用を戒めている。この点に関して、環境への過激な感情をぶちまけた元祖は八世紀の文人、韓愈（かんゆ）であろう。彼は耕作、伐採、掘削、建設などで自然を破壊する者を糾弾し、人の数が減ることは天にとっても地にとっても良いことだと挑発的な発言をしている。

大昔の中国の文章や絵画は確かに環境に対する人間の所為を問題にしていない。それどころか自然の美を称え、自然界と親しく交わる人間を理想化し、しばしば歪曲して描く。中国最初の詩集『詩経』を含む創作作品の中には、人間による自然破壊を称えるものすらある。そうした詩の一つは、人間がオークの木を引き抜き、松や杉を伐採した土地に天が国家をつくったと述べている。確かに農業のために土地を破壊することは文明化の重要な証だ。昔の中国人が野蛮人と認識していた諸民族は、伐採の能力こそ進歩の証と誇っていた。

だが中国の多くの地方で、こうした行為は致命的な結果を招いた。四百年前の明の詩人はこう書いている。

松や竹はすぐに尽き／草や木はなかなか育たない
先月、山々を旅し／山の木々は鬱蒼として見えた
だが山を下りると／遠く見えるのは裸の断崖

農民は薪にするものがない
だから水を運ぶ手押し車を燃やしてしまう
〔松竹易以盡、草萊生不足…前月山中行、山木猶簇簇。
今従山下過、遙望山尖禿。農民無以爨、焚卻水車軸〕

この詩は何千年も人間の手によって変貌してきた（揚子江下流域の）風景を土台に書かれた。そしてこの土地は十七世紀になるととうとう人間の求めに応じられなくなった。それから百年、清の詩人、王太岳の『銅山吟』は廃坑となった銅山と失われた森林を歌い、人間による自然破壊の行き着く先をこう警告している。

坑道は日ごとに深くなり……
午前中ですんでいた仕事が／今では十日かかっても終わらない
〔礦路日邃遠、〔開鑿愁堅玟〕。曩時一朝穫、今且須浹旬〕
材木もだんだん減り／山嶺はまるで禿頭
日々の伐採をようやく悔やむ／くべる薪はどこにもない
〔材木又益詘、山嶺童然髡。始悔旦旦伐、何以供灶薪〕

山海の恵みはかくも豊か／災害の訪れを知ってのみ守られるとでも？……
だが節度を知らずに奪いつくせば／天地すべてが費え去るだろう
〔山海殖財貨、豈以災藎藎。〔陰陽有翕辟、息息相綿匀〕。尽取不知節、力足疲乾坤〕

文字どおり読むと、この詩の懸念は森だけでなく、生物圏一般にまで及んでいる。ここに描かれているのは豊かな環境でもなければ、被害の比較的限られた環境ですらなく、増えつづける人口と、その飽くなき要求に脅かされる世界だ。自然界がこれほど豊かなら、警告を発するなど馬鹿げていると知りつつも、この詩はとりかえしのつかない害を及ぼす人間の力について力説し、もしこんなことをつづけたら何もかも失うぞと警告している。

経済成長か環境保護か

同じような懸念の声はそれからも止まなかった。当局が国土の大規模な破壊を公認し、ときにははっきりとそう命じることもあったからだ。大躍進（一九五八－六一）や文化大革命（一九六六－七六）のときの公式言辞は、驚くほど自然に対する過剰な敵意に満ちている。よく知られているように、中国共産党は「自然を打倒」するために、言葉による「自然との戦い」を開始し、「突撃隊」が草地を開拓して、荒れ地を拓いて穀物を植えると宣言した。一九七六年に毛沢東が死ぬと、その後の指導部は自然との戦いをもはやおおっぴらに口にしなくなり、それどころか「祖国緑化」、「植樹緑化」、「緑を愛し、古木や名木を大切に」などのプロパガンダを掲げて人々を煽る。しかし彼らは、経済成長を生態系保護と置き換えるわけにはいかないと考え、国土環境を守ることをほとんどしなかった。

鄧小平とその後継者たちの下で歯止めのきかない産業化が進んだ結果、中国は世界最悪の大気、水、国土の汚染国になった。経済成長が数十年つづき、数百万の人々の生活水準が驚異的に向上したが、環境に支払わせた代償は圧倒的だった。マシュー・E・カーンと鄭思斉（ていしせい）の統計によると、二〇一二年に中国の地下水は、百九十八都市のうち五七%が公式に「悪い」または「極端に悪い」とされ、中国の河川は三〇%以上が「汚染」または「深刻な汚染」となっている。同じく二〇一三年初めには、華北のスモッグがWHOの定めた健康値の四十倍を超すとされ、大気の質がEUの基準を満たす都市に住む中国人はわずか一%だった。中国はいま世界一の温室効果ガス排出国である。

　中国は世界から正統性を認められること、そして最終的には世界のリーダーシップを目指して、複数の国際環境条約に署名したが、地方自治体や省レベルでは役人が地元産業とのつながりゆえに北京から課せられる規制をしばしば無視するため、問題は終わっていない。よく指摘されることだが、中国でも世界でも多くの人にとって富の増大は最優先事項でありつづけている。こうして綱渡りはつづく。中国の環境についての長期予想は不確かだが、国民の環境意識が衰退してしまうことは当分あるまい。

第Ⅴ部　社会

Q.22 一人っ子政策の終焉はなぜ重要なのか？

スーザン・グリーンハルジュ
ハーバード大学教授／社会学

〟一人っ子政策は人口構造もゆがめ、高齢化を早め、労働年齢人口を減らし、一人しか子供のいない世代が一億五千万人を超えた。農村部では男の子を欲しがるため、この政策のせいで幼児人口に巨大な男女差が生じた。女の子百人に対し男の子百十九人というのは世界一の差である。〟

一人っ子政策が共産党全党員への公開状で劇的なスタートを切ってから三十五年と一カ月後の二〇一五年十月、党中央委員会からの「二〇一六年一月一日をもって、すべての夫婦は子供を二人持ってよい」という簡潔な通達で、この悪名高い政策は静かに終わりを迎えた。

一人っ子政策の終焉は中国とその国民にとって画期的な変化だと見る人々もいた。だが、ほんとうにそうなのか？　ジャーナリストや多くの学者はただの人口統計的手段だとしているが、一人っ子政策にはそれ以上の意味があった。これは人口増加に量的な「待った」をかけると同時に、中国人の「質」を上げるために設計されたもので、中国の後れた大衆を競争力のある労働部隊、世界強国にふさわしい近代市民に変えるための壮大かつ肥大化した国家プロジェクトの目玉だった。その廃止の意味を探るためには、背景のもっと大きな文脈を考えていく必要がある。

その効果――プラスと（大半の）マイナス

一人っ子政策は大きな人口を抱える国でかつてとられたことのない、最も厳しく、最も不人気な出産抑制政策である。欠陥だらけであるにもかかわらず――人口統計学的に不必要なばかりか、政治的に実行不能――国家は何があろうと実行する覚悟だった（例外として、特別な事情のある夫婦にかぎって二人目が許された）。当然ながら、この政策は中国とその国民を根底から作り変えた。

その効果の一部は概して肯定的だ。この政策が出生におよぼすインパクトはどちらかといえば控えめだし、この手の数字はそもそも計測しにくいのだが――四億人の出生が防げたという国家の発表は、少なくとも五〇%は水増しされている――この「量か質か」プロジェクトは市場勢力および社会変化と連動しながら、教育水準が高く、健康で情報に明るく、中国を世界の頂点に導くことのできる世界市民の一世代をつくりだした。また、中国社会を近代化し、近代国家としての社会的・人口統計学的特徴を備えた国民をつくり出した。

しかしこれを達成するためにはとてつもない人的コストが支払われた。この政策のせいで何十年も身体的重荷を背負いつづけた農村女性の健康と心の値段をどう測ろうというのか。幼児のうちに断たれた女の子の命、のちに胎児のうちに性別がわかるようになってからは、慣例化した中絶によって、男の子を欲しがる母親の手にかけられた女の胎児の命をどう測ればいいのか。家族をつくる望みを断たれた両親や、たった一人の我が子を失った両親の嘆きの大きさをどう測れというのか。この種の痛手は計測不能だし、とりかえしがつかない。

子づくりの近代化が生み出したのは、新しく、モダンで、科学的規範を持っているはずの個人（「質量孩子」〈量より質を選んだ結果の子供〉や「科学的な善き母親」など）だけではない。規範を外れたがゆえに国の社会福祉や特典制度から排斥された逸脱者、いわゆる「落伍者」をも生み出した。持たざる者の巨大なカテゴリーは、一人っ子政策に違反し、無許可で身ごもって出産した夫婦だ。そういう両親は国家から厳しく制裁されるが、予定外の子供、いわゆる「黒孩子」はもっと苦しむ。両親がなんとか戸籍をとってやらないかぎり、この子供たちは存在しない人間として扱われ、国家福祉が得られず、学校教育、医療はおろか、働く権利、結婚する権利、果ては死ぬ権利までも奪われる。もう一つの「非現代人」カテゴリーは、出産、性的指向、結婚をめぐる国家の保守的規範を拒否した人々だ。ゲイカップル、未婚の母、子のない者は社会的に排斥され、強い同調圧力にさらされる。

一人っ子政策は人口構造もゆがめ、高齢化を早め、労働年齢人口を空洞化させ、一人しか子供のいない世代が一億五千万人を超えた。彼らは高齢の両親の面倒も見なければならない。農村部では男の子を欲しがるため、この政策のせいで幼児人口に巨大な男女差が生じた。女の子百人に対し男の子百十九人というのは世界一の差である。女性が結婚によって社会階層を上っていくのに対し、大半が社会の底辺にいる二千万人から四千万人の男性は未婚のまま、文化的に受け入れられる形での結婚ができずにいる。「枯れ枝」と呼ばれるこの人々は人非人の生活に追いやられている。

もっと自由を、もっと赤ちゃんを？

ではいま一人っ子政策が廃止されて、何が変わるのか？　二つの答が主流とされてきた――もっと自由を、もっと赤ちゃんを。

西側メディアは中国共産党の決定を歓迎し、数十年にわたる「残忍な恐怖」の終焉（『ボストン・グローブ』紙）、中国の夫婦に出産の自由、新時代の幕開けなどと書き立てた。こういう断定に潜む問題ある前提――中国は自由でない、そしてその暗黙の引き立て役アメリカは自由だ、この政策は三十五年間本質的に変わらなかった、などの決めつけ――はともかくとして、この広く受け入れられた見解を改めて考えてみよう。この政策が中国の政治的言辞と統治構造にどのように嵌めこまれているかをよく見てみると、ほかに変化がなければ、一人っ子政策の廃止が出産の自由の輪を広げることはあまりなさそうだということがわかる。

政策変更の公式論拠からはっきりわかるのは、これが出産の権利とは何の関わりもなく、すべては人口統計学的変化――とくに、高度に発展した繁栄国家の仲間入りを目論む中国にとって脅威となる労働年齢人口の減少と高齢者人口の増加――への取り組みだったということだ。一九八〇年代初めから、人口問題は「長期的国益の戦略的分野」と見なされてきた。たとえ政策が自由化したとしても（たとえば結婚していない男女を法律に組み入れたり、三人目の子供を許したりしたとしても）個人の出産の自由が大きく拡大することはあるまい。国家にとって人口は最優先の国益だからだ。人口計画は一九七〇年代初めから発展計画の一環だった。他の諸国では家族計画プログラムが夫婦の子づくり計画を奨励するのとちがって、中国では国家の出産計画プログラムのもと、夫婦の産むべき子供の数を国のニーズに合わせて、国家が決める。（中国の文脈では「家族計画」という用語がまちがって使われた）。出産計画は一握りの「国家基本政策」の一つとして残っているが、習近平主席は二〇一六年五月に、中国は長期にわたってこれに忠実であらねばならないと宣言した。

中国は国家計画出産をあきらめていない。一九八三年につくられた「国家計画生育委員会」は二〇一三年に衛生部に合併されて、中央政府関与の輪郭はぼかされたが、装置はそのまま残っている。たとえば国家による出産の監視、違反者への罰金（社会に払う賠償）、出産が規定の数を超えた地区の担当官への制裁措置、国民に対する法律や無数の規則、加えて国家および半官半民の計画出産の官僚機構が何億もある。政策変更にあたって、国家は人口事業を定義しなおすことも、出産指導の制度や法体系を解体することもしなかった。そのかわり、たとえば夫婦のうち一人が一人っ子であるような家庭では二人目の子供を認める二〇一三年の改訂から、すべての夫婦に二人目の子を認める改訂まで、出産規則を増やして「調整」するにとどめたのである。

中国の人口発展計画の担当者は明らかに、この政策変更によってベビーブームが起き、出生率（現在、女性一人あたり一・七で持続不可能）を押し上げることを期待している。（専門家によれば、母親一人が二・五人の子供を産まないと、人口減少は防げない）。中国が政策をいじりまわす最近の履歴を見てみると、出生率の伸びはどんなものであれ、小幅にとどまるだろうとしか思えない。二〇一三年の政策緩和で二人目を産むことを許された夫婦千百万組のうち、実際に二人目を産んだのはたった一五％にすぎない。大都市ではさらにその半分だ。多くの夫婦はまだ一男一女の「完全な家庭」を夢見ているが、一人っ子政策のせいで「質量孩子」の一人っ子を育てるのにかかる費用が高騰した今、その夢は大富豪にしか叶わなくなった。出生率最低レベルから回復しようとして失敗した国の数が増えたのと同じく、中国もこれから長いあいだ超低レベルの出生率にとどまるだろう。

国家から市場へ――待ちうけるリスク

もし政策変更が産む自由にも人口増加にもつながらないのなら、そこからどんな違いが生れるのだろう。そしてそれは祝うべきことなのか、それとも懸念すべきことなのか。ここで敢えて逆張りして、国家の管理が弱まるとリスクが生じることを述べたい。なぜなら国家の力が市場の力に置き換わるからだ。出産をめぐる考え方や慣行の形成を市場にまかせる方が望ましいように思える。市場の力は個人の欲望を変化させて、間接的に（大半は目に見えない形で）作用するからだ。しかしそれは気づかぬうちに裏で進行する。政策ルールをつくるとき、国家はその高圧的姿勢にもかかわらず、集団的抗議を抑えるために全社会セクターに対して公正であらねばならなかった。政策の施行にはムラがあり、ときにはまったく行なわれなかったが、官の規範は――みなが苦楽をともにするという意味で――公平さの一つであり、一世代全員が未来の世代のために犠牲を払うよう求められた。ところが市場ではそれと対照的に、支払い能力にもとづく不平等が事実上の規範であり、その結果は貧富の差の拡大だ。

　中国の世界市場進出が決定的になった一九九〇年代からはとりわけ、市場勢力と消費者規範が出産にいよいよ大きな役割を果たすようになり、この分野の持てる者と持たざる者のあいだに大きなみぞができた。国家はこの傾向に積極的に反対したが、たいした効き目はなかった。今や「余計な」子供は金で買える存在であり、それが重要なステータス・シンボルになった。貧しい人々は重い罰金を恐れて出産ルールに従うが、新たに生れた裕福なセレブ階級――有名なのは花形サッカー選手の郝海東（かくかいとう）や映画監督の張芸謀（チャンイーモウ）――は、堂々と一人っ子ルールを破って好きなだけ子供をつくり、嬉々として罰金を払う。

　金で買えるもう一つのものは若い母親のための最高の医療だ。一九八〇年代、九〇年代の善き母親像が我が身を犠牲にして一人の「質量孩子」を産む母親なら、今日のモデルは費用を惜しまず自分を甘やかし、新式の妊婦スパでカスタマイズされた不妊治療や美容サービスをうける母親である。「座月子（ツオユエツ）」〔産後の肥立ち〕と呼ばれる伝統的な産褥期のすごし方も階級差を見せつける場に焼き直された。富裕層の女性は三万ドル払って、二十四時間体制の贅沢な妊婦宮殿で産後二十八日の回復期をすごすが、中産階級の女性は家事手伝いをしてくれる婆やでがまんしなければならない。貧乏人には、そもそも産後の肥立ちなどない。

富裕層は不妊の問題も金で解決できる。これは最近にわかに盛んになった分野で、代理出産が法で禁じられているにもかかわらず、両親は危険を承知で代理母を二四万ドルで雇う。金があればアメリカ国籍も買うことができる。出産ツアーは大盛況だ。とりわけカリフォルニアが盛んで、六万ドルを支払い、運良く警察の手入れをまぬがれてアメリカで出産すれば、その子はアメリカ市民権を得て、将来はグリーンカードが約束されている。一人っ子政策が終わり、背後にある出産への原動力は市場の方角へいよいよシフトし、医療、家族の規模、社会ステータスなどですでに充分大きな階級間格差がさらに拡大していくだろう。

善き世界市民を誇示するチャンス

中国の強権的な出産政策を、世界の大半は夫婦が自由に子供の数を選ぶ権利をもつという国際的な倫理規範に対する露骨な違反だと見てきた。一人っ子政策をつくった人々の考えはちがう。人口世界一の国がその伸び率を急に落とすことによって、世界の福祉に重要な貢献をし、責任と倫理を持つ国際社会の一員として尊敬を得られると彼らは考えた。だが一九八〇年代初め、人権蹂躙が広く行なわれているというニュースが広がり、出産制限で得られる建設的な結末への関心が、その達成のために用いられる不寛容な手段に対する懸念に押し流されて、そうした望みはまもなく消え失せた。

中国の外ではあまり知られていないが、一九九〇年代半ば以降、政策プログラムの担い手たちは国際慣行に沿う路線にしだいに切り換えて、虐待じみたやり方をやめ、プログラムの正統性を高めようと懸命の努力をしてきた。出産を選ぶ人の数が史上最低にまで減って、強制手段はしだいに必要なくなった。一人っ子政策はなくなったけれど、倫理的懸念は残る。なぜなら出産プログラムの社会的な負のレガシーは対処されていないし、認識すらされていないからだ。政策の最悪の社会的影響のいくつかを手当てすることによって、中国は今こそ善き地球市民であることを示すチャンスと、自分たちにふさわしいと信じる称賛を手に入れる。これから踏むことのできる――そして踏むべき――意味のある多くの段階の中で、三つが突出している。

第一に、党国家は計画出産の外で生まれた子供たちに戸籍を与え、市民としてすべての恩恵を受けられるようにして、すみやかに誤りを正すこと。第二に、「枯れ枝」問題に対し、彼らを一人っ子政策の犠牲者（国家側の言い方をするなら「お国のために生贄となった人」）と認め、彼らが完全に社会参加できるように必要な社会的、経済的援助を与えて、緩和をはかること。第三に、体制は一人っ子政策の土台である家族構成に対する保守的姿勢を捨てるべきだ。異性の夫婦だけが公的な出産支援をうけるに値するというような考えを捨て、出産支援をうけられる人の輪をゲイカップル、非婚女性（男性）、その他の標準的でないジェンダー、性的指向、家族構成に広げることによって、国家は社会進歩や公正さに向かって重要な一歩を踏み出せるし、ことによったら出生率を上げられるかもしれない。こうした行動によって、国家は一人っ子政策の終焉がただの象徴ではないことを示せるばかりか、社会の新しい優先事項についてのメッセージを発して、最終的には中国が長いこと求めてきた出産と人口問題解決の努力を国際的に認めてもらえるだろう。

Q.23 中国とその中産階級は高齢化と精神保健の問題にどう対処しているか？

アーサー・クラインマン
ハーバード大学医学部教授／精神医学・医療人類学

〝医療現場の長期的見通しは以前より細やかで、概して肯定的だ。数十年にわたる前代未聞の貧困縮小と富の創出にともなって寿命が大きく伸び、衛生状態が改善され、近代的な医療と公共医療制度が築かれた。〟

二〇四〇年までに、アジアにはとんでもない事態が訪れるだろう。社会は人類史上かつて経験したことのない、新たな人口統計学的現実に到達する。まずは日本が、六〇歳以上の人口が全体の四〇％を占める社会に突入する。その後ろからあまり距離を置かずに、中国が二五％で追い、この数字はどんどん伸びる。今のところ中国は労働者七人以上で一人の退職者を金銭的に支えているが、これが二〇四〇年には二人以下になり、社会福祉は危機に瀕する。そのうえアメリカと同じように、全中国人の四分の一以上が人生の途上で鬱病、不安神経症、薬物濫用、認知症などの精神保健上の症状に苦しむだろう（現在すでにその状態に近い）。これらの問題に対処するために、中国は今まったく新しい社会政策と健康プログラムの創出に取り組んでおり、その努力はつづくだろう。こうした政策やプログラムは社会的に重要なだけでなく、経済・政治的にも大きな意味を持つ。今後、この高齢化と精神保健という互いに関連する二つの世界状況は、中国社会と中国人を世界の中で、またそれそのものとして、どう理解するかという点で重大かつ影響力の大きな役割を演ずることになろう。

かくも難しい社会問題とその対策をめぐる中国の現状、そしてこれらの問題を中国研究の核心としてとりあげるたびに中国がどう見えるかを考えてみてほしい。中国がどんどん豊かになり、都市化し、グローバル化した社会になるにつれ、多くの人にはっきりわかったのは、新しい中産階級の創出こそが真に転機をもたらすものであること、そしてこの展開はきわめて影響力がありながら、あまり理解されていないことだった。実業家、専門職、技術者、高度技能労働者、その他そこそこ高学歴で旅行経験豊富な個人からなる二億から三億五千万人のこの集団が、食品や薬品から専門分野やビジネスに必要な倫理慣行まで、すべてにもっと高い水準と質を求める全国的な動きの最前線にいる。だとすれば、こうした方向性が高齢化や精神保健という分野でとりわけ突出したとしても決しておかしくない。

高齢者福祉と精神保健の「近代化」

まず高齢化問題からはじめよう。これは糖尿病、心臓疾患、ガン、鬱病のような非伝染性慢性疾患の罹患率の上昇にともなって生じる。痛みや深刻な障害や死を招くこうした疾患は、医療制度と家族にとって大きな負担となる。高齢層の医療サービス利用率はかなり高く、本人と家族にとって時間とエネルギーと費用がかかるうえ、中産階級の高齢者は自分のうけるサービスの質にとりわけこだわる。中身の薄い医療と、患者を救うより金儲けに走る医師という共通経験にもとづく批判は、今日の中国で危険水域にまで達した医師への不信をいよいよ煽る結果になった。この不信が、健康保険制度と医療制度そのものの見直しを中国政府に迫る。

数百万の中産階級中国人の命をめぐって立ちはだかる難問は老人介護だ。夫婦共働き家庭の老齢で身体の不自由な両親に対し、どのように良質のサービスをとどけるか。家庭訪問サービス職員は訓練不足のうえ数が足りない。生活支援施設や養老院は少ないし、その質が疑わしい。後者の問題は、認知症のケースではとくに顕著だ。中国では質の良い認知症施設の建設に着手したばかりである。老人を施設に入れることへの道徳的、感情的抵抗の問題はもっと難しい。敬老精神と、老人は家で面倒見るという儒教規範がいまだに強いためだ。老人介護は近代社会における伝統的価値を測る試金石だと言う識者は多い。

中国の社会福祉機関が直面する問題の多くは、家庭と制度のあいだで引き裂かれたこの老人介護という難問が核心にある。この厄介な問題の解決は、たんに老人のための技術資源や財源の増大という問題にとどまらず、今日の中国で適正な生活とは何かという道徳的、政治的な関心事が関わってくる。受け入れ可能な老人介護制度とは何か？　質の良いサービスとは何か？　退職後の支援や社会福祉支援はどのように変えるべきか？　そして良い死に方とは何か？　アメリカやヨーロッパでも似たような状態にあるのはわかるが、中国の事情はこの世界的状況とかなり質が異なるため、欧米社会の対策はこの国にそぐわず、適切でもないように思える。中国がどのように対応策やプログラムをつくるかは中国社会を変えるだろうし、世界に影響を与えるかもしれない。

高齢化と老人介護の課題と同様、精神保健の問題は中国社会の真実を知るための窓を開き、この問題と見通しについて特別な観点を教えてくれる。私が一九七八年に初めて中国を訪れたとき、当時の衛生部長〔厚生労働大臣〕はまったくお話にならない党路線プロパガンダをくりかえすだけで、中国に精神病患者はいないと言い切った。共産主義文化の中国には、精神保健問題の原因となるような資本主義の悪弊はないのだそうだ。一九八〇年に長沙の旧・湘雅医科大学〔イェール・イン・チャイナ（雅礼）、現・中南大学湘雅医学院〕でフィールド調査を始めたころ、鬱病と診断された患者は一％に満たなかった。このときの調査が役立ってこの嘘は覆され、当時通例だった神経衰弱という時代錯誤のクズ診断をうけた多くの患者が、鬱病と再診断されて、適切な心理療法や化学療法をうけられるようになった。二〇〇一年から二〇〇五年に行なわれた四省の調査では、鬱病その他の一般的な精神疾患の罹患率はアメリカと変わらなかった。また子供の自閉症、摂食障害、思春期の薬物濫用、糖尿病およびガン患者の鬱病、老人認知症への懸念が広がっている。これもまた欧米と似た図柄だ。そして中国の精神医学は近代化され、これまで「西洋的」とされてきた治療が今や一般的になり、中国人患者にもしだいにとどくようになってきた。

精神病（統合失調症や双極性障害）にともなう汚名は差別や虐待をもたらし、家族に大きな負担を強いる。これが重要な人権問題でありつづけるとしても、（とくに中産階級の多い大都市では）公共意識の高まり、早期の精神保健サービス利用、心理療法や自己啓発の普及とともに鬱病や不安神経症をとりまく状況は急速に変わりつつある。中国の書店へ行くとわかるが、心理学や心理療法に対する読者の知的水準が著しく上がり、中国が中流社会に移行していることの感情的、道徳的、社会的意味にも理解が深まっている。

中産階級のアイデンティティ

ほかでも概説したが、一人一人の中国人は幸福、正義、ジェンダーの平等、性的アイデンティティ、宗教的・精神的価値観、主観性の新しい形など、さまざまな事象の意味を内省し、模索している。私たちは、それぞれの分野で伝統的な思考の小径がよみがえり、二十一世紀に生きる個人のグローバル化した生き方という道が開かれるのを目のあたりにしている。学者たちが言うように、これまで長いこと集団主義に規定されてきた文化と政体の中で個人化が進むこの物語はきわめて重要な世代交替であり、それは消費と物質主義から芸術やソーシャルメディアにおける文化と技術の革新へと向かう大きな社会的動きに見てとれる。

これら意味を求める個人の求道が持つ深い含蓄は実体をともなうものであり、もしかすると革命的ですらある。中国人の自己はただ個体化しただけでなく、とりわけ若者はこれまでとは異なる、世界とつながった人格だと、考えを新たにする必要がある。この自己は伝統と近代の矛盾にあまりとらわれず、異なる文化的要求や社会関係と柔軟に折り合う。これまでどおりきわめて実際的でありながらも分断的ではなく層的、言い換えれば、欲望と義務、権威の階層的関係と愛や友情の水平的関係、選択と責任、過去と未来の見通し等々のあいだにある断絶への対処に苦しんだり戸惑ったりしない。こうした選択肢のあいだを軽々と移動し、そこに不安はない。この変化そのものが新しい現実だ。

この中国的自己が、将来、中産階級の自己の支配的なあり方になるだろう。未来のビジネスリーダー、政界の専門職や団体のリーダーにとって、ふつうの自己になるだろう。個人のあり方がこのように変わり、それが広まれば、ネオリベラル的政治経済からの要求やチャンスに応じられるという非現実的だが魅力的な考えを唱える社会理論もあるだろうが、グローバルスタディーズのこういう視点は、中国の変わりゆく道徳や感情がどのように独特の主観性をつくり出していくかを深く知ることによって、バランスをとる必要がある。この主観性においては、伝統の構造的特徴が大幅に置き換えられるのではなく、こうした新しい方向性と混ざり合う。その結末はある種の矛盾、アイロニーであり、これにいま中国の小説家や映画監督が夢中になっている。だが、このことは現代アーティストが広く用いる「レイヤリング」〔層化〕技法にも現れている。同化しない複数のものを同居させ、そこに生れた集合的文化表現のはらむ緊張と可能性を同時に呈示する手法だ。この多重性の特徴は、高度な洗練、違いや曖昧さへの寛容、(ありそうだが、結果としてありそうにない)場違いな忠誠を生む実際的な批判的スタンス、身構えた土着意識にあまりとらわれることなく新しい現実に開かれた心である。こうした自我は、違和感なくグローバルでもありローカルでもある若い中国人学生の中に生きているのがわかる。私はまた、社会に蔓延する不信を、より良質なサービスへの実際的要求へとつなげるのにこれが役に立っていると思う。

政治システムがこの主観性の上に築かれるか、あるいはそれを抑制、管理しようとするかについては、もちろん解がない。でも私は、どこまでも増えつづける中産階級が持つこの新しい道徳や感情の方向性の未来には大きな希望があると思う。現在の重苦しい政治風土や経済成長の失速が告げる前兆にもかかわらず、政治的解放すら実現不可能ではない(もちろん「中国的な」の付箋つきだが)。中国社会を半世紀近く間近に研究してきて気づいたのは、高齢化と精神保健に差し迫る危機だけではない。中国人はこれから何者になるのか、ふつうの生活の中で何と直面せねばならないのか、そして何より重要なこととして、ふつうの中国人の主観性の道徳面や感情面が、文化、社会関係、毎日の生活をいかにつくり直していくのかについて、前記のような見方がいかに私たちの視野を豊かにしてくれるかにも気づかされた。

変化の肯定的側面

たとえば医療政策で何が起きているか見てみよう。政府は高額医療費のかかるケースと重症慢性疾患の治療に対して保険を適用し、家庭にかかる巨額の医療費負担――このせいで農村部ではしばしば農家が破産し、自殺が出ることすらある――を軽減する動きに出た。同じ理由で、誰もがかかりつけ医を持てる初期医療をめぐって医療政策やプログラムが整備されようとしている。これはまったく新しい専門的ケアのモデルだ。

一九六〇年代、七〇年代の「裸足の医者」ですら本当の意味での初期医療医師ではない。彼らは重要な存在ではあるものの、きわめて低レベルの公共医療、緊急医療従事者だった。今回の新しい医療モデルは、良質のケアを求める患者に応えるすばらしい打開策であり、実現は難しいとしても、患者と医師のあいだの不信という危機へのきわめて適切な対処である。このしくみは、病院の専門医に診てもらうために長時間待ったあげく数分の診察で終わる医療の代わりに、患者は原則として選り分けられ、紹介状をもらい、総合的な一体的ケアを受けられる——まさしく中産階級的アプローチだ。食品や薬品関係法、禁煙、環境衛生基準、医師と看護師へのベストプラクティス〔最善慣行〕要請などの分野では、政府政策への中産階級の反応の速さが同じくすでに証明されている。これらすべて、前記のような一連の変化が政治運営レベルに与えたインパクトの例である。そしてすべてが——たとえ初期段階であっても——期待できる。

中国全体の事情はむろん矛盾に満ちている。私が変化の肯定面を強調したのは、欧米の評者の中国社会に対するアプローチが過度に批判的で、思想的に否定的な視点から見ているからだ。だがそれとは逆に、医療現場の長期的見通しは以前より細やかで、概して肯定的だ。数十年にわたる前代未聞の貧困縮小と富の創出にともなって寿命が大きく伸び、衛生状態が改善され、近代的な医療と公共医療制度が築かれた。

いま中国は老人介護の改善の必要に直面し、認知症患者とその家族の行く末を決めるさまざまな勢力が活動している。事業者は退職者向けに生活介助付きの養老施設を建てている。この国の経済が製造業からサービス産業へ変わっていく今、これが公共医療に本格的に貢献するか、それとも富を吸い上げる新たな手段になるかは、まだわからない。高齢化と医療の分野は、中国人の生きた現実経験と、人々の必要とするものや欲するものを提供してくれる中国の実業家、官僚、専門家の現実作業の中で、この新しいサービス経済がどう見えるかについて、ほかでは得られない展望を与えてくれる。専門家はテクノロジーと装置を使って、合併症や併存症の老人のための介入プログラムのレベルを上げようとしている。科学者は幹細胞技術を使って、損傷した器官や老化した身体の部分をとりかえる新しい方法を開発している。体外授精も盛んだ。生化学者が起業家精神を大いに発揮した結果、医療ツアーで中国を訪れるアジア、中東、欧米の富裕層が激増している。いっぽう中国政府は史上初めて精神病問題を公共衛生の大きな問題としてとりあげ、意識啓発、発症前検査の普及、専門家の水準向上をはかるとともに、これまで国家機密だった情報を主要国際機関と共有するようになった。こうした展開の結果は不明だが、この問題がアメリカと同じように中国でも重要になったのは確かだ。

しかしなお……中国の政策と、その規制、制度、国民へのアプローチは、文化的に中国的なものと世界的なものが混ざり合っている。であればこそ、歴史家、人類学者、言語のプロなど、その土地のローカルなことと伝統的なことを熟知している人々が、世界の保健や生化学の専門家と同じように、世界貿易、地球環境、国際関係など多様な分野のグローバルスタディーズの専門家とともに関わるようになってきたのである。これは研究する必要のある新しい世界であり、消えることのない世界なのである。

Q.24

中国で宗教はどのくらい重要か？

ジェイムズ・ロブソン
ハーバード大学教授／東アジア宗教

〝宗教に対する十九世紀末の国家の姿勢は中国の宗教的景観を根底から変えた。この当時に起きた宗教の根底的な組成変更を知ることなしに、現在の中国における宗教の重要性を理解することはできない。〟

「反迷信」の時代

もし六十年前に、中国における宗教の重要性について一文を書いたとすれば、中国で宗教には何の意味もないと結論したとしても許してもらえるだろう。一九二〇年代、中国知識人の第一人者、胡適はこう言った。「中国は宗教のない国であり、中国人は宗教的迷信に縛られない国民である」。中国の宗教の行方について、西洋観測筋が胡適ほかエリート知識人の見解を高く評価するのは、近代化がいかに脱宗教化に行きつくかという、西洋の問題ある理論に、胡適の文章が一部呼応していたからである。

だが胡適の率直すぎる見解は、中国の近代への移行を、伝統的宗教という過去ではなく、科学と教育を焦点に演出したかった近代知識人の希望的観測と解釈するのが最もふさわしいだろう。胡適の発言は、一九二〇年代から三〇年代にかけて荒れ狂った、悪夢のような一連の反迷信運動に中国国家が着手したのと同期している。それ以前からすでに中国国家は西洋で言う「宗教」と「迷信」を実践し始めていた。新しく導入された宗教カテゴリーに符合する信仰と慣行が許容されることになったが、その輪郭は「世界宗教」に共通するとされる特徴（各宗教創始者とその聖典、聖職の階層構造、宗教実践の中心地として明確に指定された場所）とほとんど重なる。しかし中国に普及していた宗教的慣行のうち、大半の伝統的慣行など、正統宗教のカテゴリーにうまく当てはまらないものはすべて、根絶せねばならない邪教、迷信とされた。

反迷信運動はそれより先、清末の「寺院の資産で学校を」（廟産興学）運動の後を追うように始まり、清朝が一九一一年に倒れたあと中華民国時代もつづいた。一九四九年の共産革命から文革終了の一九七六年まで、仏教寺院、各種教会、地域の祠、位牌を収めた祖廟など、中国の宗教施設の大半が財産を差し押さえられ、規模を大幅に縮小され、破壊され、別目的に転用された。

宗教に対する十九世紀末の国家の姿勢は中国の宗教的景観を根底から変えた。一八九八年に改革（戊戌の変法）が始まる以前、中国の地域社会には宗教との強いきずなや連帯感がみなぎり、個人、家庭、コミュニティに人々の頼れる組織と生き甲斐を提供していた。中国の景観や暦には巡礼聖地や地域の祭事、宗教行事など聖なる場が満ちていた。こうしたすべてが、十九世紀末から二十世紀初めにかけて激変した。この当時に起きた宗教の根底的な組成変更を知ることなしに、現在の中国における宗教の重要性を理解することはできない。

中華人民共和国の宗教政策

一九四九年に中華人民共和国が成立してから、政府は個人に信教の自由を保証し、中国は宗教的に比較的自由な時代を迎えたかに見えた。しかし、この「信教の自由」は厳しく管理された自由モドキであった。なぜなら、許容される自由は国家の新しい定義にかなうものだけであり、宗教慣行は法の範囲内にとどまり、社会秩序を脅かさないものに限られたからだ。この新しい条件に直面して、一部の宗教、とりわけ仏教のような近代的世界宗教の特徴をそなえる宗教は、国家の定義にかなう正統宗教であることを示そうと自分を定義しなおし、同時に公式の全国組織を創設(一部は再建)しはじめた。中国仏教協会が一九五三年に創設され、中国のプロテスタントを代表する三自愛国教会は一九五四年、中国イスラム協会は一九五四年、中国道教協会は一九五七年に創設されている。同じ一九五七年にはローマ教皇を無視したかたちで、カトリックの中国天主教愛国会が創設された。こうした全国組織は官から公式に正統性を認めてもらうと同時に、国家の監視を招くことになる。現に一九五四年には国家宗教事務局が設置され、政策が実施されるとともに、全国組織をつうじて国家の命令が末端まで確実に伝わるようになった。だが地域に拡散している宗教諸派にとって、状況はまったく違っていた。彼らにはそのような組織がないため、その信仰は迷信として批判と検閲の対象になったのである。

一九五〇年代が終わるころ、そのあと災害級の厳しく大規模な宗教破壊が訪れることに気づく人はいなかった。一九五〇年代終わりの反右派運動と大躍進で、宗教団体は無慈悲な攻撃に会い、財産を差し押さえられ、破壊された。一九六二年に共産党が大躍進の行き過ぎを批判して、宗教への規制も緩められ、束の間の平和が訪れた。この自由は長くはつづかない。一九六六年に文革が始まると、宗教はふたたび厳しい攻撃にさらされる。一九六六年から七六年の十年は宗教施設と聖職者すべてにとって悪夢の時代だった。寺院や教会は徘徊する若い紅衛兵の群に破壊され、聖職者たちは侮辱され、弾圧され、身体に危害まで加えられた。

一九七〇年代の学者や評者の一部が言うように、中国の宗教は滅びたのだろうか？　今でもこの問いにイエスと答える人はいるし、新しい調査結果が発表されても信じようとしないメディア関係者は多い。だが近年の研究は反対のことを言っている。一部の観測筋にとって、一九七〇年代半ばまでつづいた大規模な宗教破壊よりもショックだったものがあるとすれば、それは一九八〇年代から突然始まった宗教の劇的な復活と再建ではないだろうか。文革によって解き放たれた発作のような破壊の波は一九七六年に引き、それまでの敵対的な政策が否定され、新しい指導者、鄧小平のもとに宗教が復活し始めた。この時期に始まった新しい政策は現代中国の国家にも個人にも宗教の重要性が増していく下地をつくった。

一九八二年憲法は、建国初期の政策と同じように合法的宗教を信仰する権利を認めると同時に、信仰しない権利も認めた。だがこの「合法的宗教」が何かはほぼ解釈によって決まる。総じて国家は、公共の秩序を乱し、健康を損ね、教育を妨げ、また外国の利益に支配される宗教を禁じる立場をとった。一九八〇年代に中国はふたたび信教の自由を享受しはじめたが、社会秩序への潜在的脅威を恐れる共産党が課した規制によって、その自由は囲いこまれていた。とはいえ、共産党は同時に、正統宗教が国家にもたらしてくれる経済的、社会的利点にも徐々に気づきはじめていた。宗教が社会秩序を育て、前政権が「調和〔和諧〕社会」と呼んだものを築くのに役立つことがわかったのである。国家はまた、仏教のような大宗教の組織力を利用しようとした。宗教組織が病院、学校、療養施設の建設など、慈善や社会奉仕に役立つのを知ったからだ。

大手の正統宗教の正式な受容や承認はそれほど難しくなかったが、地方に散らばった小規模な宗教諸派の場合はずっと難しかった。一九八〇年代末に湖南省の田舎へ旅行したときのことをいまだにまざまざと思い出す。ドライブ途中の小休止で、私はぶらっと地元の小さな祠を見にでかけた。数週間後、省都の長沙へ戻る途中、その祠をもう一度見たくて車を止めてもらったところ、祠はなんと無残に打ち壊されていた。これは地域宗教に敵対的な政策が、ごく最近まで全国で実行されていたというほんのささやかな一例にすぎない。

　地域宗教の慣行に対する中国政府の姿勢は、政府がその重要性に気づくにつれ、徐々に変わっていった。なんとも皮肉なことに、長いこと邪教の迷信とされて苦しんできた地域宗教運動が、現在では中国の「無形文化遺産」、「伝統文化」、「地域の慣習」として認められるようになった。こういう形で新しく認知されて、宗教は正統化され、破壊から守られることになった。国家政策のさらなる変更には、「民間信仰」というあり方の見直し、地域宗教運動の存続と地域社会の中で機能するためのさらなる支援が含まれている。この現象は地域の伝統を公式の政策と一体化させ、迷信カルトとレッテルを貼られないようにする賢いやり方だ。地域宗教運動を正統宗教の圏内に取りこもうとするこの新しい実験はまだ続行中だが、地域社会にとって民間信仰がきわめて重要であることに、国家が気づきはじめたことの証左でもある。願わくば、現代中国における多くの厄介な宗教問題はこういう集団の活動が原因なのではなく、西洋の宗教・迷信カテゴリーを中国の宗教的地平に当てはめ、そうしてできる人工的境界を無理強いすることから来るのだと、政策策定者にいつの日か気づいてもらいたいものだ。

新しい宗教的景観

　どんなに気楽な訪問者でも、現代の中国に五大宗教文化がいきいきと息づいていることに気づくと思う。いま中国の仏教徒人口は世界一だ。道教も近年急速に息を吹き返しており、ムスリム、カトリック、プロテスタントの信徒も、一部が国家の監視下にあるとはいえ、着実に数を伸ばしている。毎週日曜には、ヨーロッパ全部を合わせたより多い数の中国人キリスト教徒が教会に通っているという話をふつうに聞く。また、おそらくそれより大きな規模で、地域の（大半は農村の）宗教行事が賑やかに行なわれ、祭が開催されている。復活した儒教にも出会えるほか、さまざまな自己修養運動や救世団体（気功の鍛練と慈善活動を融合させた「〜道」などと呼ばれる団体が中華民国時代に大流行し、今日までつづいている）、写経団体、菜食主義レストランで折伏活動をする在家仏教団体、ヨーガ団体、また、バハーイー教〔ムスリムから派生した一派〕、モルモン教、法華経を唱える日本由来の創価学会などの新興宗教団体がある。

二十世紀、二十一世紀中国における宗教の復活と成長が劇的だったことはまちがいない。だがこうした復活はたんに昔の宗教が戻ってきた以上の意味がある。ここには、新しい歴史の文脈に埋め込まれたまったく新しい何かがあり、それが宗教を成長させる肥沃な土壌となる。マルクス主義思想の否定と急速な経済的変化によって、中国の人々は新しい意味と方向性を求めるようになり、それが劇的な社会再構築をうながした。中国の急激な近代化、都市化、国際化によって生れた、いわば精神の空白の中で、宗教がしだいに個人、とりわけ都会に住む人々にとって意味のあるものになった。この人々はもはや故郷の村の伝統的な宗教に従わせることができないが、彼らは自分の興味を引く宗教を自分の意思で選び、試すことができる。

同時代の学者によれば、建国初期の中央政府の計画によって宗教が五大宗教へ集約されたように、近代的市場経済への移行と宗教界の創出とのあいだには相関関係があるそうだ。だがそれでも、中国で都市から田舎へ旅してみれば、何世紀も地域社会を支え、一つにまとめてきた昔ながらの共同体の宗教が、いまだに大きな意味を持っていることがわかる。中国の政策は現代の宗教的景観を根底から再構成し、それがいま、私たちが目にしているものに巨大な効果を及ぼしつづけている。中国は過去の伝統を活用して、さまざまな宗教の源泉から引き出した新しい要素と混ぜるが、それを十九世紀末から二十世紀初めに強要された制約のもとに行なっている。だが、方法はそれぞれに異なるものの、この新たに再構成された宗教は個人、家庭、地域社会、そして国家にとって重要でありつづけ、意味を持ちつづけている。

Q.25

次のダライ・ラマは現れるか？

レオナード・W・J・ファン・デル・クイジプ
ハーバード大学教授／チベット・ヒマラヤ学

〝もしダライ・ラマ五世（一六一七―八二）がいなかったら、ダライ・ラマ制度はあちこちのチベット仏教宗派にある似たような制度と転生系譜の一つにすぎなかっただろう。〟

ダライ・ラマという制度

ダライ・ラマ制度は、チベット文化圏の主要な転生系譜でおそらく最も重要かつ一番知られており、その起源は十五世紀末にまでさかのぼることができる。だが、転生した「ラマ」（「師」の意）という考え方そのものは、それよりもっと昔からあった。転生ラマは、北インド、ネパール北部、チベット自治区、雲南省北西部と四川省・青海省・甘粛省の広い地域、内モンゴル、ロシアではカルムイク共和国とブリヤート共和国など、チベット仏教が行なわれている地域では、どこでも特別な存在である。

いくつかの仏教思想解釈によると、チベットの転生ラマという考え方の最も古い証拠は十二世紀にさかのぼる。こういう転生をチベット語で「トゥルク（Tulku）」という。その意味は強いて言えば「菩提の顕現・化生」だろうか。明代になってこの概念が中国語に訳され、「活仏」になった。これは、仏陀の体験した悟り（菩提）が実際に顕現したものが「トゥルク」であるという誤解から生れた誤訳で、仏陀本人ということになってしまった。「トゥルク」に指名された者は仏陀とほぼ同一とみなされ、その人は「菩薩」と呼ばれる。悟りを得た状態にある菩薩はまだ完全に仏陀ではないが、仏陀になるという仏教修行の最終ゴールに必ず到達することになっている。

ダライ・ラマはもともとスーナム・ギャツォ（一五四三―八八）を指す称号だった。この人はチベットのデプン寺という大僧院に住む転生ラマの三代目で、一五七八年にモンゴルの部族長アルタン・ハーンに招かれて青海省を訪れたとき、モンゴルの称号「ダライ・ラマ」（＝「大海の師」）を授けられた。こうしてスーナム・ギャツォはダライ・ラマと呼ばれる最初の転生ラマになった。

ダライ・ラマ制度は宗派的なもので、現在ラサに本拠を置くチベット仏教のゲルク派に属する。仏教史のある早い時点でダライ・ラマ転生の系譜をさかのぼってみたところ、菩薩アヴァローキテーシュヴァラ〔聖観音〕に行きついた。この菩薩は南インドのポタラ山頂の「始まりなき始まり」〔無始曠劫〕以来の霊的存在で、仏陀の悟りと慈悲の側面を代表し、さまざまな修行のうちでもとくに、名高い「オム・マニ・ペメ・フム」の真言（マントラ）〔六字大明呪〕と関係が深い。敬虔な信者にとって、聖なる山には静止物ではなく移動するものがあり、ダライ・ラマ五世（一六一七―八二）が居宅を建てた山はポタラ山と呼ばれる。

アヴァローキテーシュヴァラの化身は歴代ダライ・ラマだけではない。チベット仏教カルマ＝カギュ派の黒帽カルマ派の僧院座主たちも、チベット仏教諸派の有力なラマたちと同様、この菩薩の化身と考えられてきた。ラマがアヴァローキテーシュヴァラの化身であるという考え方は、十一世紀半ばに一部のチベット人によって、この菩薩がチベット地域の守護菩薩とされたことと密接に関係している。因みに中国の守護菩薩はもう一人の有力な菩薩、マンジュシュリー〔文殊菩薩〕である。チベット仏教諸派がとくに重要な霊的存在とみなすチベットのラマは、誰であってもアヴァローキテーシュヴァラの生まれ変わりに指名されることができる。

スーナム・ギャツォは中央チベットの自分の僧院に戻ることはなかった。彼はあちこちの僧院やチベットとモンゴルの有力者に招かれて、中国北西部やチベット東部のカム地方を旅してまわった。スーナム・ギャツォが死ぬと、後継者をみつける必要が生じた。これがどのように行なわれたか、はっきりしたことはわかっていないが、スーナム・ギャツォの土地を管理していた差配が、この後継者探しの責任者だったこと、そしてこの差配がディクン一族の支配するディクン僧院（カギュ派の支派ディクン派の根拠地）の座主からスーナム・ギャツォの妻が男の子を産んだばかりだという話を聞いて、僧院を訪ねたことがわかっている。

チベット仏教の主要諸派はゲルク派を除いて座主の妻帯を禁じていない。転生ラマも同じだが、中には自分の意思で妻帯しない人もいる。（ゲルク派の転生ラマは一般に独身僧である）。スーナム・ギャツォの差配はディクン一族の後継者候補に納得しなかった——彼はおそらくデプン僧院の転生の系譜をゲルク派だけにとどめておきたかったにちがいない。だからアルタン・ハーンの孫に男の子が生れたと聞いたとき、差配はハーンの野営地を訪ね、この赤子がスーナム・ギャツォの後継者だと認証したのである。赤子は無力なダライ・ラマ四世、ユンテン・ギャツォ（一五八九—一六一七）となった。民族的チベット人でない最初のチベット転生ラマである。

しかしダライ・ラマ五世の誕生とともに、転生制度は政治の動力源となり、最も裕福な系譜となった。五世はガンデン・ポタン政府を創建して神権政治を敷き、これが栄枯盛衰をくりかえしながらダライ・ラマ率いる政権となり、一九五九年に滅ぶまで三世紀のあいだチベット文化圏の広大な地域に権力をふるいつづけた。

チベット文化圏の経済

一九五九年以前のチベット文化圏の経済は、僧院と土地持ちの貴族がおもに土地と家畜からなる富の大半を所有していた。(土地持ち貴族の一族は僧院とその地所を所有していることが多い)。ラマと僧院には、農地からあがる利益よりも、教学や秘儀の伝授と交換に寄進されるお布施の方が多かった。仏教でいう布施や喜捨は、八世紀にインド亜大陸と中国からチベットへ仏教が移入され始めたとき、持ちこまれたものだ。チベット仏教は最終的にインド仏教に近いものになったが、中国仏教の痕跡もまだ少し残っている。

おおざっぱに言って、仏教の布施という概念は教学と仏事を頼まれる代償として期待されるものをいう。教学や秘蹟を頼む人が裕福であればあるほど、布施への期待も——そしてその額の大きさへの期待も——ふくらむ。お布施は金銭でもよかったが、土地や家畜などの資産の方が多かった。布施はすべて細かく記録され、登録され、保管された。こういう布施が時とともに積もり重なると、それを監督管理する経営チームが必要になる。ここから「ラプラン」という概念が生れた。転生ラマが所属する転生系譜と不可分に結びついた官僚制のことである。大きな僧院には、転生ラマが何人住んでいるかによって複数のラプランがあった。

チベットの記録によると、十三世紀モンゴルの支配者フビライ・ハーンは、密教の秘蹟を教えてもらう代償として、師のラマ、パクパにチベット中央部の領土を与えたほか、「国師」と「帝師」の称号と職務を授けた。時代を下って、一六五二年と五三年にダライ・ラマ五世が北京の宮廷に少年皇帝の順治帝を訪ねたとき、彼はおびただしい数のチベット人とモンゴル人が住む中国北西部の広大な遊牧地域を通って旅をした。五世は自伝で、自分が菩薩アヴァローキテーシュヴァラの生まれ変わりであることを活かして、菩薩を呼び起こす秘儀を教えることで膨大な富を蓄えたと記している。これは五世が人々の忠誠の強いきずなを自分に集中させることができたということだ。こうして彼は、ダライ・ラマ制度に付随する権力と富に加え、事実上個人崇拝とも言える手段で個人的権力を固めたが、この個人崇拝は今日までつづいている。もしダライ・ラマ五世がいなかったら、ダライ・ラマ制度はあちこちのチベット仏教宗派にある似たような制度と転生系譜の一つにすぎなかっただろう。

亡命以後のダライ・ラマ

一九五九年にダライ・ラマ十四世と約十万人の民族的チベット人がインド、ネパール、ブータンに脱出して、数百万人のチベット人があとに残された。それ以来、チベットの法的地位や、一九五九年以後のチベットの人権問題などをめぐって、十四世は中国内外で絶えず話題の的だった。中には実体があり、情報として役立つ議論もあったが、大半は（チベット亡命政権のあるインドの地）ダラムシャーラー寄りであれ、北京寄りであれ、プロパガンダ臭を免れない。時として、その話題は一九五九年以前のチベット社会の現実や、歴代ダライ・ラマとその政府の果たした役割とはほとんど関係のない、現実離れしたものだった。そもそもどこからどこまでがチベットなのか、ダライ・ラマのガンデン・ポタン政府の統治がおよんだ領土はどこまでか、といった問題に加えて、チベットの歴史的地位の問題——チベットは中国から独立しているのか、もしそうなら、いつ独立したのか——が一九五九年以来、とりあげられてきた。こういう問題はおそろしく複雑で、簡単に答は出ない。

数十年前から現ダライ・ラマはしばしば自分が最後のダライ・ラマかもしれないと言うようになった。時の流れの中で途絶えてしまった系譜はいくつもある。理由はさまざまだ――カリスマ的リーダーがいなかった、宗派内あるいは宗派間の神学論争が社会不安につながって、僧院や寺院が破壊された、後継者探しに熱が入らなかった等々。転生系譜の断絶を言い渡された例もある。赤帽カルマ＝カギュ派の転生系譜は一七九二年のグルカ戦争に巻きこまれて、当時の転生ラマが殺されたか、自殺したかしたあと、ダライ・ラマ政府に継承の停止を命じられた。この禁止令は一九六三年にチベット亡命政府によって解除され、カルマ派十六世（一九二四―二〇一四）が甥のミパム・チョキ・ロド（一九五二―二〇一四）を赤帽派の転生ラマと認定して、この系譜は復活した。

七世紀インドの偉大な学僧ダルマキールティ〔法称〕は、意志的で目的性のある菩薩転生をもたらす大本は深遠な大慈悲であり、そういう人はそれに駆られて「苦海」へ、輪廻の中の日常へ戻り、苦しみからの解脱を求める人々を助けようとするのだと論じた。無数の生を経て解脱を成就すると、菩薩（そして仏陀）の慈悲のレベルはほかにありえないほどの極限にまで高まる。この理屈に鑑みれば、現ダライ・ラマが自分は最後のダライ・ラマになると、どうしたら発言できるのか理解に苦しむ。もちろんこの決心がダライ・ラマ本人しか知らない動機にもとづいているなら別だが。確かにダライ・ラマはこの地位に就く最後の人物になろうと思えばなれるだろうが、仏教的世界観から言えば、ダライ・ラマも私たちすべてと同じように、まちがいなく何らかの形で生まれ変わるだろう。

Q.26

中国で法は大切か？

ウィリアム・P・アルフォード
ハーバード大学ロースクール教授／法学

〝中国が、私たちほど法に依存せずに、あるいは私たちとはちがう制度を用いて、人類の幸せを前進させる可能性を認めるのも、考えとしては悪くない。〟

整備されてきた法体系

アメリカ国民である筆者にとって、「中国で法は大切か？」という問いからまず伝わるのは、中国の法の妥当性を問う外国人からの詰問がいかに長くつづいたかを認識せよと迫られていることである。つまるところ、欧米人が二十世紀以前の中国の法を粗暴で劣等と断定したことが、阿片戦争（一八三九－四二）の誘因だった（外国商人が非合法と知りつつ阿片を中国へ売っていたにもかかわらず）。それから一世紀近く、こういう主張が治外法権を強要し、その治外法権のもとで、中国で中国人に対して犯罪を冒したとされる外国人は、（そもそも事件が事件としてとりあげられたとしても）中国法では裁かれず、本人の政府を代表する機関によって、母国の法で裁かれる。これが西洋列強によって、人間の尊厳や主権の平等を守るという名目のもとに行なわれたこと。それは、さまざまな政治信条の中国人が「百年の恥辱」と呼ぶ事態を悪化させただけだった。中華人民共和国当局は交渉を有利に進めるために戦略としてこの歴史を持ち出すことがある。

それを知らずに中国と関わろうとする者は、きっと仰天することだろう。

私たちのように有利な外国人目線で中国法を研究する者は、法秩序をもっと広くとらえて、自分たちの思い込みを意識するのもうまい。アメリカのような法中心の社会――憲法をつうじ、成文法を中心に成立した最初の国――ですら、留意すべきさまざまな事柄の中でもとくに階級、人種、ジェンダー、障害といった問題は、法の底流にある理想をいかに尊重したとしても、少なくとも全員に対する平等な保護という点で、「法典に書かれた法」と「実際に適用される法」とが必ずしも一致しないことをはっきり思い出させてくれる。私たちは同程度に現実的な精査から中国を免除すべきではないし、私たちが普遍と信じる価値観を大事に育てる責任を抹消してしまう文化相対主義をもちこむべきではない。だが（他国はともあれ）中国が、私たちほど法に依存せずに、あるいは私たちとはちがう制度を用いて、人類の幸せを前進させる可能性を認めるのも、考えとしては悪くない。

一九七〇年代末に文革が終息してから、中華人民共和国は――たとえリベラル立憲主義の原則に則って運用するつもりはなかったにせよ――世界史上最も内実のある国家主導の努力を傾けて、きちんとした法体系の基礎を整備した。ここに至るまでに中国政府は莫大な金とかなりのエネルギーを割き、みずからの信用もある程度賭けた。その実例として、中国が干からびた骸骨同然でしかなかった法の枠組から、（少なくとも紙の上では）最も複雑な法秩序の一つへ（金融デリバティブ商品の取引から両親訪問の要件、特定のソーシャルメディアの使用禁止までカバーする数万の法的措置を備えた法の枠組へ）、三十五年かけて、いかに移行したかを考えたらよい。また別の例としては、このかんに中国の法律専門家の数が百倍以上増え、今ではおよそ三十万人もいること（しかも、ここには判事、検察官、基礎レベルの法律業務従事者、つまり草の根レベルで法サービスを提供する半プロは含まれていない）、あるいは、法律教育の爆発的成長を考えたらよい――改革初期には法学位をくれる機関がおよそ十あまりだったのが、今では六百三十以上に増えた。

党国家にとっての法

それでも、もし私たちのゴールがこの展開を（それが果たして「大切なのか」、またどのように「大切なのか」を考える前提条件として）理解することだとしたら、私たちが用心すべきは、これがリベラルな民主社会のめざすような法の支配へ不可避的に収斂するための礎石として運用するつもりで（あるいは必然的にそうなるようにと）とられたステップだと、外国人がいまだに、またきわめて頻繁に決めつけたがる傾向だ。中国共産党自身は法の発展に向けた作業について、そのゴールをきわめて明確に宣言している。二〇一四年十月の十八期四中全会の決議文にあるように、党は「法にもとづく国家統治」の青写真を打ち出し、冒頭、その遂行のために「マルクス・レーニン主義、毛沢東思想、鄧小平理論、（江沢民の）『三つの代表』……習近平総書記の一連の重要談話の精神」に従うことの重要性を述べたのち、決議文はこうつづく。

党の指導は中国の特色ある社会主義の最も本質的な特徴であり、社会主義的法治の最も根本的な保証である。党の指導を法にもとづく国家統治の全過程と各方面に貫徹させることは、わが国の社会主義的法治を築くうえでの基本的な経験である。わが国の憲法は中国共産党の指導的地位を確立した。党の指導を堅持することは、社会主義的法治の根本的な要請であり、党と国家の根本と命脈のよりどころであり、全国各民族人民の利益や幸福にかかわるものであり、法にもとづく国家統治を前進させるための正しい道理である。党の指導と社会主義的法治は一体である。社会主義的法治は党の指導を堅持しなければならない。党の指導は社会主義的法治をよりどころとしなければならない。

決議文は念には念を入れるかのように、立法、国家行政、司法、法律専門家、法律教育など法体系のあらゆる局面で（個々の党員とは違う）実在としての党と、その公式思想のなくてはならない役割をくりかえし強調する。

これを認めたからといって、中国の法制の発展がショーウィンドウの飾りに毛の生えた程度にとどめられたと言おうとしているわけではない（もちろん毛の生えたどころではなかった）。この文書はむしろ、法は最終的に人民の名のもとにリーダーシップを発揮する存在である党に奉仕する道具であることを強調しようとしている（つまるところ、これは国家の法体系の目的について述べた党文書であり、そこにそう示されているのだから）。もちろんどんな法制でも中心となるのは秩序であり、それが中国では最優先事項であって、党を保全するために党が決めるものである。

こうして生れた厳しい結果がノーベル賞を受賞した故・劉暁波への残酷な仕打ちだ。彼はガンを放置され、刑務所で死んだ。また、「衛権」（人権擁護）弁護士たちへの対処にも同じことが言える。この二年間に数百人の弁護士が逮捕されたり、留置されたりした――ただし彼らが政治的な係争問題を国家の法制度をつうじて平和的に解決しようとしていることは、党国家に歓迎されているにちがいない。だが秩序の強調は法の一定不変性を妨げないし、ある面ではそれを強めることもあるので、そのこと自体は必ずしも抑圧的ではないことにも留意しておきたい。たとえば四中全会は党員に「権力を濫用し……私情で法を曲げること」のないよう警告を発している。あるいは国民が法制度を正当な苦情の解決のための信頼できる出口とみなすことと、(たとえ党の決めた範囲内ではあっても)専門技術を育てることとが、党国家の正統性と中国の未来にとって、いかに重要であるかがわかる党員が、かなり高位の幹部の中にも存在するということを考えてみよう。最高人民法院の現院長で党書記の周強(しゅうきょう)は、まちがいなくその典型だった――少なくとも(元・公安幹部で、正式の法学教育を受けていない)前任者の王勝俊(おうしょうしゅん)よりは。王勝俊時代には、事実が裏づけられていようといまいと、訴訟の大半は調停で片づけるべしとされていたのが緩められた(そのせいで、今はもっと厳しい手続きを経て結審されることが多い)。そのほかにも(拘束性のある「判例」に対して)「指導性案例」、つまり教訓的な「案例」がますます奨励されるようになった。また近年はインターネット上の判決の数が増え、その範囲も広がった。ところが周強は司法関係者に対する二〇一七年一月の談話で、「欧米流の」司法の独立、三権分立、立憲主義がもたらす危険を警告し、法の発展は最終的に党に奉仕するものであるべきだと強調したのである。

法が大切かどうか、またどのように大切であるかという問題について、当局が何を考えようが、何を望もうが、それはもちろん中国国民に及ぼす法のインパクトや、国民がいかに法になじみ、法を使いたいと思うようになるかを必ずしも明確に伝えるものではない。いずれもきわめて解明の難しい問題だ。一つには中国という国の巨大さと多様さのように明白すぎる原因のせいでもあり、(中国の役人にとってさえ)悪名高い統計の不確かさ、また一党国家において、司法や公式機関への満足度のような件に関して、世論がどのくらい信頼の置ける判断材料となるのかといった難問もある。

法と社会の関係

しかし、法がどのくらい大切か（あるいは大切でないか）を判断するとき、もっと複雑でとらえにくい問題もある。たとえば実際のレベルにおいて、五億人の人々が二世代たたぬうちに貧困から抜け出した中国の驚異的経済成長は、どの程度、法制度の発展ゆえに起きたのか、法制度の発展にもかかわらず起きたのか、法制度とはまったく関わりなく起きたのか（西側観測筋にさえ、比較的スムーズに動ける中国政府の能力と、規則が概して流動的だったことが、経済発展に有利に働いたという人たちがいることを前提に）。経済利益（一人当たり年収はおよそ八千ドルに増えたと言われる）に法が貢献したとするならば、こういう成功を、格差の拡大や劣化する環境などの問題に法がほとんど対処できていないこととどう均衡させればよいのか。たとえば、きわめて争いの多い土地収用問題に対して、複雑で、争いを誘発しかねない方法で法が対処していることをどう考えるか。土地収用訴訟では、開発業者が（自分の所有物に財産権という衣を着せて）本来の利益よりも有利な取り分を主張することがあるのに対し、相手側（とくに開発目的で都市に改編された農地に住む農民）は、有効な補償ができない法の無力さに悲憤慷慨する。これはまた一過性の懸念でもない。それを証明するのが著名な経済学者の呉敬璉（ごけいれん）による見積もりである。それによると、二〇一三年までに、中国の農民は本来付与されていた土地評価格七〇〇〇億ドル以上を現金化できなくなったという。

そのほかに規範や概念のからむ問題がある。たとえば自己表現を奪い、中国人のものであれ外国人のものであれ、思想へのアクセスを制限する法の運用が近年増大してきたことに、一つには法をもって対抗したおかげで中国人の暮らしの物質的向上が得られたことはほぼまちがいないが、これをどのように評価すべきか。こうした問題について、中華人民共和国国民どうし、また、中国人と外国人のあいだに険しい意見の食い違いが生ずる可能性に、どう対処すべきか。また、もっと基礎的なレベルでは、中国国民と政府との接点において、国民は法と、国家当局が発するその他のメッセージとを、どの程度峻別しているのだろう。中国農村部に関して、北京大学法学院前院長の朱蘇力(しゅそりき)、ケヴィン・オブライエン、李連江(りれんこう)などの学者が報告しているように、農民は地方当局と関わるとき、法や政策発表のほかリーダーの演説にいたるまで、どれもたいして代わり映えしないと考えているようだ。一方その対極で、国有企業の企業統治は、どの程度、経済力や政治力とは峻別された法的考慮を原動力としているのだろう。

こうした問いの背後には、中国の（あるいはその他どこであっても、その国の）法を理解し、評価する上で留意すべき根本的な問題が別にある。何をもって法とみなすのか、そしてそれは何故なのか。たとえば秩序と自由、予測可能性と融通性のような、世界どこでも共通する、法に特有の妥協点は何か。私たちが推進しようとしている法の第一義的価値観は何か。そのような価値観は中国やその他の地域で、どの程度同じなのか、また同じであるべきなのか。それを決めるのは誰か、そしてその根拠は何か。そのような価値観を効果的に推進するには、他と異なるどんな形態の制度があるのか。中国が選んだ制度を評価するとき、中国的状況で（実際的、規範的二つの理由によって）それを採用することの重要性と、誰か有力者が世界からの精査を避ける言い訳として、中国のユニークさを道具に使うこととを、どう均衡させるか。

こういう問いかけは絶望からの助言ではない。中国に正義をもたらすために法の持つ（あるいは持たない）可能性を正しく精査しようと思うなら、それはむしろ不可欠なことだ。

Q.27

なぜこれほど多くの中国人学生がアメリカに留学するのか？

ウィリアム・C・カービー
ハーバード大学教授／中国近現代史

〝現在、中国の大学を卒業する学生数は、アメリカとインドを合わせた数より多い。要するに中国には掃いて捨てるほど大学がある。なのに留学するのは、中国に良い大学が足りないからなのか？　答はノーだ。〟

アメリカ留学の現状

二十一世紀が始まるころ、中国人留学生は全米の高等教育機関で学ぶ全留学生の約一〇％を占めていた。現在、その比率は三一％を超えた。それとかなりの差でつづくのが、インド人留学生の一七％だ。同じく、中国人留学生がアメリカの大学に支払う金額は留学生全体の三分の一を占めている。米国国際教育研究所によれば、二〇一五―一六年度にアメリカのカレッジや大学に入学した中国人留学生は三十二万八千五百四十七人で、アメリカの全留学生の三一・五％を占める。ハーバード大学では留学生の比率が二〇〇〇年の一六％

から二〇一五年の二二%に増加、その出身国は中国がカナダを超えて、最多となった。これはハーバードに限ったことではなく、アメリカの多くの大学が似たような動向を経験している。

なぜこんなことが起きているのか。中国に高校卒業生を受け入れるだけの大学が足りていないのか。答はノーだ。

一九七八年、文革で十年間閉鎖されていた大学が再開され、約八十六万人の学生が入学した。この数は一九九〇年まで漸増し、この年、中国の大学入学者はおよそ二百万人だった。二〇〇〇年になると、その数は六百万人に増加。公式の数字によると、このときから第三期〔国際標準教育分類レベル5・6に相当。中等教育を終えた者を対象とする教育段階〕の各種教育機関を含めて、学生数は飛躍的に増えた。現在、三千六百万人以上の学生が高等教育機関で学んでいる。二〇〇〇年に中国の大学生の数はアメリカの大学生のおよそ半分に達し、今ではその二倍を越えた。現在、中国の大学を卒業する学生数は、アメリカとインドを合わせた数より多い。要するに中国には掃いて捨てるほど大学がある。

なのに留学するのは、中国に良い大学が足りないからなのか? 答はノーだ。

中国近代の高等教育は二十世紀前半、公私立の、また中国と外国の優れた大学を擁し、〔小規模ではあっても〕世界一活発なセクターだった。三十年間、毛沢東主義の支配とソ連の影響下に苦しんだのち、中国の大学はふたたび国際的な存在感でよみがえった。北京大学と清華大学の二つの中国系大学はさまざまな国際ランキングに世界のトップ三十から四十としてつねに顔を出している。これと対照的に、ドイツの大学は十九世紀から二十世紀初めには世界で最も優れたモデルだったが、今ではほとんどのランキングでトップ五十の中に一つくらいしか入らない。

アメリカの大学がいまエリート大学の上位を独占しているのは確かだが、イギリス、フランス、ドイツ、日本のベスト・アンド・ブライテストたちはアメリカの大学へ大量入学したりしない。とくに学部学生はそうだ。彼らは自国のエリート大学へ行く。ところが中国はどうも様子が違う。アメリカの大学教育を求める中国の最優秀の学生が増えているのだ——学部生の数が今では大学院学生数と等しい。

アメリカ留学の歴史

中国の学生がアメリカに留学する理由はさまざまだ。一つは歴史に起因する。一九四九年に共産党が中国を支配する以前、海外で勉強する中国人の主な目的地はアメリカだった。十九世紀、清朝宮廷から派遣された最初の教育使節の行き先はコネチカット州ハートフォードだった。一九〇〇年代初めの留学先は主として日本だったが——学科によってはイギリスやドイツ——中国人留学生の最大の集団はアメリカに向かった。

そして、中国の若者をアメリカの大学に入学させる準備の目的で創設されたのが、中国の最高学府の一つ、清華大学である。清華大学は清朝宮廷によってアメリカ留学の予備校、清華学堂として開校した。イリノイ大学学長エドマンド・J・ジェイムズの要請で、アメリカ政府は義和団事件賠償基金の一部を中国人のアメリカ留学と一九一一年の清華学堂開設のために供与した。このときジェイムズはセオドア・ローズヴェルト大統領にこう言ったそうだ。「中国の現世代の若者を教育するのに成功する国は……道徳的、知的、商業的影響力において、最大の見返りを得られるでしょう」。創設から十年かけて、清華学堂（のち清華学校）はアメリカ留学する学生のためにアメリカ風のキャンパスをつくった——イリノイ大学アーバナ・シャンペーン校の講堂に触発されたジェファソニアン風の大講堂など。清華大学はその後、一流の総合大学になるが、初期数十年のあいだアメリカときわめて緊密な関係を保った。

中国（本土、香港、台湾）出身で科学分野のノーベル賞をとった最初の五人はいずれもアメリカの大学で学んだり、教えたりしている。アメリカ留学経験のある中国人で、一九二七年から一九四九年まで中国を支配した国民党政府の政治指導者には、宋子文（ハーバード）、孔祥熙（オーバリン）、胡適（コーネル）、蔣介石夫人（ウェルズリー）などがいる。実業界では、一九一〇年代から今日まで近代中国の繊維産業変革の旗手たる、美亜織綢廠の蔡声白、アパレル大手TALの楊元龍（Y. L. Yang）、繊維業界の巨人エスケルのマージョリー・ヤン（楊敏徳）がいる。彼らは同じ一族の三世代だが、それぞれリーハイ大学、ローウェル工科大学、マサチューセッツ工科大学で技術教育をうけている。この繊維業界の偉大な一族の次世代を担うファッションブランドPYEのディー・プーン（潘楚穎）はハーバード卒である。

アメリカで学んだ中国人は際立った方法でその足跡を残す。現在、ハーバードのキャンパスには大理石の厚板（碑）がある。一九三六年の創立三百周年記念に因んで一千人近い中国人卒業生から大学に贈られたもので、その年にハーバードから名誉学位を授けられた胡適が揮毫したと言われる文字が刻まれている。曰く「国家が興るのは文化のおかげである。だが文化が栄えるのは、実は学びのおかげである。……このことはアメリカ合衆国ハーバード大学によって確かめられた。……わが国は東洋の古い文化を象徴する国である。だが時代と世界は日進月歩で変わる。学問に志す者はふたたび海外で学び、知見を深める」〔國家之所以興也繇於文化。而文化之所以盛也實繇於學。……而勿替是說也徵之於美國哈佛大學滋益信矣。……　我國為東方文化古國。然世運推移日新月異。志學之士復負笈海外以求深造〕。

一九四九年に中国本土が共産党の手に落ちて、アメリカへの新規留学生の流れはそれから三十年間途絶えた。そんな中、ハーバード一九五二年クラスの冀朝鋳のように、卒業前に中国へ戻った人もいた。冀はのちに上級外交官になり、毛沢東と周恩来の個人通訳を勤めた。アメリカは一九四九年のできごとで得をした面もある。一九八九年の天安門危機のあともくり返されたことだが、中国から知識人難民の群が流入して、アメリカの大学の科学、社会科学、人文科学部門をその後何十年も豊かにしてくれたのだ。

アメリカの高等教育への評価

今日の中国人学生のアメリカへの流入はこうした過去の経験の上に築かれたものだが、現在はその規模がかつてないほど大きくなっている。理由の一つは、現代中国の教育が質も範囲も拡大したせいである。中国の公立重点高校は今や世界最高レベルにランクされており、卒業生は世界の最難関カレッジに合格できるし、中国の大学卒業生は世界一流の博士課程に入れるレベルだ。アメリカの博士課程はほぼ完全に学問実績でしか学生をとらないが、そこに中国人が高率で在籍することが、その質を証明している。二〇一六年の中国人博士号取得候補者はアメリカの留学生博士課程一年生の三四%を占めていた。中国では英語の試験に通らないと大学を卒業できないので、アメリカでの勉強に必要な英語力は保証されている。

アメリカへの留学生、とくに中国人留学生の入学数が増えているのは、ここ数十年でアメリカの高等教育がコミュニティ・カレッジから一般教養カレッジ、公私立の総合大学へ拡大、多様化したことと、財政面のニーズのせいでもある。アメリカの高等教育への入口は一つではない。何千もある。博士課程の中国人学生が主としてアメリカの奨学金で留学するのに対し（たとえばハーバードは博士課程の中国人留学生を支えるために年およそ二〇〇〇万ドル支出している）、大半の中国人学部学生は、二〇〇八年の金融メルトダウンからいまだ回復できずにいるアメリカの教育機関へ、金銭的支援なしに最高額（私立カレッジへは全額、公立学校へは州外学生用の授業料）を支払っている。米国商務省によれば、アメリカのカレッジや大学にいる中国人留学生は二〇一五年のアメリカ経済に一一〇億ドル以上貢献しているという。将来性のある中国人学部生が多くのアメリカのカレッジから熱心な誘いをうけるのは、これが理由の一つである。この市場の存在を測る指標として、中国にはアメリカのカレッジへの入学申請を手伝う教育コンサルタントという逞しくも新しい産業が生れている。

アメリカの大学が外に開かれ、利用しやすいのとは別に、中国の親たちのあいだにはアメリカの教育が中国よりとにかく上だという認識が広く行き渡っている。アメリカの教育従事者の多くが中国人学生はアメリカ人学生よりも数学と科学に優れていると（正しくも）思っているのに対し、中国の教育従事者の多くが、欧米人、とくにアメリカ人は「革新的」で「創造的思考」ができる一方、（古代の発明精神や近代の革命を経ているはずの）中国人は「伝統的」で「規則に縛られ」、「まる暗記」教育をさせられていると考えている（近年の調査によれば、K―12〔小中高十二年間〕の中国人生徒は、「革新的」なはずのアメリカ人生徒より創造的思考に優れているそうだが）。中国人が革新（イノベーション）で劣っているとされる点について、その一因を「受験地獄」とも呼ばれる「全国普通高等学校招生入学考試」（通称「高考」）をつうじた中国の大学入試の厳しさに帰する人たちもいる。大学入試のための試験の点数だけにこだわる学生が革新的になれるはずがない、という理屈だ。

拷問のような「高考」への恐怖も、中国人学生が留学に走る重要な理由である。二〇一六年六月に行なわれた「高考」を受験したのは前年度より二万人少ない九百四十万人で、北京、遼寧省、江蘇省ではその年の受験者数が経年最低を記録した。理由の一つは、エリート高校の多くが現在二つの進学コースを用意していることだ。一つは「高考」を受けるコース、もう一つは留学コースである。留学コースではアメリカの大学への進学に必要なTOEFLとSATの受験訓練をする。二〇一五年には五十万人以上の高校生が海外進学コースを選んだ。

大学の学部教育について、中国の親や教育従事者は、アメリカのカレッジや大学が世界に通用する「リーダー」を広く育てる一般教養重視のプログラムや一般教育プログラムを売りにしていると考え、それを信じている。たんなる新卒就職のための訓練ではなく、生涯学びつづける批判的学習者を育てるというこの概念は、アメリカの学部教育の根幹だ。実際、「リーダー」を輩出しないアメリカのカレッジはほとんどない。リーダーに従う人たちの方が数は多いが、その市場を求めることに満足するカレッジがあるとは思えない。中国の大学の学長たちはこのアメリカ側の言い分を額面どおりうけとり、リベラルな一般教養重視のカリキュラムを中国の風土に合うように手直しして大学教育に組みこむのに懸命の努力を注いだ。二〇〇六年にハーバード・カレッジがコア・プログラムを新しい一般教育プログラムに入れ換えたとき、その大量のカリキュラム報告と提言書がハーバードの地元マサチューセッツ州ケンブリッジでと同じくらい熱心に北京で読まれていた。中国の一流大学のほぼすべてが一般教育の形式を実験的に取り入れたため、アメリカの一般教育プログラムの模倣がこの概念に箔をつけ、中国の親たちは「じゃあ、本場アメリカで勉強させよう」と考えるようになった。

中国の教育制度の強みは本家の中国より海外で評価されている。ここ数年、中国ほど質と量の両面で高等教育が急速に育った国はないのに、本国では批判が絶えない。中国による大学の世界ランキング調査はイギリスやアメリカのものよりも自国に厳しく、北京大学と清華大学をトップ五十から百位のグループにしか入れていない。そして中国の親たち、学生、教授陣は多くの点で中国に低評価を下す——曰く、必須授業の数が多い、良い授業が報われていない、良い職業はこんなに急拡大したシステムの卒業生を待ってくれるとはかぎらない、アメリカの学部教育の（少なくとも原則として）コアにある自由で開かれた思想交流が、中国では限定的だ、等々。中国の一流大学はみな国立で、中国共産党の書記はふつう大学学長より地位が高い（学長はいずれにせよ党の支配下にある）。高等教育に対して党の果たす役割はなくなるどころか逆に強まっており、それが「世界一流の」地位をめざす中国の大学にとって、克服せねばならない最大の課題になっている。

中国の教育への不信は払拭できるか

中国の高等教育の競争力にとっての課題は、単純な一つの問いに行き着く――（定義はどうあれ）「世界一流の」大学が、政治的な自由の認められない体制下に存在できるのか？ たぶんできるだろうが、充分な自治が認められての話だ。十九世紀ドイツの大学はさんざん政治的圧力をうけたのに、世界の羨望の的だった。なぜなら一つには、創造的思想家を育て、ときには守ってくれる制度的自由の伝統も持ち合わせていたからだ。今日の中国の大学は卓越した学者と世界最高レベルの学生がいることを誇っている。だがこの学生たちはまた、中国共産党のイデオロギーと政治の授業をとるよう強いられ、彼らの学ぶ自国の歴史は漫画レベルだ。一般教育プログラムが導入されたにもかかわらず、政治と歴史の分野では、中国の大学生が卒業するために学ばなければならないことと、彼らの知っている真実との距離は年ごとに広がるばかりだ。習近平主席のもとで政治支配が強まるこの時代、空虚な政治スローガン教育が（教授陣や大学経営陣は言うにおよばず）学生から週何時間も奪うような中国の大学は、二種類の「リーダー」――皮肉屋と日和見主義者――を世に送り出すリスクを冒している。

だとすればアメリカの大学は、たぶん労することなく、リーダーを育てる革新的な場として、いまだに日溜まりでぬくぬくと日々を過ごしている。どのみち中国の現実のリーダーたちは子弟をアメリカの大学に送りこみ、その数は増えつづけている。親が子供をどこに留学させるかを見れば、その親についていろいろなことがわかる。一九二〇年代と三〇年代、中国のトップリーダーだった蔣介石は、二人の息子を当時の世界二大強国に留学させた。長男の蔣経国は革命家を育てる目的で創立されたモスクワの中山大学へ、次男の蔣緯国はミュンヘンのドイツ陸軍士官学校へ送られた。今日、中国最強の政治家たち——習近平主席やその天敵、元・重慶党委の薄熙来など——の子弟はアメリカの超一流大学やカレッジで学ぶ。いま中国で最も権威があり、最も強いコネを持つ北京人学や清華大学ですら、アメリカその他の一流大学に学生を奪われている。

この状況はいつまでつづくだろう? アメリカの大学は二十世紀には世界の羨望の的だったかもしれないが、十九世紀にはそうではなかったし、二十一世紀もそうありつづけるという保証はない。中国の大学が世界一魅力的な学びの場になるかもしれないし、(清華大学のシュワルツマン奨学金や北京大学の燕京学堂では)真に驚くべき試みが行なわれて、世界の才能を中国に集めようとしている。しかしアメリカが出資して十万人のアメリカ人学生を中国に留学させようという「十万強」計画は、勇ましい掛け声にもかかわらず、実際に中国へ留学したアメリカ人学生の数はいまだにアメリカへ留学する中国人学生の三分の一にとどまり(二〇一四年の二万四千二百三人から下落して二〇一五年には二万千九百七十五人)、増える見込みもなさそうだ。

今のところ、アメリカへ(それより少ないが、かなりの数が留学するイギリス、オーストラリア、日本へ)流入する中国人の数は増えつづけている。留学生の大半はやがて中国へ戻り、重要な貢献をするだろう。だが教育移民の大量流入は、アメリカの大学への信頼というよりは、中国の教育機関への不信感や不確実性のせいかもしれない。現在の抑圧的で不安な政治風土ではなおさらだ。中国の親たちは何より大切な人的資本である我が子を海外に出すばかりか、今では実物資産まで海外に送っている。子供と金の両方を同時に国から脱出させているわけだ。こうしたことすべてが自動的にアメリカの得になるわけではない。少なくともイリノイ大学のジェイムズ学長が百年以上前に考えたこととは違う。だがそれは中国の直近の未来に対する信任票にはなるまい。

第Ⅵ部　歴史と文化

Q.28 今日の中国で孔子とは何者か？

マイケル・プエット
ハーバード大学教授／中国史・人類学

〝二十一世紀初めの中国では、この国はおのれの価値観を失ったのか、すべてが富と権力だけの世界になったのかという自意識に満ちた議論が起こる。この議論から孔子が戻ってきた。〟

伝統破壊の時代

二十世紀の大半をつうじて、孔子は中国が近代世界の仲間入りするために否定せねばならないものの権化とされてきた。孔子は伝統的社会秩序の後ろ盾として描かれ、人間はそこで与えられた役割と義務を受け入れ、儀式をつうじて順応しなければならない。従って人々がそういう役割と義務を生き抜くならば、社会は調和する。父親は正しい父親、息子は孝行息子、妻は貞淑な妻。こうした社会的役割とともに、儀式はまた、宇宙そのものが調和した体系であるという、全人類に通じる正しい信条も教えこむ。人がその社会的役割に正しく従うなら、社会は調和するだけでなく、宇宙の太和とも合致する。従って人の目標は、伝統が定めたとおりの社会と世界をただ受け入れることだけだ。こういう考え方の背後にあって哲学者と言われる孔子は、伝統的思考の究極のシンボルだった。

孔子の対極にあるのがモダニズムを自認するビジョンである。この見方に従えば、人は伝統的世界をすべて破壊し、世界を新たにつくりなおさなければならない。二十世紀前半の中国では、ほかと同様、資本主義、社会主義、共産主義のうち、どのビジョンを採るべきかで議論が渦巻いていた。一九四九年、これらモダニズム的××主義の一つ、共産主義が勝利した。

毛沢東は人々に、立ち上がれ、新しい平等な社会を構築せよと呼びかけた。そしてその重要な一パーツが孔子の全否定だった。そうした否定は文化大革命で極致に達した。過去を一掃し、新しい共産主義の現実をつくり出す運動の一環として、孔子がらみの文献や所産品が破壊された。毛沢東はこう言う――革命から二十年がたち、共産党の幹部はさながら新たな士大夫階級同然、伝統的思考へ遡行する危険の中にいる。文革中の毛沢東は、(彼の愛読する歴史書によれば) かつて党幹部たちが立ち上がって最後の王朝の党幹部と戦ったように、立ち上がって党幹部と戦えと人々に呼びかけた。毛沢東は (林彪のような) 敵対者に「儒者」とあからさまなレッテルを貼り、だからこいつらは滅ぼさねばならないと訴えた。

伝統的と目される世界のモダニズム的否定は何ら新しいものではない。現に文革中に毛沢東ははっきりと自分を秦の始皇帝になぞらえている。紀元前二二一年に競合諸国を統一した始皇帝は、先行する三王朝〔夏・商・周〕の伝統的世界を滅ぼそうとした。始皇帝はまた、過去の社会に範をとりたがる知識人を滅ぼそうとし、なかんずく儒者は (当時も) 軽蔑の対象で、ある史料によると、始皇帝の命令で生き埋めにされたという。毛沢東は自分と始皇帝の唯一の違いは、自分の方が無慈悲だという点だと嘯(うそぶ)いた。始皇帝が正しくも滅ぼそうとして結局は失敗した思想を、自分は徹底的に根絶するというのだ。

始皇帝のモダニズム革命が失敗したというなら、毛沢東も実は最終的に失敗している。彼の共産主義ビジョンは信用を失い、やがて資本主義へ急カーブが切られた。二十世紀末の中国はまさに世界一過激なレッセフェール資本主義システムの一つになった。しかし伝統的儒教社会からの脱却と近代世界への参入というレトリックは終わらない——今度は近代世界が共産主義でなく資本主義という名前になっただけだ。

孔子の復活

中国がネオリベラル資本主義の過激な形態に切り替わった結果、すさまじい経済成長時代が訪れた。しかしそれは同時に極端な収入格差によってますます両極化する社会を生むことにもなった。二十一世紀初めの中国では、この国はおのれの価値観を失ったのか、すべてが富と権力だけの世界になったのかという自意識に満ちた議論が起こる。

この議論から孔子が戻ってきた。

孔子再考の発端は中国本体ではなく、二十年ほど遡ったアジアの一角である。一九八〇年代、シンガポールが国家資本主義の一形態を発展させはじめた。そこでは高学歴の官僚が、市場経済を支えるだけでなく、監督もする。このエリート集団は民主的な選挙ではなく、一種の能力主義で選ばれる。実を言うとシンガポール政府は、この能力主義が儒教的価値観にもとづくものだとはっきり述べている——そこでは役人が公共インフラや法体系のほか庶民の道徳管理にも責任を持つ。このような儒教的ビジョンは、欧米で行なわれている個人主義的、非道徳的な近代の形態に対する解毒剤だとも言われた。

それまでの十年間圧倒的だった伝統 vs 近代という枠組みでは、孔子は滅ぼされるべき伝統世界のアイコンだったが、シンガポールは逆に東西文化の分断を強調し、今や孔子が称賛されるべき東のアイコンになったのである。

中華人民共和国も徐々にこれを自分たちの枠組みとして取り入れていく。ここ数年、中国は能力主義を政府の人材登用の基準として強化し、公共インフラ、教育、緑化技術への大規模な国家投資の重要性を強く主張してきた。さらに、こうしたアプローチが欧米で支配的な観点とますます対比されるようになった。過去数十年、世界では限定的な政府と民営化を特徴とするネオリベラリズムの一形態が支配的になったが、中国はこれと違い、シンガポールに範をとる儒教的な、きわめて成功した資本主義システムによる社会——ただし再開発途上の統治形態ではあるが——を自認して登場する。こうして、世界の指導者を目指すという中国の主張の一部は、儒教型の統治形態をとる中国なら、ロビーの利益に大きく左右される統治構造のアメリカには対処できない、経済的不平等や気候変動のような問題と取り組むことができるという議論にますます傾いていく。

孔子が共産主義ユートピアという毛沢東の夢にとって最も憎むべき敵だったとすれば、中国の新しい体制にとっては、孔子こそまさに欧米のネオリベラリズムに比肩する代替物だ。この主張に関連して登場したのが、かつて伝統的中国文化として毀損されてきたものについて世界を教育するのを目的とする国際的サービス活動だった。潤沢な政府資金に支えられた孔子学院という名の施設が世界中に建設され、中国語と中国文化の学習を後押しする。一度壊された伝統が、今や二十一世紀の人類に新たな可能性をもたらすビジョンを体現するものとして提供される。孔子がかつて人間の背骨を支える伝統的世界観を代表するものだったとすれば、現代の孔子は欧米の近代性一般の抱える疎外、個人主義、人間中心主義、さらに具体的には欧米社会に見られる機能不全の統治形態の代替物を代表するものになった。

孔子評価のゆくえ

だが伝統のどこを探せばそのような孔子の教えがあるのだろうか。伝統的思想家としての孔子の観点は人々に自分の役割に従順に従えと強いるが、これは中華帝国後期〔Late Imperial China は英語圏のシナ学の術語で、主に明清を指す〕のごく限られた教え〔清の考証学〕にもとづいている。それと逆に、新しい教え〔朱子学〕はその発想の多くを漢王朝とそのあとの唐から得ている。漢は始皇帝の秦が短期間で滅びたあと権力を握った王朝で、始皇帝のイノベーションの多くを引き継いだが、同時に過去の伝統の上に積み上げる思考に回帰している。儒者たちは迫害される代わりに宮廷へ招かれ、やがて帝国の官僚制を司る新しい官員階級になった。彼らはエリート能力主義の創出を支え、国家は公共インフラの構築と法制度の運用をまかされた教養エリートによって運営されるようになる。

中国の現状も前漢と同じく、毛沢東のイノベーションの上に築かれた体制が、能力主義の形成をつうじて強い国家を作るのだろうか。そして漢や後継の唐がそうだったように、これから数世紀、中国は世界有数の成功した国家として歴史に残るのだろうか。

これが中国で行なわれている大きな論争の一部である。現在という瞬間を伝統vs近代、東vs西の枠組み、それらの組み合わせ、あるいは全く別物という括りで考えていいものだろうか。そして孔子は救世主なのか、それとも破壊せねばならない思想の持主なのか。

この論争はいろいろな姿で登場する。最近は秦、漢、唐のほか中華帝国後期についての映画がよく作られている。それとなく現代および現代と古代史との関係を論ずるための方法だ。孔子についての映画や本も出回り始めた。だがそれは中華帝国後期との関連で描く孔子ではないし、漢や唐と関連させた孔子ですらなく、孔子の弟子たちがさまざまに記録した教えを記した書物、『論語』に描かれた孔子である。ここにも対立するビジョンが現れた——新しい道徳観を創出した賢人としての孔子（たとえば于丹（うたん）のベストセラー本）、あるいは善き教師たろうと格闘する人間孔子（たとえば李磷（りりん）のライバル本）である。

一世紀におよぶ伝統否定のあと、私たちが目撃しているのは、中国史のスリリングな瞬間である。過去が活発に論じられ、再解釈され、新たな役割を与えられる。今後どのような展開になるかはわからないが、これはじっくり観察する価値のある論争だ。そこからどんな孔子が現れるか、そして古代史との対比で今の瞬間がどのように理解されるか——それは、中国社会がどのような姿になるか、またその未来社会が世界との関係でどのような位置を占めるかを決める大きな岐路になるだろう。

Q.29 シルクロードはどこから来たか？

ローワン・フラッド
ハーバード大学教授／考古学

〝「シルクロード」という歴史概念は十九世紀につくられたものであり、おそらく長距離地域間交流の最も象徴的な例だろう。だがこういう交流が形成された時期は実際のシルクロードより遥かに時代を遡るし、ずっと複雑で多様な地域が入り組む、相互交流と関係性のネットワークだった。〟

シルクロードとは何か

技術と思想の個人間、コミュニティ間の交流は、人類の起源から古代国家の成立へ、そして地理的な巨大帝国へと発展する人類文化の進化にとって第一の要因だった。いま中華人民共和国の版図となっている地域でも、文化の発展とアイデンティティはそうした文化間移動に長いこと影響されてきた。この移動に関する近年の研究は、中国文明の起源がかつて思われていたほど地理的に孤立しておらず、もっと相互交渉があったことを示しており、結果として、中国のルーツへの私たちの理解のしかたを一変させただけでなく、グローバル化した二十一世紀の世界で中国が占める位置へのメタファーを提供してくれる。中国主導によるユーラシアの地域統合戦略として最近とくに強調される「一帯一路」はその固有の表明であり、中国の現在とたぶん過去の両方で、孤立ではなく相互連係する経済・政治世界という考え方を前面に押し出したものである。

中国文明の起源はそもそも地域間交流に大きく依拠しており、その最も重要なもののいくつかはシルクロードと地理的空間が重なる。この「シルクロード」という歴史概念は十九世紀につくられたものであり、おそらく長距離地域間交流の最も象徴的な例だろう（「一帯一路」戦略も、暗にではあるが、そこに由来する概念）。だがこういう交流が形成された時期は実際のシルクロードより遥かに時代を遡るし（そのころシルク（絹）はやりとりされていなかった）、それはずっと複雑で多様な地域が入り組む、相互交流と関係性のネットワークだった。とはいえ、シルクロードが商業やアイデアの交換をつうじて遠く隔たった文化を結びつけるのに役立ったように、そうした初期の交流によって「原シルクロード」が形成され、それに関わった社会やコミュニティに同じように重大なインパクトを与えた。こうして華北の中央部に導入された技術が、紀元前三〇〇〇－二〇〇〇年紀に――中国文明が始まったとされる時期――複雑で政治的広がりを持つ政体が発展する基礎となったのである。

歴史的シルクロードとはユーラシアを横切る交易路と交通路のネットワークのことで、これが最初に定まり、要塞化されたのは紀元前一〇〇〇年紀の後半である――これは、とくに漢（前二〇六－後二二〇）から唐（六一八－九〇七）にかけて、交通量の多いネットワークに発展した。中国の文献史料では、人々の移動制限や駐屯軍の設置をつうじてこのルートを管理しようとしていたことが強調されている。もちろんシルクロードは絹の輸送だけに限定されていたわけではないし、絹は主力物品ですらなかった。ユーラシア横断シルクロード網のうち、東南アジアへ向かう支線ルートとチベット高原を越える支線ルートについては、別の主力商品、とくに茶と馬がしばしば言及されている。さらに言うなら、全域、全時期をつうじて交易が交流の主要形態だったとは確定すらしていないが、全歴史をつうじて、これら多くの支線ルートが言語、価値観、宗教、生活様式、慣習、技術の異なる人々の相互接触に寄与していたことがわかっている。

ユーラシアを横断する技術の長距離移動の証拠は歴史時代に限定されない。歴史時代の交易はふつう、商人が定まったルートを通って絹その他の商品をやりとりし、それを帝国の行政機関や前哨基地の軍隊が監督するシステムと考えられているが、最近始まった詳しい研究では、実は新しい素材と活動という形の技術移動があり、互いに何らかの接触があったに違いないコミュニティによって、しだいに広域で使われるようになったと言われている。

農業技術の移動

こうした活動や事物は多くの「技術領域」（つまり素材資源やその関連知識、信仰、社会的関係の変容の集合体）の内部で一体化する。農業技術の一部に長距離の接触があったことを説明してくれる例として、たとえば最初は東南アジアで栽培種となった穀物や家畜化された動物——畜牛、羊、山羊、大麦、小麦など——が、紀元前三〇〇〇－二〇〇〇年紀のある時期に東アジアのコミュニティで使われるようになったことが最近わかった。だがこうして新たに家畜化された動物や栽培種になった植物は、単体の移民集団が持ちこむ「パッケージ」の一部だったのではない。こういうものは中央アジアと中国北西部の広大な地域で、さまざまなコミュニティにより、それぞれ異なる度合いで導入されている。いくつかのケースでは、導入された植物は既存の自給自足穀物の補助程度にすぎず、おそらく摂取カロリー全体に対して大きな比重を占めない。別のケースでは新来の穀物が贅沢品として扱われたり、アルコール飲料の材料に使われたりしたらしい。だが新しく栽培種となった植物がもっと広く占有が可能な新しい環境領域をつくり、たとえばチベット高原のそれまでより高い土地に農耕地が開かれた例もある。

新たに導入された家畜も同様に、まったく新しい自給自足手段や、宗教活動の焦点になった。たとえば畜牛は紀元前二〇〇〇年紀の後半、しだいに宗教活動にとって重要な役割を果たすようになったことが知られているが、これは畜牛が南西アジアからまだよくわかっていないルートを通って導入された時期よりずっと後のことだ。しかし同時期に中国原産の野生牛が同じ目的のために使われていたことを考えると、宗教儀式にとっては家畜化だけが重要要素だったわけではないと言えよう。しかしながら家畜化された牛は確かに扱いやすい。おそらくそのせいで、生贄その他の宗教儀式に畜牛が多用されるようになったのだろう。

宗教儀式に動物が使われる一例が「甲骨卜占」(pyro-osteomancy =骨の加熱による占い)と呼ばれる託宣儀式で、ふつう哺乳動物の肩甲骨や亀の腹甲が使われる。これをとくに重用したのは、一次史料で中国の第一王朝と認証されている商王朝(前一五〇〇–一〇五〇頃)だ。商の文献史料というのは、実は託宣を目的に焼かれた(従来から甲骨と呼ばれる)骨の上に書かれた文字である。このような託宣の慣習は中央アジアやそれ以西では見られないが、中国北西の甘粛省の伝統的シルクロードから中国北東の内蒙古や遼寧省まで広がるいわゆる「北域」で、その最古の例がいくつか見られる。こうした初期の託宣では鹿などの野生動物、あるいは(中国国内で家畜化された)豚や(「原シルクロード」網経由で導入されたもう一つの家畜である)羊の肩甲骨が使われることが多い。

このように移動した畜産技術のうち、おそらく最も大きく変わったのは、家畜化された馬と、馬車など馬に関連する装備や機器の利用だろう。商王朝に始まった馬の家畜化は、戦争の性格と「中原」というステータスの持つ象徴性に大きく影響した。馬の家畜化は中央アジアのどこかで起きたが、そのプロセスがよくわかっていないだけでなく、東アジアへ導入された正確な時期も、その移動ルートもわかっていない。ただし最も早い時期の証拠によれば、それは中国北西部だったようだ。前述した動植物の導入の場合もそうだが、おそらく馬も異なる時期に異なる使い方で導入された。馬を受け入れるときのインパクトは、受け入れ側のやり方に馬が順応できるかどうかによって、状況が大きく異なる。人口の大移動がない場合、技術の移動は、地元コミュニティの成員がそれぞれの課題と格闘するプロセスと理解すべきであり、それは彼らの伝統的な暮らしにさまざまな程度で関わってくる。

加熱加工技術の移動

原シルクロード沿いの技術移転はむろん農業に限らないし、西から東への動きが主だったわけでもない。たとえば青銅冶金はパイロテクノロジー（加熱加工技術）としてとくに重要だ。これは紀元前三〇〇〇年紀後半に中国北西部で初めて行なわれたらしく、その技法はそれ以前の中央アジアの冶金と関係している（とくに小型の道具や装飾品の生産）。紀元前二〇〇〇年紀半ば頃、中原の青銅冶金は商など台頭してきた中央集権政体にとって最も重要な経済活動の一つになった。それから一千年のあいだ、青銅製の武器や祭祀用青銅器の製造は、ほかのどの活動よりも国家の注目を集め、資源が投じられた。

主として東から西へ向かう技術の交流と影響を示す証拠の一つは中国北西部の陶磁器・土器の製造様式である。磁器の生産は考古学研究にとって経済・技術活動と様式を調べる上で重要な証拠である。なぜなら磁器は保存が良いし、デザインの類似性にこだわるその製法が、一部の学者によれば、様式の共有や交流と関係しているかもしれないからだ。新石器時代後期（紀元前三〇〇〇年紀）の中国北西部では複数の様式の彩文土器（彩陶）が、異なる時期に、異なる地域で作られ、使われていた。考古学的発見の分布を地図に落とすと、時とともに東から西へ移っており、原シルクロード網のこの辺りで彩文土器が使われている地域が拡大していることがわかる。

彩文土器は、この地域の思想と技術の交流が私たちの中国文明理解にどう影響したかというもう一つの局面で、実は重要な役割を果たしている。二十世紀初め、欧米諸政府との経済的不平等関係と清王朝の宮廷内抗争が何年もつづき、中国の知識人のあいだに深い不信感が広がった。知識人の一部は海外に哲学的刺激を求め、一九一〇年代に登場した新政府はあらゆる種類の科学および行政の課題への支援を積極的に海外に求めて、新しい共和国政府に助言してもらうために外国人専門家を招聘し、「近代」思想や技術を導入した。そうしたお雇い外国人の一人がユハン・グンナール・アンデショーン（ジョン・グナー・アンダーソン）というスウェーデンの地質学者だった。

彼の物語、そして（やや議論はあるものの）中国の考古学の形成に果たした彼の役割については、くりかえし語られてきた。地質学者としての興味から地層に着目していたアンデショーンは、文献史料で中国の起源とされていた時期にはるかに先立つ人類の活動の証拠にたどりつくにはうってつけの人材だった。彼の最も重要な貢献の一つは河南省澠池（べんち）県仰韶（ヤンシャオ）村の先史遺跡の発見である。今日、仰韶文化（前五〇〇〇–三〇〇〇頃）として知られる新石器文化だ。もう一つは周口店の旧石器時代の洞窟遺跡の発見で、ここからは「北京原人」として知られるホモ・エレクトスの化石が大量にみつかった。彼がまとめた中国の「先史」時代に関する研究成果は中国文明の起源への理解に大転換をもたらした（中国文明という概念にとっては文献史料の存在が欠かせないが、先史時代はそれに先立つ文献史料のない時代をいう）。

アンデショーンは、先史時代の仰韶文化の彩文土器は、たとえばトルクメニスタンで発掘された標本のような、別の彩文土器と関係があるに違いないと唱えた。新石器時代の中国の起源が西アジアや中央アジアの先史文化にあるということは、そもそも中国文明自体がどこか別のところで生れた伝統、文化、慣習から派生したのかもしれないということだ。これはアンデションの意図した結論ではなかったようだが、それでも彼はこの関係を証明するものを発見したいと考えた。そこで彼は中国北西部のあちこちで地質を調べ、彩文土器文化の標本をさらに発掘してまわった。

こうした考古学時代の文化は、原シルクロード世界の一部だった先史時代のさまざまなコミュニティの伝統を語るものだ。もしもアンデションが予備的な考古学的作業をしていなければ、そしてその後、彩文土器という証拠をつうじて中央アジアとの関連を追っていなければ、中国の奥深い起源への理解に今日の発展はなかっただろう。さらに彼は現在の研究の土台も築いた。そして今その研究が、原シルクロードが中国文明の起源と発展にいかに寄与したかを明らかにしつつある。原シルクロードは、前近代の高速道路としてアジアを横切るたった一本のルートとは似ても似つかぬ、交流と活動の複雑なネットワークだった。いま私たちは中国北西部全域で、活発な考古学研究をつうじてそのことを理解しはじめたところだ。だが、社会階層と、やがて広範囲に広がる国家群が中国の中枢部で発展したプロセスを完全に把握しようとするには、その理解が欠かせない。シルクロードはどこから来たか、その起源を知ることは大切だ。なぜならそれは中国文明が現在も過去もいかに複雑で多様であるか、また多方面における思想と技術の交流が、文化と政治の発展にとって、いかに絶対不可欠な証拠となるかを示してくれるからである。

Q.30 知識人は中国の政治にとってなぜ大切なのか？

ピーター・K・ボル
ハーバード大学教授／中国史

〝知識人が仲介者としての通常の役割を超えるのは、まさに政治と社会が断絶する時代だった。そういうとき知識人は思想家になる。彼らは、統治者はどう行動すべきか、理想的政治秩序とは何かを統治者に語り、人々に向かっては、人はどうしたら道徳的でいられるかを語った。〟

知識人の役割

古代から、そしてむろん二千五百年ほど前の孔子の時代から、政府の仕事をすることと、政府を持つことを正当とする根拠を明確化することとのあいだには区別があった。政府の仕事をするには、軍事、司法、徴税という政府の役割を監督できる行政官が必要だ。紀元前三世紀の中央集権政府の制度は、行政官を独立の権力を持つことの多い貴族から、システムの利益に奉仕することによってキャリアアップする官僚に変えた。初めのうち、正当性の明確化は行為の問題だった。統治には、主人と臣下を一体にし、生きている者と祖先、人間社会とそれが埋め込まれている宇宙との仲介者としての役割を支配者が果たせるようにするための慣行や儀礼に精通した人々が必要だ。

だが慣行だけではない。紀元前一〇〇〇年紀、政治の正当化と正統性のための新しい媒体が現れた――書くことである。儀式は行為だ。実効性のある行動の形式だ。書くことは実効性のある行動を説明し、求めることはできるが、それは一歩退いた存在である。孔子は言った。「どれほど行ないの方を望んだことか。だが私にあるのは虚しい言葉だけ」。孔子はあまり正しいとは言えない。なぜなら、書面に書かれた主張はたいてい行動や政治という結果を生むからだ。古(いにしえ)の詩人は言った。「大いなる神は……四方を見下ろし……統治の緩みを憎みて／西に視線を移し……ここを居所とせり」(「皇矣上帝……監觀四方……憎其式廓、乃眷西顧、止維與宅」『詩経』大雅・皇矣)。これは紀元前十一世紀に周が商を転覆したことを正当化する記述だが、それだけでなく、政治権力を維持する――「天命」を摑んで離さない――のは統治の質しだいという考えを導入したものでもある。つまり、周の統治者に統治責任があるという新しい基準を提示し、「天命」の永続性を否定したのである。これは、中国は歴史的に体制の正統性を「伝統」に求め、国民が国家の命令に従うのは単にそうするのが習慣だからだというマックス・ウェーバーの見解(本書Q.1のエリザベス・ペリー参照)への挑戦だ。

書くことはこのように権力を行使する手段でもあったが、そこには儀式の執行を遥かに超える意味があった。それは過去の記録を可能にすると同時に、軍ではなく民の秩序という考え方そのものを下支えし、また軍、民、手段を問わず、遠くからの情報伝達をつうじて発効する統治という考え方の根拠となったのである。書き手は王朝権力の正統性を明確にしたが、同時に最古の支配者たちは継承特権ではなく能力によって選ばれた者であるとする文書を作成し、また統治者に対抗する被統治者のために語る詩文をまとめた。

このように政府正当化の理由を提供する者は、官僚ではなく「知識人」と呼ばれるが、それは必ずしも彼らが政治権力の外側にいるという意味ではない。現に中国史の大半をつうじ、宗教秩序の外にあって書き手、思想家として名声を馳せた者の大半は一定期間政府の職にあり、何らかの官位を持っていたと言ってよいだろう。

しかし官僚と知識人の関係——政治権力を握り、政府を運営する者と、政府が何をすべきかについて考え、書く者との関係——はけっして一定ではなかった。また政治に限られていたわけでもない。知識人が仲介者としての通常の役割を超えるのは、まさに政治と社会が断絶する時代だった。そういうとき知識人は思想家になる。彼らは、統治者はどう行動すべきか、理想的政治秩序とは何かを統治者に語り、人々に向かっては、人はどうしたら道徳的でいられるかを語った。統治者より上に権威があるとし、そのことを語り、そのために語る能力が自分にはあるとするのが知識人だった。

権威の源はどこにあるか

中国の歴史上、その権威がどこに見出せるのか、あるいは政府と社会が権威と調和するにはどのように変わらねばならないかという問いに対する答が一つだったためしはない。周の詩人たちはこう答えた——賢明な王朝創始者に範をとれと。「上天のなすところ、声もなく匂いもなし。ただよく文王に則らば、万邦信をなす」(「上天之載、無聲無臭。儀刑文王、萬邦作孚」『詩経』大雅・文王)。この教えは後のさまざまな時代に、たとえば唐、明の開祖を讃えて、また、近くは毛沢東の賛美者によってくりかえされた。しかし別の答もある。普遍帝国の宇宙理論は、統治の質と自然の状態とが必ず共振していると説く。だから安定して予測可能なはずの自然界の営みに——地震や突然の日蝕など——いかなる異変が起きても、それは失政の印に違いない。

そのような解釈に直面して、官僚はどう応えるか選ばねばならない。概して政府はできる限りの対策を講じるが、政敵は自然災害を根拠に失政を非難するかもしれず、また実際にそうしてきた。その結果、官僚は悪い知らせを軽視したり、ときには握りつぶしたりする。いずれの反応も中国の直近のできごとを見れば明らかだ。

知識人が唱える権威の源はほかにもあったし、今もある。歴史を書くことと書き直すことは、紀元前二世紀末の司馬遷による文明史の偉大な解釈以来ずっと行なわれてきた。司馬遷の功績の一つは、同時代の問題が時の経過の中でどう進展したかを示し、それがいかに生じたかを知ることによってのみ、それを覆すことができるとしたことだ。さらに、司馬遷は過去の専制君主が犯した誤った政策を、自分の主人が採用したことを指摘した。一千年ののち、歴史家で反対勢力のリーダーだった司馬光（一〇一九―八六、宋代）は過去千五百年の歴史を書き、王朝が生き残るためには、社会を理想のモデルに合わせてそれを変えようとする政府の力にはどうしても限界があることを最終的に認識しなければならないと指摘した――この場合の理想とは、儒教の古典に権威を見出した他の知識人が進化させたものである。それからさらに一千年がたち、歴史家の銭穆（一八九五―一九九〇）は、中世の中国（司馬光の時代）の、庶民でも宰相になれる科挙制度に近代社会の始まる兆しを見た。歴史解釈というものはつねに現在についての議論であり、もっと穿った言い方をすれば、現在にとって過去が意味するものについての議論である。過去は継承すべきものか、それとも抵抗すべきものか？　破壊すべき残滓か、それとも回復すべき栄光か？　悪者は誰だ？　立派な人物は誰だ？　歴史を書くことはほぼつねにイデオロギー論争に絡めとられてきた。

最近まで中国のイデオロギー論争では儒教の古典が格好の材料だったが、それには理由がある。儒教の古典は文明の始まりの物語なのである。（ただし三百年ほど前から、学者たちは最古と思われていた文献の一部が実はそうではないと言いだした。本書でシルクロードの章を書いたローワン・フラッドによれば、近代考古学のおかげで中国文明の起源はこれまでと大きく異なる姿を現したという）。儒教の古典は政治・道徳思想の基礎であり、文学の基礎でもある。人によっては、こういう多様な書籍が、過去の遺物の中にしか存在しない統合された理想の社会秩序――後世になって虚しい回復の努力はあったが――について首尾一貫した説明をしてくれると考えた。このように貴重な文献にふさわしくあるために、知識人たちは、政府が何をなすべきか、人はいかに学び、思索すべきかという議論にとって最善の道は、古典の再解釈だと気づいた。こうしてあるときは時代の正論に逆らい、あるときは矛盾する解釈を統合しようとして、古典にくりかえし解釈が加えられた。しかし、当初は異論として提言されたものが、支持者を得れば新しい正論になる。有名な解釈者はみな、ついに正しい自分の議論が受け入れられたと考えた。

朱子学の誕生と科挙

七世紀初めの唐で、宮廷こそ政治権力の中心であるという考え方から、三世紀にわたる分裂を経て分かれた南北の学者による解釈の統合を求めて、古典の新しい解釈が生れた。だが、最も重要で永続性のある古典再解釈は、宮廷ではなく、対立側の知識人からやってきた。これが十二世紀の朱熹〔一一三〇―一二〇〇〕による偉大な新儒学〔朱子学〕の解釈である。朱熹は国家権力の拡大、および政府の介入をつうじて社会を変える試みと戦おうとした。これが重要なのは、朱熹の注釈が科挙制度の一部になり、二十世紀初めに到るまで、高等教育をうけたすべての人の学習の一部になったからだ。政治権力への道は教育を経なければならない――そして教育こそ知識人の仕事である。科挙に合格したからといって、教育をうけた人々が自分の教わったことに納得していたわけではない。だがそこに共通の語彙と、物事に対する理解と対処のテンプレート一式が生れた。だが新儒学の解釈はそれ以上のものをもたらした。学びの焦点を、政治システムを機能させることから道徳的・社会的に責任ある個人をつくりだすことに変えたのである。これは個人の努力で実現できる道徳的本性を誰もが持っているという哲学的主張のみによってなし遂げられたのではなく、伝統的古典に勝るものとして四書――『論語』、『孟子』、『大学』、『中庸』――を優先することによって達成された。新儒学の解釈によれば、四書は政治システムにではなく、個人が学びをつうじて道徳的に責任のある主体当事者になれる方法に的をしぼった教材である。

科挙のルーツは古いが、これが官員登用試験の主力になったのは十世紀後半になってからのことだ。最初のうちは文学の教養を測る能力テストだったのが、のちに四書の解釈理解が採点の目安になった。そして教育システムの拡充と連動して、各県に国立の学校が置かれ、私塾も数百を数えた。十三世紀に中国を征服し、科挙の役割を厳しく制限したモンゴル族の元王朝ですら、学校や塾の財源を増額している。十六世紀のヨーロッパ人の目には、科挙制度が哲学者を王にするプラトンの理想に近いものに見えた。にわかには信じがたいが、これほど大きな国が官僚制度のために教育を必須の準備過程としたことは、まさに只事ではない。

だがもしかすると、中国の巨大さがそれに関係しているのかもしれない（そのほかに、中世の貴族制の崩壊、商業の発展、地方社会における知識階級や教育をうけたエリートの影響力の増大もあるが）。任官していなくても科挙教育をうけた数十万人の知識階級がいつもいて、全土で同じ教育程度の地方知識人の集団が同じ知識量と、望むらくは同じ価値観を共有している。科挙教育は職業教育ではあるものの、その目的性はきわめて薄く、要求されるのは過去の教材と現在の解釈の知識、文章形式の高度な専門技能だ。この学問は孔子と後継の儒家が「自分のための学び」と呼んだものに近く、「他人のための学び」ではない。論理と批判的思考、広い視野と歴史の深み、道徳的な課題と選択にこだわる科学教育は、科学ぬきの一般教養教育の理想形に近い。根源的レベルで近代教育もまた、ただの試験合格をめざすガリ勉ではなく、価値観を教えこもうとしている。

そこでいつも議論されるのは、どの価値観を学生に教えこむかということだ。仁と義か？　忠と孝か？　物事を調べ、知識を得ることか？　だがそこにはまた、古代の復活か新しいものの創造か、国家への奉仕か家族の繁栄か、制度の構築か自己修養かなどをめぐる緊張もあった。

知識人は批判者たりうるか

現代の中国ではそうした議論がふたたび浮上している。最初はリベラルと新左派の分断だった。前者はグローバル化する市場経済における選択の自由が政治における選択の自由につながるべきだと主張し、後者はグローバル化と市場経済の結果生れた不平等の拡大は、社会主義時代の集団主義政策に戻ることによってのみ対処できると主張する。そこへ「第三の道」の提唱者が現れた。これは中国独特の発想で、言外にリベラルでも社会主義でもないという含みがある。それは、中国の偉大さの鍵は歴史に見出せるという考え方だが、その歴史とはかつて封建的と貶められたものだった。一部の人にとって、それは権力の問題だ。彼らは、中国は他者を支配することによってのみ、世界の中で正しい位置を回復できると考える。また別の人々は、中国の偉大さは儒教の価値観の上に築かれた文明の回復にあると唱えた（ただし、そうした価値観が人間中心的であるか、権威主義的であるかについての合意はない）。はっきりしているのは、いずれの陣営の知識人も（過去の知識人もそうしたように）それぞれの立場に政府の支持を求め、中国の未来を導く存在として自分を確立しようとしていることだ。

現在、党指導部は儒教派と社会主義派の双方を支持することにしている。習近平主席は、中国国家の偉大さの回復は儒教の復活にかかっていると主張した儒教哲学者、故・湯一介との写真撮影のために北京大学を訪れ、儒学の経書『大学』が社会主義的価値観の基礎であるという講演を行なった。大学の「国学」研究施設は政府から潤沢な助成金を得ている。中国以外の文明や歴史の経験に基づいて体制を批判する知識人にとっては冬の時代だ。だが中国の人文学を学んだ人たちにとっては、中国を真の中国にするような価値観の解釈の権威として自分たちを確立し、やがて体制の支持者であると同時に批判者でもある地位につくには絶好の機会だ。

古代から中国の歴史には、官僚と政治家を必要とする政府の仕事を、知識人の努力と結びつけようとする、絶えざる関与があった。権力者が教育の管理と価値観をめぐる議論を知識人の手から奪うこともあった。しかし過去一千年にわたって一般的だったパターンは、時代の支配的な知的動向を政府が認めることと、知識人を批判者ではなく支持者として政府に取り込むことの組み合わせである。だが個人教育が政治の成功に不可欠とされているかぎり、政治権力と知的権威のあいだに生じるこの緊張は避けられない。おそらくそれは、この国に見出せる中国文明の性格にあると言うべきかもしれない。

Q.31 中国古典小説はなぜ大切なのか？

李恵儀
ハーバード大学教授／中国文学

〝大切なのはこれらの小説をたんに表紙と裏表紙で挟まれたページの集積と思わず、中国の文明と文化史への入口ととらえることだ。こうした作品は、その前史とその後の展開を含めると延べ数世紀に及び、重要な文化の動向や変貌への洞察を与えてくれる。〟

日常の一部となった古典小説

明（一三五八―一六四四）と清（一六四四―一九一一）の中国古典小説は現代の中国語圏に活き活きと息づいている。たとえばシェークスピア劇とディズニー映画の混在を想像してみてほしい。あるいはオセロ、ミスター・ダーシー、ユーライア・ヒープ、ジェイン・エアが庶民の気軽な会話に出てくる状況を思い描いてほしい。言語や文化の日頃の区別は、こういう作品に当てはまらないようだ。登場人物、あらすじ、作品中のせりふや語句が日常の言辞や国民心理の一部となる。こうした小説はヨーロッパの偉大な伝統文学とは比べものにならないくらい、社会のあらゆるレベルに浸透している。中でも有名なのは「明の四大奇書」と呼ばれる『三国志演義』〈中華人民共和国では『三国演義』〉、『水滸伝』（『梁山泊』〈＝梁山の沼沢〉とも）、『西遊記』、『金瓶梅』である。たぶん『紅楼夢』（『石頭記』とも）の方が中国小説の最高傑作として多くの人に知られているだろう。十八世紀の『儒林外史』も広く読まれているが、現代の大衆文化ではそれほど目立たない。

大切なのはこれらの小説をたんに表紙と裏表紙で挟まれたページの集積と思わず、中国の文明と文化史への入口ととらえることだ。こうした作品は、その前史とその後の展開を含めると延べ数世紀に及び、重要な文化の動向や変貌への洞察を与えてくれる。たとえば『三国志演義』、『水滸伝』、『西遊記』の現存する最古の形は十五、十六世紀にさかのぼるが、これは数世紀にわたる歴史と偽歴史の記述、神話、大衆的口承文学、逸話集、演芸の集積だ。加えて、明清の主要作品はすべて、続編、反駁、リメイクなどに姿を変え、新しい設定で、時には別ジャンルで生き長らえている。一九一一年に終わりを迎えた帝国統治の最後の三百年、これら明清の作品群は京劇、挿絵、かるた、年画（春節に飾られる民間絵画）、磁器の図柄などの視覚文化としても大活躍した。（こういう題材はエリートの絵画にはほぼ全く登場しない。この分野では物語や劇の要素は避ける傾向にあり、庶民文学のテーマや登場人物はめったに使われない）。明清作品は現代文化の中でメディアをまたぎ、いたるところに現れる。

これらの作品は中学生や高校生にとって読みやすいし、安価で手に入る（あるいは無料でダウンロードできる）。だが実際にどのくらいの人数に読まれているのかは判断が難しい。どうやらはっきりしているのは、本を読んでいない人も児童文学、アニメ、グラフィックノベル、京劇、映画、連続テレビドラマ、ブログ討論、ビデオゲームなどで、話自体は知っていることだ。テーマパークからデコラティブアートや果ては料理レシピまで（「『紅楼夢』メニュー」を置いているレストランがある）、文化リテラシーや大衆心理を測るマーカーをつうじて、作品の力がわかる。

冒頭に「中国古典小説」と書いたが、この用語自体まちがっているかもしれない。これらの作品が「古典」になったのは二十世紀になってからのことだからだ。漢文（古典語）で書かれた伝統的高級文学と違って、こういう作品は前近代の口語で書かれるか、『三国志演義』のように、簡単な漢文で書かれている。（漢文は口語とはまったく違うが、漢文の表現や言い回しの多くが現代中国語の文章語に伝わった）。古典文学と白話文学（口語体で書かれた文学作品）のあいだの倫理的、形而上学的関心事の継続性を強調して明清小説を讃える声は、時に身構えて聞こえることがある。

二十世紀になるとガラリと様相が変わる。一九一〇年代後半から一九二〇年代初めの新文化運動で、より大衆的で直截かつ口語に近い新しい文章語が生れたが、その基礎と系譜は伝統的白話小説にあった。だから現代中国語は伝統的白話小説に負うところが大きい。それを文学革命の学者や作家が「反伝統」と美化し、神聖視した。その結果、近代の批評は、白話小説と口語、演芸、大衆文化、民間口承とのつながりや、（やや問題のある提言だが）このジャンルの持つ社会・政治秩序を転覆する潜在力をしばしば強調するようになった。言い換えれば、自己と社会、個人と国家の関係を明確化しようとして、あまりに多くの知識人が儒教の教えの果たす役割、社会のしきたり、政治道徳について疑問視したまさにそのせいで、明清の白話小説がその「対抗精神」を讃えられるようになった。このような作品群が「古典」になったのは、それ以前の「偉大な伝統」から除け者になっていたからなのである。

こういう作品を果たして「小説」と呼ぶべきかという問題も論点になっているが、これはたんに便宜上の命名かもしれない。物語や（たとえばトルストイ、ディケンズ、エリオットの小説に匹敵する）その恐るべき長さへの一般的興味は別として、むやみに長いこれらの作品群には、社会・心理的リアリズムが強調されることの多いヨーロッパの小説と、ほとんど類似点がない。明清の白話小説はハイブリッドの見本のようなもので、物語の中に叙情詩、歌曲、叙事詩、文賦〔韻文で書かれた文学評論〕、駢儷文〔対句で書かれた文章〕、京劇のアリア〔唱〕、自由律の詩歌、史書や小説からの引用やまとめ、口承演芸の修辞表現などが縦横に織り込まれている。そこには形式の統一性などはおよそ見当たらない。だが注意深い読者なら、各章内の対比や補完性から、また章のクラスタ、寓意的・構造的な反復、登場人物の離散集合、重要な中間点・中間部からなる叙述単位と章のあいだに現れるパターンや意味に気づくことだろう。そのほか、拡大されたプロローグやエピローグとして機能する枠組部分もある。作品とならんで出版される伝統的注釈は、小説の美意識を概観するのに役立つことが多い。

ノーベル文学賞受賞作家の莫言など、現代作家の中には、明清小説のアイデアや美学に触発された人もいる。毛沢東（一八九三―一九七六）は『水滸伝』、『西遊記』、『紅楼夢』の三大傑作に丹念な注釈を加えている。その対抗精神に感じてのことだ。

『水滸伝』への称賛と批判

『水滸伝』の核となる史実は十二世紀初め宋代の盗賊にして反逆者の宋江とその部下の偉業を基にしている。現存する十六世紀版『水滸伝』百章では、百八人の義賊の冒険、追放までの道のり、やがて梁山泊に集結し、政府軍と戦って勝利し、政府と和解して宋の敵との戦いに遠征し、戦闘の結果の離散と死、そして最終的に政府の裏切りに遭うという物語が展開する。十七世紀半ば、金聖嘆という学者がテキストを七十章に切り詰めるが、この版では梁山への集結で結末を迎え、残りの物語は登場人物の一人が見た夢という形をとる。その夢では百八人全員がその場で処刑されてしまう。これが最も読まれる版になった。

『水滸伝』が秘密結社の倫理観と社会政治秩序への反逆にもとづく反政府、反文化を是認しているのは明らかだが、明清版では『忠義水滸伝』という題名が一般的だった。つまり盗賊たちが政治的に不満で、腐敗のない秩序を渇望しているという含みがある。現代の論調は、中国文明の抑圧的エネルギーに抵抗する反権威主義のサーガとして『水滸伝』を讃える傾向にある。だが本当のところ、『水滸伝』は、「農民蜂起」や反権威主義的ユートピアという現代的解釈がしっくり来ないのと同じくらい、帝国後期的「忠義」の主張と馴染まない。梁山泊はロビンフッドのような牧歌的コミュニティでは決してない。復讐の賛美と正当化、見境のない暴力、流血渇望、女性蔑視、無慈悲な権力闘争などは解釈のしようがない。現代の読者が眉をひそめるようなことが、悪党を組織したり、反女真、反モンゴル、あるいは単に反政府の大衆運動を奮い立たせるプロパガンダとして効果を発揮できただろうか。(女真族は一一一五年から一二三四年まで北中国を支配し(金王朝)、モンゴル族つまり元朝は一二七一年から一三六八年までつづいた)。著者たちがナイーブすぎて、英雄的レトリックと暴力的現実の違いに気づかなかったのか? 迫害、暴力的な権力私物化、社会政治的裏組織のような状況で描かれる人間の多面性が果たして本物だろうか?

その性格からして、毛沢東がこういうどす黒い底流を意に介さなかったのもうなずける。一九二〇年代以降の毛は、暴動を組織したり、戦略を立てたりするときの霊感の泉として『水滸伝』に幾度となく言及している。だが一九七五年には手のひらを返したように、「投降派とはどんな者かを人民に教える」「反面教師」としてのみ意味があると批判した。毛は金聖嘆の書いた中途半端な結末に不満だったのだ。つまるところ盗賊たちは「貪官にしか反対せず、皇帝には反対しない」。この「不徹底な造反」という毛沢東の批判の標的は周恩来と鄧小平だという説もある。一九七〇年代に起きた『水滸伝』をめぐる政治運動のすったもんだは今では遠い記憶の彼方だ。しかし中学の教科書に『水滸伝』を入れるのが適切かどうかをめぐる最近の議論は、いまだにこの物語がいかに根深い悪意を湛えているかの証左である。『水滸伝』の暴力に対する批判を揶揄する人々は、今日の中国社会の不正がそういう怒りの爆発を求めているのだと言う。

『西遊記』はナンセンス喜劇か

『西遊記』にも怒りと暴力はある。だがどれほど危険の香りがしようと、それは物語の軽妙な遊び心、途方もない思いつき、変身の魔法によって帳消しにされる。七世紀の偉大な学僧で訳経僧の玄奘三蔵は仏典を求めて苦労のすえインドへ渡り、その旅の記録が歴史書でもありフィクションでもある百章の『西遊記』にまとめられた。物語は孫悟空の誕生に始まる。天地の気に満ちた石から生れた悟空は猿の国の王になり、魔法の力を得て不死を求め、むらっ気の克服をめざし、天上界で大暴れし、何度も天上の位階に挑んだあげく、仏陀に敗北する。それから五百年、閉じ込められていた悟空は玄奘三蔵に救われ、三人の弟子（悟空の引き立て役になる道化者の猪八戒もその一人）の一人として、仏典を求めて西へ向かう三蔵法師の供をすることになる。道中、次々と化物や魔物や（堕天使ならぬ）堕天人に囚われるも、八十一の試練を乗り越え、一行はついに使命を果たすのだった。

この世に生れ、自我に目覚め、死すべき我が身と向き合い、権威に逆らい、艱難辛苦の旅をつうじて悟りと救済に至るこのサーガは、つねに寓意的解釈を誘ってやまない。仏教、道教、儒教は三世紀にわたって実績を蓄積し、超越を獲得し、体内の気の流れを制御し、道徳的自省を追求しつつ、この物語から教訓を読み取ってきた。二十世紀の学者の中には、この物語のはつらつとした軽快さの方を重視し、寓意の深読みは不自然に過ぎるし、つまるところ無関係だとして退ける意見もある。最も人口に膾炙した短縮版（題名は

『猴』（＝猿）の序文には、「ひたすら上機嫌、とことんナンセンス、上質の皮肉、愉快きわまるエンターテインメント」と書かれている。ただし最近はふたたび宗教性や寓意性が強調されるようになった。

政治的な解釈は、悟空が戦う相手、つまり最初は天上界の位階、次に旅の途中で出会う数多の魔物を、社会政治闘争の寓意に読み替える。上海が日本占領下にあった一九四一年、先駆的アニメーターの万籟鳴が『鉄扇公主』（邦題『西遊記・鉄扇公主の巻』）を制作し、玄奘三蔵の一行が牛魔王の妻、羅刹女から鉄扇を借りて火焔山を越えるエピソードを、祖国生存の戦いの物語に変えた。一九六〇年代初めに制作されたアニメ映画『大鬧天宮』（邦題『大暴れ孫悟空』）では、悟空の冒頭の叛逆は革命の勝利として扱われ、話の結末は悟空の仏陀への帰依ではなく、猿の王国への堂々の帰還となる。だが、この反体制的スタンスには何やらきな臭いもの――毛沢東と、悟空の敵である天界の支配者、玉皇大帝のあいだに隠された類推があるのではないかという疑惑――があって、この古典的アニメは公開が遅れた。『西遊記』の政治的含意は何度でも練り直しの効く素材らしい。一九四五年、毛沢東は国民党に対する共産ゲリラの戦いを悟空の天宮での大暴れにたとえ、一九六三年には同じ「大暴れ」をソ連との決別の説明に使った――曰く、「いいか、天界のルールは気にするな。我々は独自の革命路線を構築せねばならん」。つまるところ、政治的読み方は、ほかの寓意的読み物もみなそうだが、「とことんナンセンス」な喜劇との緊張関係の中にある。

『紅楼夢』の失われた世界

『西遊記』の寓意構造を笑いが吹き飛ばすのと同じく、『紅楼夢』の官能的なディテールは、そこに込められているはずの道徳的、宗教的意味をしらけさせてしまうようだ。物語は天上に入ったひびと、そこから生じた不均衡についての神話から始まる。上古の女神、女媧はひびの修理のために三万六千五百一個の岩を煉り上げる。修理に適さないとされた最後の一個には煉り上げる過程で霊妙な力が備わったが、石は青埂峰という山の麓に捨てられてしまう。「青埂」は「情根」＝「煩悩の元」と中国語ではほぼ同じ発音だ。余り物の石は身の不運を嘆き、通りがかった僧侶と道士に人間界へ連れていってくれと頼み、裕福で有力だが落ち目の賈一族の御曹司で『紅楼夢』の主人公、賈宝玉に生まれ変わる。この少年は石の変身した玉を口に含んで生れてきた。

所々に挿入される超自然的要素は別として、この小説は賈家の日々の出来事――延々とつづく宴会、誕生祝い、一族の集まり、観劇など――の細部描写が大半を占める。その合間に込み入った人間関係が展開し、愛が深まり、嫉妬と誤解が渦巻き、やがて破局が訪れる。二つの分家の建物のあいだにある庭園は、賈宝玉と彼の愛する少女たち（従姉妹、異父姉妹、侍女）のくつろぎの場だ。物語の焦点は、浪費、欲望、腐敗、不始末、権力濫用のせいで、もはや止めようもない賈家の没落と、賈宝玉と彼をとりまく少女たち（とくに二人の従姉妹）や家族との関係、賈宝玉の頭の中を行き交う思い、愛、落胆、啓発の瞬間、現世への執着をついに諦めて出家する結末まで、彼の感情・精神世界のあいだを行き来する。著者の曹雪芹は自分や家族の歴史を下敷きにこの物語を書いたが、完結することなく世を去った。彼が書いた八十章は手書きコピーで三十年ほど回覧され、一七九一年に百二十章版が出版されるまでそれがつづいた。最後の四十章は別の著者が書いた。

毛沢東はよく『紅楼夢』を「少なくとも五回」は読むべきだと言っていた。毛はこれを歴史書として読んでいたという――つまり（当然予想できるが）「階級闘争」と「封建社会」の必然的崩壊の証拠だったのだ。著名な学者たちが提起した「『紅楼夢』＝自叙伝」説に対する毛沢東の一九五四年の批判運動は、すべての文学のマルクス主義的読解を新しい正統とする考え方の嚆矢だった。毛の鋭いコメントが光るのは、公的発言の中ではなく、賈宝玉の使う愛の言葉や憧れの対象に対してページの余白に毛が書き加えた注釈である。毛以前そして以後の読者もそうだが、この小説が漂わせるロマンチックなオーラがイデオロギーや哲学を超えて人を魅了することが時にはあるのだ。

学者たちが『紅楼夢』の愛、欲望、超越、虚構性のもつ意味を議論する一方、草の根のファンたちも細部に至るまでインターネットでその解釈を議論する。十七世紀と十八世紀の中国史に埋め込まれているはずの「真の物語」へのヒントを求める書き込みが多い。また多くの一般読者や多様な媒体で小説に触れる消費者は、物語の美しい景観や音響、複雑な人間関係を楽しむ。ある意味で、『紅楼夢』の失われた世界への郷愁や理想化が、中国文化全体に対する中国人読者の憧れをとらえたのだろう。同時に、その世界の不可避的崩壊が、皮肉や批判的な距離、懐疑的あるいは敵対的ですらあるスタンスを招くのだと思う。

中国の古典小説はなぜ大切なのか？　この議論は現実との関連性（使い勝手）をベースに考えるとよい。人は文化リテラシーを得るため、現代政治の中での作品の役割を理解するため、大衆文化における作品の用途と波長を合わせるために、古典小説を知ろうとする。だがおそらく、読書の歓びが結局は勝つのだろう。こういう書物が展開してくれる世界に読者は迷いこみ、彷徨うことができる。作品の道徳的、宗教的、政治的メッセージは、その後の話だ。

Q.32 中国人作家は中国の未来をどう描いたか？

王徳威
ハーバード大学教授／中国文学

〝「ユートピア」という言葉は社会主義中国の辞書ではつねに疑惑の対象だったが、「中国の夢」は理想的な政治や文化を想起させる点で、ユートピアの香りを強く漂わせている。「中国の夢」は実を言うと未来中国に関する近年の一連の言説の総和なのかもしれない。〟

ユートピアと不可分の近代中国文学

近代中国文学はユートピアへの呼び声とともに生れた。一九〇二年、断末魔の清朝末期、梁啓超は新たに創刊された月刊誌『新小説』に政治小説『新中国未来記』を発表した。物語は架空の出版年二〇〇二年から六十年たった二〇六二年の繁栄する新中国「大中華民主国」の概観に始まる。この日、建国五十年を祝う「維新五十年大祝典」が開催され、孔子の七十二代目の子孫であり、人々の尊敬を集める孔弘道が上海の博覧会場に招かれて、中国の民主主義がいかに実現されたかについて講演する。講演会は海外からの数十万人を含む大聴衆の熱気にわきたった。

もしもこの冒頭が唐突に感じられるなら、それはたぶん新中国の「未来」がこの二〇〇〇年紀に現実になったと思えるからだろう。中国が世界の一流政治経済大国に上りつめ、世界万博のみならずオリンピックまで開催し、さらに印象的なことに、数百の孔子学院が遥か彼方のパキスタンやルワンダにまで設立されるというこの時代、梁啓超の未来ユートピアは社会主義中国の手ですでに実現してしまったのかもしれない。そして今、一世紀以上前に梁啓超が放置したことを引き継ぐかのように、習近平主席は二〇一三年、「中国の夢」について演説し、「社会主義の道」、「民族精神」、「各民族の団結の力」による新中国の未来計画を語った。

「ユートピア」という言葉は社会主義中国の辞書ではつねに疑惑の対象だったが、「中国の夢」は理想的な政治や文化を想起させる点で、ユートピアの香りを強く漂わせている。「中国の夢」は実を言うと未来中国に関する近年の一連の言説の総和なのかもしれない。「大国崛起」から「天下」まで、中国の「再政治化」（「脱政治化」した現代世界と中国への批判。精華大学の汪暉教授が唱えた）から「通三統」（儒教、毛沢東主義、鄧小平理論の三つの伝統に通じて、一つの正統とする。精華大学の甘陽教授が唱えた）まで、私たちが目にしているのは、そうしたビジョンをつうじて強力な中国政体の再構築を渇望する論文や声明の山だ。こういう論文はふつう文学用語で語られることはないが、それでも時代の「感覚の構造」を伝える修辞的ジェスチャーや架空の素質に向かっていく。これらの言辞は「グランド・ナラティブ（大きな物語）」と空想モードを共有している。そして現代中国のユートピアとその文学的表出について私たちに再考を促すのは、このモードなのである。

ユートピア（烏託邦（厳復の翻訳）／理想国（日本語訳つまり中国に逆輸入された中国の標準訳））が新造語として中国語の辞書に入ったのは一八九〇年代後半、厳復の翻訳によるトーマス・ハクスリーの『天演論』（邦題『進化と倫理』）だった。厳復はその注釈で主権支配と国家統治の関係について熟考し、国家の繁栄にとって鍵となるのは教育と啓発だと結論する。彼の分析は、ユートピアが架空の概念である事実を軽視しており、それどころか、ユートピアこそ適者生存という金言を信奉するすべての国家が達成すべきゴールだとした。言うなれば、厳復はユートピアを彼の憧れたダーウィン主義倫理を前提とした目的論的プロジェクトと同一視している。

ユートピアという概念に先鞭をつけた厳復の方法は、当時の文学の有用性をめぐる、その先のさらに大きな疑問につながる。つまり文学の「虚構性」は、それが歴史的な経験や期待の表明である場合にのみ理解可能とみなされる。であればこそ、小説はいわば中国変革の目的であり、手段である。中国小説の変革による中国の改革を唱える厳復や同好の知識人に共鳴した梁啓超は、一九〇二年の有名な宣言でこう述べた。「一国の国民を革新するには、まず小説を革新しなければならない。……小説には人の心を変える不思議な力がある」。梁啓超の言うごとく、小説と国家、あるいは私たちの関心事に引きつけるなら、ユートピアと歴史は、ある神秘的な瞬間に置き換え可能な概念となるのだ。

ユートピアは萌芽期の近代中国文学で最も重要なテーマの一つである。梁啓超の『新中国未来記』の他にも、呉趼人（ごけんじん）〔呉沃尭（ごよくぎょう）〕の『新石頭記』、碧荷館主人の『新紀元』は、中国がふたたび超大国に返り咲いた未来や、理想国家に生まれ変わった空想的状況を思い描く。観念的で信じられないような物語を書く行為によって、清末の作家たちは新しい政治課題や新しい国家神話としての、中国の近代化事業の条件を用意したのである。

しかし、このユートピアへの衝動は一九二〇年代の五四時代に雲散霧消した。作家たちはリアリズムの正典に手一杯で、空想など入りこむ余地すらないかに思えた。この時期に書かれた数少ない非リアリズム作品の標準となったのはユートピアならぬディストピアである。その現れが沈従文の『アリスの中国旅行記』〔『阿麗思中国游記』)、張天翼の『鬼土日記』、老舎の『猫城記』だ。

しかしユートピアはその力を発揮する新たな場を見出した。それは共産主義的言論である。中国共産党の革命理論は、現状を根幹から揺さぶることによって社会主義の「約束の地」に到達できるというビジョンの上に成り立っている。その目標にとって文学は、中国は何になるべきかを映し出すグランド・ナラティブ(大きな物語)の一部にすぎない。ユートピアという比喩は、それが社会主義リアリズムであろうと、革命的リアリズム、革命的ロマン主義であろうと、一九四二年から一九七六年までの中国文学の主流につねに一定の場所を占めてきたと言ってもいいほどだ。過去と現在に何が起ころうと、党国家は中国国民を「可能なかぎり最善の世界の中でも最善の」状態に導くことになっている。

SFが描くディストピア

ユートピアと地続きなのが空想科学小説である。テクノロジーの驚異と新奇さを目玉に、ユートピア(またはディストピア)のアジェンダに奉仕するジャンルだ。中国学者のルドルフ・ヴァグナーによると、このジャンルは「科学に向かって進め」〈向科学進軍〉運動の一環として、一九五〇年代半ばから一九六〇年代末までの短命のブームに終わったが、一九七〇年代後半の四人組失脚のあと、ほんのわずかの期間、復活したそうだ。このジャンルは「ロビー文学」としての新しい役割を担い、「ファンタジーという形式で科学者集団の憧れを伝え、もし科学者の要求が実現したら、社会のもっと大きな枠組の中で彼らがいかに活躍できるかを示した」とヴァグナーは言う。

ユートピアと空想科学小説は二十世紀の終わる頃、不透明な変貌を遂げる。現行の政治の闇にもかかわらず、作家たちはさらに個人的なビジョンを描くことができたわけだが、この点で、彼らは清末の作家を彷彿とさせる。例えば保密（ほみつ）というペンネーム〔実は王力雄〕で書かれた『黄禍』（一九九一）〔邦訳二〇一五〕は、内戦と核ホロコーストに飲みこまれた中国と、国を脱出した中国人難民が世界中にあふれて、新たな「黄禍」をまき散らす終末論的世界を描き出した。梁暁声（りょうぎょうせい）の『浮城』（一九九三）は、中国南東部の大都市が大陸から切り離される謎の現象を描く。奇跡的な再生を遂げようとする中国、あるいは永久的破滅に瀕する中国を思い描くことによって――あるいは核戦争後の荒野や新たな「黄禍」の脅威をもたらす者としての中国を予言することによって――この作家たちはさまざまな時空域を創り出し、それをつうじて自分たちの国の運命に思いを巡らす。

　二十一世紀を迎えると、ユートピアを書き、読むことが、清末を思わせる活力とともに甦ってくる。皮肉なことに、この時期の作品は従来型のユートピア小説と言えるものはあまりなく、ディストピア小説とした方がいい作品群になっている。韓松（かんしょう）の『二〇六六年の西行漫記』〔『火星照耀美国』二〇〇〇〕では、二〇六六年に米中関係が逆転する。アメリカが立てつづけに経済的、政治的災厄に見舞われる一方、中国は「庭園のような」超大国になっている。ここで韓松は清末以来多くの作家にとりついて離れなかった失地回復ファンタジーを書いたようだが、話にはその先がある。中国は、国民全員の人生をあらかじめプログラムし、あらゆる手段でその幸福を監視する「アマンド」という人工知能に屈伏することによって、超大国の地位を得たというのだ。「アマンド」は地上に謎の「火星人」が降りてきて崩壊し、中国は「約束の地」（福地）に変わる（「福地」という中国語は「墓地」の婉曲表現でもあるが、これは偶然ではない）。

　劉慈欣（りゅうじきん）の『三体』三部作（二〇〇七―一〇）〔邦訳二〇一九―二〇〕は数百万年の時をまたぐ壮大な大作叙事詩である。文革と『スターウォーズ』、歴史の悲哀と宇宙空間の驚異の混ざったこのサーガは、現代中国小説の最も野心的な作品の一つであり、すばらしいスペクタクルであるだけでなく、その倫理規範の追求でもあるとみなすべきだ。主人公の女性科学者は、文革で失脚し、死に追いやられた父親の復讐をするために、「三体」と呼ばれる地球外生物を呼びこみ、地球を侵略させる。迫りくるホロコーストを防ぐために集められた英雄的中国市民の一団は時間のトンネルを抜け、独創的な戦略で宇宙戦争を戦う。それでも長い目で見ると、地球上のすべての文明は滅びる運命にある。

だが、ユートピアとディストピアのあいだに最も論争的な対話が交わされる小説は、北京拠点の作家、陳冠中の『盛世中國二〇一三年』〔二〇〇九、邦訳『しあわせ中国——盛世二〇一三年』二〇一二・舘野雅子訳〕であろう。物語は二〇一一年に起きた世界経済恐慌に始まる。中国以外の先進国はすべて経済麻痺に陥るが、国家指導部の辣腕のおかげで中国は経済危機を逆手にとってさらに経済発展を進め、社会政治的連帯を強める。こうして中国は早くも二〇一三年には、歴史的繁栄の時代（＝盛世）を謳歌するようになる。国民の大多数は黄金時代の到来を歓迎するが、「ハイライイライ（high lite lite）〔嗨賴賴〕」と呼ばれる多幸症の蔓延や集団記憶喪失のような兆候に、少数のまつろわぬ人々が疑念を抱きはじめる。真実を知るために彼らは国家指導者を誘拐し、思いもよらぬことを知る。

中華人民共和国建国六十周年の年に出版された『盛世中國二〇一三年』は梁啓超の『新中国未来記』を思い起こさせるが、梁の小説をよく知る読者は『盛世』に充満する逆説に驚くのではなかろうか。共産革命から六十年で、中国は百年前の世紀の変わり目に梁啓超が夢見るだけだったことを実現した。そのかんに中国の市民は党国家の慈悲深き覇権に屈したかに見える。陳冠中は二〇一三年を中国の指導者が世界に冠たる中国を宣言した年としたが、これは奇しくも習近平の「中国の夢」宣言の年と符合する。

オルダス・ハクスリーの『すばらしい新世界』やオーウェルの『一九八四』の系譜に連なるディストピア小説と違って、『盛世』は一見穏健な支配に隠された邪悪なもくろみを暴露することよりも、物語のもう一つの側面を語ることの方に力が入った結果、拉致された国家指導者を思いがけずもヒーローにしてしまった。温厚で冷静で少し投げやりなこの国家指導者は、夜を徹してすべてを告白し、みなを驚愕させる。それによると、政府の第一目標は国民を幸せにすること、そしてそのためには――「社会主義の特徴をもつ市場化」から思想統制まで――必要な手段をとるべきだという。すべては「社会秩序を維持」するためだ。

さらにわかってきたのは、国民がMDMA（麻薬「エクスタシー」）を混ぜた飲料水を飲まされており、健全な革命の記憶を阻むものはすべて忘れさせられていることだった。この生＝政治学（バイオ・ポリティクス）的エピソードはサイエンスフィクションには欠かせない装置だが、陳冠中がほんとうに強調するのは、「国家指導者」がマキャベリ主義的行政官であるばかりか、最高に魅力的な語り部でもあったという物語を書いたことだ。来るべき「黄金時代」について彼が語った物語は、国家的陶酔（エクスタシー）のためのもっと強烈な処方箋だったのである。

こうして中国のユートピアは完全に一巡する。崇高な結論は達成された。だがそれは「毛沢東主義的崇高さ」というよりは、「幻影の崇高さ」という意味において達成された。それでも陳冠中は小説の最後で、反体制派の登場人物たちを黄金時代に背を向ける者として描く。この結末は近代中国文学の始祖、魯迅がエッセイ『影の告別』に書いた言葉を彷彿とさせる。「天国におれの嫌いなものがある／おれは行きたくない／地獄におれの嫌いなものがある／おれは行きたくない／君らの未来の黄金世界におれの嫌いなものがある／おれは行きたくない」。

Q.33 中国のプロパガンダは身も心も摑んだか？

李潔
ハーバード大学准教授／中国文学・メディア

〝毛沢東の有名な言葉に「権力は銃身から生れる」というのがあるが、毛は軍事戦略家である以上にプロパガンダの達人だった。そしてプロパガンダは共産党の権力掌握に甚大な貢献をしている。〟

『東方紅』の誕生

東方紅、太陽昇　　東方は紅く、太陽が昇る
中国出了个毛沢東　　中国に毛沢東が現れた
他為人民謀幸福　　彼は人民の幸福に奉仕する
呼儿咳呀　　フーアール、ハイヨー
他是人民大救星　　彼は人民の偉大な救世主

四十歳以上の中国人にとって『東方紅』ほど耳や唇になじんだ歌はない。一九五〇年代から七〇年代まで、夜明けと黄昏時に全国数千万個の拡声器がこの歌をがなりたてていた。一九六四年に『東方紅』はマルチメディアの大型ミュージカル「音楽舞踏史劇」になって、中国革命の歴史を建国神話に変えた。数万台の移動上映セットとともに、この音楽映画版『東方紅』は全国津々浦々を巡回し、最果ての僻地の夜を明々と照らした。

毛沢東個人崇拝の縮図とも言えるこの歌は、もともと一九三〇－四〇年代に共産党の拠点で、後に革命の聖地になった延安周辺地区の素朴な民謡ラブソングだった。元の歌詞は以下のとおり。

胡麻油、白菜心／サヤ豆食べよう、スジ剝こう／三日会わなきゃ恋煩い／フーアール、ハイヨー／ああ、私の三兄さん

〔芝麻油、白菜心／要喫豆角抽筋筋／三天不見想死个人／呼儿嗨喲／哎呀我的三哥哥〕

一九三八年、抗日戦争中に、ある詩人が戦意高揚のために新しい歌詞をつけた。

白馬に跨がり、ライフル担ぐ／三兄さんは八路軍／家に帰ってあの娘に会いたい／フーアール、ハイヨー／でも日本と戦うから帰れない

〔騎白馬、梣洋槍／三哥哥喫了八路軍的粮／有心回家看姑娘／呼儿黒喲／打日本就顧不上〕

それから数年後、毛沢東が共産党の権力階層トップにのし上がると、一人の教師が歌詞に手を入れて、『東方紅』は現在の姿になった。素朴な民間歌謡から至高の讃歌へ、さまざまに姿を変えても、この歌はラブソングでありつづけた。ただしその願望の流路は、まず武勇、そして宗教もどきの熱狂へと変わった。共産党の文化工作員は「封建的文化」を糾弾する傍ら、組織的に伝統的民衆文化を革命プロパガンダに変えた。後世に大きな影響をおよぼした一九四二年の文芸講話で、毛沢東はこう述べている。「こういう古い形式も、改造して新しい内容を注入すれば、革命的なものになり、人々に奉仕できる」。

毛沢東のプロパガンダ戦略

昔の歌の替え歌をつくる傍ら、共産党の画家たちは農民が家に飾る伝統的な年画の縁起のよい題材を象徴に使って、プロパガンダ用ポスターをつくった。扉の神様に替わって人民解放軍兵士が家の守り神になり、神棚に飾る厨房の神様や祖先の位牌は毛沢東や党幹部の肖像画に替わった。今でも地方では多くの家に毛沢東やその後継者たちの年画が鎮座している。だが、庶民のあいだでは恐ろしい神や復讐の亡霊が、情け深い菩薩と同じくらい象徴性を持っていることは覚えておいていい。この意味で、毛沢東崇拝は権力崇拝でもあった。

毛沢東の有名な言葉に「権力は銃身から生れる」というのがあるが、毛は軍事戦略家である以上にプロパガンダの達人だった。そしてプロパガンダは共産党の権力掌握に甚大な貢献をしている。一九二七年の『湖南農民運動視察報告』で、毛は「政治スローガンは翼を生やし」、「数知れぬ村々の老若男女のもとへ飛んでいく」と述べた。革命歌やスローガンは「彼らの心を貫き、唇にのぼる」。共産党は当初マスメディア技術と縁が薄かったから、大衆の身体と声をプロパガンダの媒体に変えた。

こうした戦略は、一九三七年の毛沢東の重要論文『遊撃戦論』の文化版と考えてよいかもしれない。この論文で毛はすべての遊撃分隊が移動宣伝隊をもたねばならないと述べている。産業化された近代戦と違って、敵地を移動しながら戦う遊撃戦は機械より人間に頼り、しばしば敵から奪った武器を使う。民謡や年画の革命的改変はいずれも文化遊撃戦の例だ。

共産党が大陸を制覇する前は、ポスター、歌、スローガン、劇、物語などのプロパガンダは地域の巡回に限られていた。しかし一九四九年以降、共産党は既存のマスメディアのインフラを受け継ぎ、拡大させて、最果ての僻地まで全国にプロパガンダを行き渡らせた。都市の映画が伸びる傍ら、百チームしかなかった移動上映網が一九七〇年代後半には十万チームに増え、有線拡声器は一億台設置され（一世帯にほぼ一台）、全国の音の風景が一変した。まさしく、広大な地域に遍在する文盲同然の大衆を動員するマスメディアなしに、毛沢東主義中国もそのユートピアの夢もこれほどの規模で激変することはなかったはずだ。その意味で、中国の革命は政治、経済、社会の革命だけでなく、メディアの革命でもあった。

上映隊は徒歩、馬、トラクター、舟、改良したオンボロ自動車で移動し、脱穀のすんだ畑、牧草地、森や砂漠、工事予定地や戦場に上映会場を設営した。映写技師は映画を見せるだけでなく、語り芸人が使う竹の快板を鳴らしながら、映画のあらすじや、誰が悪玉で誰が善玉かを説明する。北京官話がわからない人たちのために生でせりふをかぶせ、地元の歴史の幻燈を上映する。映画は「社会主義の奇跡」が本物であることを証明し、観衆が共産主義の楽園を思い描けるようにするのに役立った。映画が人々の唯一の正規の「夜の娯楽」だったため、上映会は大盛況だった。だから村の幹部は集会の人集めのためによく上映隊を呼んだ。

映写技師たちの話では、田舎の人々にとっては毛主席が一番人気の映画スターだったから、よく「もっとゆっくり！　毛主席をもっと長く出して！」と要求されたという。初めて映画を見る人々にとって、国家指導者の登場するニュース映画は支配者と被支配者の直接的触れ合いの代替品だった。一九六六年に毛沢東が天安門広場で「革命的大衆」と持った八回の集会を報じるニュース映画は、数億人の人々に無料で上映された（こういう上映会はいつも『東方紅』で始まる）。これが文化大革命の開幕の合図となって、毛沢東への個人崇拝を前代未聞の高みに押し上げた。

階級闘争が激化するにつれ、映画は政治的なシャーマニズムの性質も帯びてくる。寺院の祭礼で地獄を描く昔ながらの宗教劇が上演されたように、解放前の「旧社会」の悪に観衆が怒りの涙を流すような作品が上映され、果ては地元民兵がスクリーン上の悪漢を銃で撃つような事もあった。プロパガンダに先導されて、観衆は地元の地主を糾弾し、人々の面前で不満をぶちまける（「訴苦」）。こうして映像メディアは封建的な過去の亡霊を呼び出し、悪霊祓いをして革命共同体の純粋さを確認するための精神メディアになった。

だがプロパガンダに対する公衆の反応は必ずしも正直ではない。たとえば一九六三年の映画『農奴』は、悲惨な生活を送るチベットの「農奴」がやがて共産党に解放される物語だ。この映画はチベットの歴史と宗教をねじ曲げた作品だが、チベットの歴史学者ツェリン・シャキャによると、ラサでは観衆が強制動員されたばかりか、涙を流すよう強いられたという。そうしないと、「封建地主に同情的だと糾弾される危険を冒す」ことになるのだ。シャキャ教授の母親やその友人たちは目の下にタイガーバームを塗って、無理に涙を流したという。

それでも、プロパガンダ映画は聴衆に大きな美学的威力を発揮した。とりわけ歌の力は大きかった。たとえ『東方紅』のような本格的ミュージカルでなくとも、毛沢東主義映画の大半は目的が歌のレッスンででもあるかのように、数曲のテーマソングを際限なくくりかえす。観衆は映画のあらすじや登場人物は忘れても歌だけは耳に残り、口をついて出てくる。もっと重要なのは、地域の拡声器から同じ歌がくりかえし放送されることだ。拡声器はまず学校、工場、農場に、次いで全住民の裏庭に設置された。いたるところにある拡声器が、教会の鐘や部族の太鼓のように、人々の日常生活を集団化し、働く時間、休憩時間、集会の時間、戦う時間などをスケジュール化していく。学生、労働者、国有企業労働単位の従業員は毎朝グランドに集まり、行進曲に合わせて集団で体操する。文革のころ、派閥の武闘は一方が王冠をぶんどるように放送局を占拠して終わることが多かった。ただし、そのあと放送されるのは相も変わらぬプロパガンダの歌やスローガンだったが。

文革ではまた、大衆集会は『東方紅』に始まり『インターナショナル』で終わる。「毛主席は偉大な救世主」から「立て飢えたる者よ」まで歌うあいだの時間、多くの人が革命の矛盾をじっくり考えるようになった。トランジスタで短波ラジオを聞ける人々はボイス・オブ・アメリカ、ラジオ・モスクワ、台湾のボイス・オブ・フリーチャイナを聞きはじめる。政府プロパガンダの大音響と「敵のプロパガンダ」のささやきの中間で、人々は公共スローガンや集団儀式とは違う地下水脈から異なる思想を聞きとった。

プロパガンダとインターネット

毛沢東が死に、文革が終わると、『東方紅』のたぐいは聞かれなくなった。昼間はまだ拡声器から鄧小平の声が流れていたが、夜になると人々はもう一人の鄧、台湾の歌姫、テレサ・テン（鄧麗君）にラジオのダイヤルを合わせた。ラジオやカセットテープから流れる彼女の甘いラブソングは――共産党からは「黄色い」（＝卑猥な）音楽とみなされていた――十年間「赤い歌」を聞かされつづけ、軍歌のリズムでささくれだった人々の心を優しく溶かしていった。テレサ・テンの歌によって、人々は集団から個人へ、公共から私的なものへ、中央の管理から海賊版の蔓延へと移行した。それはその先に訪れる中国のマスメディア消費時代の幕開けでもあった。それまで党プロパガンダの主力メディアだった拡声器と映画は、ステレオ、カラオケ、テレビ、ビデオなど家庭の娯楽にだんだん置き換わっていった。

一九九〇年代にテレビが広く普及すると、地方の映写技師たちは大半が失業し、すべての社会保障を失った。最近、そうした数万人が省の放送課へデモをかけ、退職金を要求した。二十一世紀に入ってから政府の文化部は「村ごとに月一本の映画を」(一村一月一場電影)を目標に移動映画を復活させたが、これは盛んになってきたキリスト教会に対抗する政府の宗教政策の一環でもある。

ポスト毛時代の魂の空隙の中に、郷愁を伴いながら「赤い歌」がディスコのビートで力強く戻ってきた。『東方紅』は、いま上海の外灘の旧・江海関(税関)ビルから流れるチャイムでいまだに聞くことができる。十五分ごとに一節ずつ加わり、毎正時に全曲が流れるしくみだ。江海関はイギリスがロンドンのビッグベンを模して一九二七年に建てた建物で、文革まではウェストミンスターの鐘と同じメロディを流していたが、文革を機に『東方紅』に変わった。これが一九八〇年代にいったんウェストミンスターの鐘に戻されたが、二〇〇三年にふたたび『東方紅』に変わった。外灘にある租界時代のすべてのビルには赤旗が翻っているが、『東方紅』もそれと同じ中国のナショナリズムの象徴だ。だが年配の中国人観光客がこれを聞いてどう感じるだろう。郷愁か反撥か。誇りか皮肉か。

文化大革命五十周年に当たる二〇一六年の春、『東方紅』の新バージョン動画がソーシャルメディアに拡散して、たちまちのうちに検閲で消された。

東方又紅、太陽重昇　　東方はふたたび紅い、太陽はまた昇る
習近平継承了毛沢東　　習近平は毛沢東の後を継いだ

他為民族求復興　　彼は民族の復興に尽くす
呼儿咳呀　　フーアール、ハイヨー
他是人民大福星　　彼は人民の大福星

旭日を背景に毛沢東と習近平をコラージュした動画『東方又紅』は大拡散した何本かの音楽動画（『習おじさんは彭ママが大好き（習大大愛着彭麻麻）』など）の一本だが、巷では習近平の個人崇拝拡大の一環と見るほかに、マスメディアへの思想統制強化の現れととらえている。なにしろ習近平は「党と政府が運営するメディアはプロパガンダの前線であり、『党』という姓を名乗る（代弁者である）べき」と公言してはばからない人だ。

しかし宣伝部の作るものと違って、こういう動画は草の根から匿名で現れた。この作者たちが偉大な指導者にすり寄るおべっか使いなのか、それとも習近平と文革を結びつけてからかい、その足下を掘り崩そうとする文化遊撃手なのかはわからない。しかしネット市民は大半が否定的なコメントで応えた。そして動画が中国のインターネットから消されると、動画は気の利いたサムネでYouTubeにアップされた――「独裁は人民の笑いで崩壊する」。中国のプロパガンダがもはや人々の心と身体を勝ちとることができないとしても――あるいは涙を無理強いできないとしても――笑いだけはとっている。

Q.34

文化大革命はなぜいまだに語るのがこれほど難しいのか？

田暁菲（でんぎょうひ）
ハーバード大学教授／中国文学

〝有名なスローガンが言うように、文革は「魂に触れる革命」を約束した。それは魂に触れた。どのように触れたのか、どんな手段で触れたのか、「触れられた魂」に何が起きたのか？　これらが問われなければならない。〟

芸術と暴力

私は文化大革命の後半に生まれた。毛沢東が一九六六年に始めたこの政治運動は中国全土に大きな物理的、心理的ダメージをもたらし、「十年の災厄」と呼ばれるようになった。切れ切れに覚えているのは、フラッシュバックする白黒の記憶、もっと正確には、いつもそこにある、壁にかかったバラ色の毛主席の肖像画以外は色のない夢の心象。そんな記憶の断片の一つが、一九七六年の春に父が天安門広場から持ち帰ったしわくちゃのノートの切れ端だ。そこには写しとられた文語体の詩が書きなぐられていた。私はまだ五つになるかならないか、ようやく字が読めるようになった頃で、何が書かれているのかよくわからなかった。それが記憶に残っているのは、父がその紙片を母に見せたときのひそひそ声や、私と弟に誰にも言ってはいけないと命じたときの厳しい口調に漂う秘密めいた雰囲気のせいである。

その詩が何なのかわかったのは、それから何年もたってからのことだ。それは弔いの詩、抗議の詩だった。一九七六年三月から四月初めまで天安門広場に集まった数十万の人々がそれをつくり、発表し、朗誦し、写しとった。人々は最近亡くなった周恩来首相を悼む大衆デモに参加するために集まり、政府に抗議した。抗議の矛先はとくに毛沢東の妻の江青とその仲間、のちに失脚して四人組と呼ばれるようになった人たちに向けられた。四月五日、数千人のデモ隊が警察、人民解放軍、民兵にこん棒で広場から追い散らされた。その場ですぐに逮捕された人たちのほか、事件が政府によって「反革命」と糾弾されてから数カ月、逮捕はつづいた。この年の後半、毛沢東が死に、四人組は退場した。デモ隊から生れた多くの詩はやがて集められ、『天安門革命詩抄』として一九七八年に出版された。それを読んでいると、活字になった言葉は遠くなじみのないものに感じられたが、しわくちゃのノートの切れ端に書かれたメモや閉ざされた扉の中のひそひそ声がよみがえってくる。そこには言葉と危険がしっかりと絡み合っていた。そしてまた、詩の大多数が古典の文語体で書かれていたこと、その一部は何世紀も昔の韻律を踏んだ「詞」だったという興味深い事実も知った。

中世研究家ではあるが、私は二〇〇一年から「文化大革命の芸術と暴力」という講座を教えている。二十世紀中国の時代区分という研究課題には継続と断絶のダブルプレーがある。中華帝国という中国の過去は、近代中国の国家アイデンティティに一貫性をもたらす起源としての一面と、叛逆の中に台頭した近代中国が討つべき背景としての一面を持っている。しかし私が文革に絶えず魅了されてきた点は、その核心にある双子のパラドクスである。その一、文革そのものが過去に深く根ざしているにもかかわらず、過去を破壊し、新しい社会をつくると誓った運動であること。その二、あれほどの地殻変動をともなった歴史的事件に付随する暴力と、この運動がつねに文芸としっかり結合していたこと。第一のパラドクスについて言えば、中国から四旧（旧思想、旧文化、旧風俗、旧習慣）を追放するという誓いに反して、旧文化の表現形態の多くがゆがんだ姿で、あるいは偽装して生き残った。第二のパラドクスは、運動の本格的開始のきっかけが、明朝（一三六八－一六四四）の役人をテーマに同時代の歴史家が書いた歴史劇に対して、国家がしかけたプロパガンダ戦だったことだ。また、この時期に制作された「八つの革命模範京劇」が数百万中国人の日常生活に組み込まれ、現代のポピュラーカルチャーの一部として残っていることも記しておくべきだろう。

文革は毛沢東の後押しで四人組の一人がしかけた、「三家村」――北京市党委の雑誌に評論を投稿している三人の執筆者集団――への憎悪に満ちた攻撃という形をとった、悪質な解釈学の演習として始まった。この攻撃で書き手の一人が自殺に追いこまれ、それをきっかけに行間にひそむ隠された意味をめぐり、全国にパラノイアが波及した。発言者の書いたものや言ったことによってその人を糾弾できること、友人や隣人が思いつきの解釈をでっちあげ、妻や子供が密告者になるかもしれないことを人々は知ったのである。いわゆる「文字獄」は、その中国史初の事例をさかのぼると、十一世紀に行き着く。詩人で作家にして政治家の蘇軾は自分が書いた詩のために投獄され、詩の綿密な分析をめぐって裁判に持ちこまれた。だが二十世紀の文字獄では、解釈熱が有名な学者エリートからふつうの市民にまで広がった。

言葉の破壊力は「大字報」――大きな字で書かれた手書きの壁新聞――に現れた。大字報は反革命とされた者を糾弾する。粛清の対象は国家主席（劉少奇）、工場長、職場の同僚、知人、二軒先の隣人など、誰でもありだった。文革講座で私はいつも梯子を上って大字報を貼る人々の一九六〇年代の写真を学生に見せ、何か妙なことに気づかないかたずねる。大字報の多くは誰も読めないことに学生が気づくまでしばらくかかるが、ビルの三階から垂れ下がった大字報は、字が小さすぎて誰も読めない。中身はどうでもよかったのだ。大字報は目に見える圧力と暴力のために存在した。そこにいる人は凶暴な言葉に取り囲まれる。どこにも逃げ場がない。私の母方の祖父は裕福な家庭と両親、若い妻、二人の子供を置いて家出し、共産党に加わって日中戦争を戦った「老革命家」である。この行動によって祖父の家族は地元民兵の手で皆殺しの憂き目に会い、生き残ったのは曾祖父の妾と私の母だけだった。文革のとき、祖父は批判集会で糾弾され、凶暴な言葉の攻撃に耐えきれず、脳卒中で四十九歳の生涯を終えた。

文革を純粋な政治運動、個人的な権力を維持したかった毛沢東の策略、共産党幹部の思想闘争ととらえるよりも、私は講座で文革の「文化的」意味を教えたかった。文学批判で大衆運動を始めるとはどういうことか？　どうしたら芸術が暴力になりうるのか、暴力が優れた芸術になりうるのか？　有名なスローガンが言うように、文革は「魂に触れる革命」を約束した。それは魂に触れた。どのように触れたのか、どんな手段で触れたのか、「触れられた魂」に何が起きたのか？　これらが問われなければならない。この運動の用いた手法を知れば、文革が変えると主張した文化と社会について多くがわかるはずだ。

下から見た文革

文革を生き抜いた人の多くが回想を記すことを選ぶ。それはあのトラウマのような経験と折り合い、そこに意味を見出すための手段だった。個人的に書かれた回想と、インタビューした人や研究者がまとめた聞き書きの記録は、いずれもこの運動を理解するための貴重な資料だが、これはまた記憶、とりわけトラウマの記憶と歴史との関係について、新たな疑問を投げかける手段でもある。記憶は介入を受けやすい。過去は固定されたものではなく、絶えず変化している。すでに過去を自分の現在の中に取りこみ、劇的に異なる状況下で過去を思い出す人間の過去は、つねにその人の現在のあり方に規定される。したがって過去を理解しようとする試みは、できごとの余波の中で過去を思い出す人間を理解する試みと不可分だ。記憶はまた、書くことに仲介されるが、書くことそれ自体が言葉の修辞的な伝統、戦略、仕掛けに支配される。文学的伝統は記憶を明確化する手段に介入する。つまり、言語は歴史の記述にとって無色透明な媒体ではなく、それ自体が批判的に問われる対象でなければならない。

文革に下からアプローチすること――個人の視点で文革を検証すること――によって、人はこの運動を「間近に、個人的に」見ることができ、いろいろな意味で、ありのままに捉えることができる。なぜなら文革は共産党高級幹部や、王朝時代の学者エリートの現代の化身である知識人に限らず、労働者、農民、道路掃除人など無数の中国人の全員が、さまざまな濃淡で関わった大衆運動だったからだ。この運動の動機となった政治思想や、この運動で締め上げられた作家、芸術家、知識人についてはいろいろ語られてきた。もちろんそれは正しいことだが、それだけでは充分とは言えない。

文革は地域ごと、個人ごとにバラバラにされ、断片化された運動と言えるかもしれない。たった一つの「文化大革命」などというものは存在しない。なぜなら全国のあらゆる都市や村々で、すべての中国人がそれぞれ固有に、個人的に巻きこまれたからだ。それでもこの運動は人々が共有するさまざまな媒体の場で――ラジオや拡声器から流れるアナウンサーの声、毛主席の肖像画や色とりどりの大字報、新聞や雑誌、くりかえし上演される革命京劇のアリア、歌やスローガン、毛沢東語録や暗唱される毛主席の教えの一節をつうじて――庶民の日常生活の感触の中に織りこまれた。

私の学生の一人が古い資料を調べていたとき、ハーバード燕京図書館で、図書館員が一九八〇年代に入手した文革資料のうち未分類、無印の箱の中から、ずっと消息の知れなかった家族の友人たちの写真を偶然みつけたことがある。私の講座をとっている中国人学生の多くは、両親や祖父母が文革に深く影響されたのに、そのことを語ろうとしないと言った。それは、全く違った文脈で育ち、言語的にも文化的にも違う言葉を話す子供や孫たちには理解できないだろうと忖度してのことだという。家族への聞き取りを含むプロジェクトに関わっている学生たちは、文革講座をとったことで家族の歴史をよく知ることができ、両親や祖父母と深いきずながができたと感じている。非中国人の学生にとって、これは刺激的な経験だった。なぜなら、文革の記憶が現実の人たちの生活にどう生きているかを知ったからだ。これはただ本や記事で読むだけではわからない。こうした個人の記憶は寄せ集めると記憶のモザイクをつくり、巨大な歴史的できごとを作っているもっとたくさんのパーツに光が当たる。

あれはあらゆる年代の人々にとって、それぞれ異なる理由で、忘れがたい十年だった。しわくちゃの紙片に書かれた古典詩という個人的な思い出に始まった本稿を、アイオワの詩人、ポール・エングルの四行詩で締めくくりたいと思う。彼は有名な中国系アメリカ人作家ニエ・ホァリン（聶華苓）の夫であり、二人はアイオワシティのインターナショナル・ライティング・プログラムの共同創設者である。ニエによれば、この四行詩ほか多くの詩はエングルの一九八〇年の中国への旅で「空いた時間をとらえては、せっせと」書いたものだそうだ。

ぼくの手が石を拾った
中で声が聞こえた
放っといて……という哭き声
ここに来て隠れてるんだから

詩の題は「文化大革命」という。思い起こすのは、ぜったい入りこめない、いつもそこにある「過去」の性質である。どこで屈んで——内部に生命があるとはとうてい思えないものや物体に——耳を澄ますかを知らねばならない。また、内部に入りこむためには沢山の異なるやり方、アプローチ、手段があることも学ばねばならない。

Q.35

中国の過去の未来は何か？

スティーヴン・オーウェン
ハーバード大学名誉教授／中国文学

〝十八世紀の中国と近代中国に深甚な違いがあることを示すのは、たやすく凡庸な作業だ。だが、ごく基礎的な方法で、十八世紀の中国社会が西暦四世紀の中国社会よりも近代中国社会にずっと近いことを証明してみせるのも、同じく簡単だ。〟

「過去」をどう捉えるか

熟考に値する言葉というものがある。そういう言葉を私たちは簡単に使いすぎる。過去とは何か、そんなことはみな知っているはずだと私たちは思っている。だが実は「過去」という概念そのものには深い分断があり、その分断自体が歴史に属するのである。私たちの背後で進行中のものとしての過去と、ある日付、ある時代以前のものすべてという意味での過去とのあいだには、大きな違いがある。その日付や時代の後に来るのが旧バージョンでいう「現在」であり、過去は変えられないのに、この「現在」それ自体が新たな歴史を獲得していく。このように過激な過去の遮断はモダニズムの目論みの一環だった。この遮断された過去が今度は系統化されて、名前までつけられた――「前近代」と。

近代が正確にはいつ起きたかについては、多くの議論がある。十八世紀後半のドイツ人思想家たち、十九世紀の産業革命、一九二〇年代など、その始まりには諸説ある。ヴァージニア・ウルフは確信と皮肉の奇妙な組み合わせをもって「一九一〇年十二月に、あるいはその前後に人間の性質が変わった」という有名な言葉を残した(『ベネット氏とブラウン夫人』一九二四)。この問題の核心は、ある時点を境に、そのあとすべてが変わったという、問題のある主張だ。

中国は近代を歴史の断絶とする考え方を継承し、それを持ち前の正確さで系統化し、長たらしい過渡期を可能にした。こうして「近過去」は阿片戦争に始まり、近代は(ウルフを凌ぐ正確さで線引きされ)一九一九年五月四日に始まることになった。この歴史の断絶によって、「伝統的中国」という非歴史的な概念モデルが生まれ、阿片戦争以前の中国はすべてだいたい同じという奇妙な確信が生まれた。十八世紀の中国と近代中国に深甚な違いがあることを示すのは、たやすく凡庸な作業だ。だが、ごく基礎的な方法で、十八世紀の中国社会が西暦四世紀の中国社会よりも近代中国社会にずっと近いことを証明してみせるのも、同じく簡単だ。前者の主張は信念の問題であり、後者の主張は驚きと疑いを呼ぶ。

遺産の継承と消費

現在に生き残る閉じられた文化的過去を指すのに最もふつうに使われる中国語は「遺産」である。これは「継承物」という意味の古い言葉を拡大して、受取人を一族の相続人だけでなく漢族全体に広げたものだ。過去から伝わるすべてのものは暗に排斥を意味する。この拡大された意味での「遺産」において、相続財産から排斥されたのが非漢族である。他の東アジア諸民族のエリート層が、この受け取った文化も――実は漢族の庶民のものである以上に――自分たちのものだとかつて考えていたこと、これはとりわけ興味深い。この文化的富の近代的再配分は明らかに、新しい共和国の、のちに中華人民共和国の学校制度という媒体をつうじた国家アイデンティティ形成事業の一環だった。その昔、漢人のうちごく小さな一集団を他の漢人から区別する所有物だったものが、階級、性別、地域にかかわりなく一般人に配分された。唐詩を十篇ほど知っている漢人なら誰でも――それが漢族の相続した所有物であるというまさにそれだけの理由で――どんな外国人学者よりも唐詩に通暁している。これは今や信念の問題だ。一千年以上にわたる音韻論的、意味論的、文化的な変化の結果として生れた根源的な違いは無形である。唐詩はアイデンティティをもたらしてくれるもの、詠唱される継承資産なのである。

遺産の陰には死と遮断がある。前述した、過去についての第二の考え方だ。遺産とはまさに祖先から受け継いだ資産であって、資本ではなく、それは変わらないことによってのみ保全できる。それは既知のものとして扱われ――それが地中から掘り出されたものでないかぎり（あるいは、地中から掘り出されたという期待のもとに闇市で購入したのでないかぎり）――本格的な再解釈に開かれていない。この「継承資産」という体制のもとで、学問はおおむね、馴染んだスコアの再演、ないしはどこかの文化保管庫で暗い片隅を探しまわる細やかな作業になる。学問の使命は国民の歴史の詳細を収めた宝物殿を守ること、そしてそれについて質問しないことになる。

もしも（「一九一〇年十二月頃に人間の性質が変わった」のような）西洋の黙示録的近代が、中国の前近代を近現代に構築する一つの要素だったとすれば、二番目の要素は前近代中国そのもの――具体的には中国最後の王朝＝清――からやって来た。これは、遠過去も近過去も本質的に同じという思いこみである。中国史全体をつうじて複数の基本的変化が起きたというういかなる主張に対しても、いつも返ってくるのは、どんな変化だろうが、そんなものはその前からすでに存在するという答だ。

中国人の一部の少数が住む地域の、変化する一媒体が、「伝統的中国文化」とはっきり定義された製品になり、それがさまざまな形にパッケージされて国内消費に向かう。この製品を輸出市場に媒介するのが、国家の潤沢な資金に支えられた「孔子学院」である。

中国には、流入する新しい考えに触発される非常に賢い大学院生や若手の学者がいる。彼らは学習グループをつくる。だが彼らは教える側に立つと誰もが同じことを言い、自分がもはや信じていない標準的な文献史学を教えるよう求められる。いざ公的な場に出ると、自分たちが私的に討論した新しい考えについて、彼らはたいてい沈黙を守る。明らかに自分たちが学んできたことは――たぶん敢えて――引用しない。状況をあまりに悲観的に描こうとは思わないし、こういう状況が中国だけの問題だと言おうとしているのでもない。同じような現象は自国文化を教える州立学校制度のどこでも共通している。アメリカの州立大学では学問の自由を維持するためにときどき議会と争わねばならない。州政府はかなりの費用を支払っているし、何を教えたいのか知っている。

「変ずれば通ず」

では中国の過去の未来はどうなるのか？　未来は大学院生や若手研究者の学習グループに、アカデミー文化の周縁部に、外部の熱狂的愛好家層にあると私は思う。こういう人たちは、活力ある前衛文化、それ以上に活力のある大衆ネット文化、（おそろしく高齢で男性ばかりの）アカデミー内の保守文化が混合する現代中国文化を複雑化してくれる。中国外部の学者には、ただ出版することで果たせる役割がある。彼らの書く本は——海外学術書と烙印されて——中国の書店の外国書籍売場の片隅に積み上がるだけかもしれない。だがこういう本の方が、広大な売場を占領する中国の学術書よりも買い手の心を引きつけるようだ。こういう大学院生や若手研究者、愛好家たちと話すと、ほんとうの対話ができる。公式なアカデミーの場ではこういうことは起きない。

中国思想の崇敬すべき公理に「変而通＝変ずれば通ず」がある。変われば何事かが通じ、成功し、継続するという意味だ。「通」の反対語は「塞」＝「塞ぐ、停滞する」。これが中国の文化的過去への理解が現在位置する場所だ。中国の文化的過去に真剣な批判的熟考を加えること——自分たちの理解を変えること。これがアカデミーをとりまく周縁的コミュニティと愛好家から期待できることだ。注意深く、そして新しい目で見つめるだけで、それは賢く刺激的な伝統である。その文献とその所産をステロタイプの広大な貯水池から救うことができる。それは祖先からの継承資産とは違う。

一九六〇年代、七〇年代の欧米思想は刺激的で、同時代の知識人が世界をどのように理解しているかについて、（必ずしも認識されていないが）奥行きのあるレガシーを残した。こういう思想家たちは、オリジナルよりも二次的にまとめた文献で読まれることの方が多い。その最高傑作の多くが、明らかにプラトン、ルソー、ヘーゲル、バルザックなど過去の思想家を再読することから生れたことを知る人はあまりいない。これは化石化したり崇拝の対象になったりする過去ではなく、真剣な思考の糧として現在に戻ってくるものなのだ。ここにこそ過去はどう変わり得るかという答がある——「変ずれば通ず」。

これが私たちに望みうることだ。若手中国人学者たちがこういう批判的眼差しの下で何を見出すか、私にはわからないが、それは化石化し要約された「伝統的中国」のステロタイプでもなければ、中国の衣をまとったポストコロニアル思想などの、欧米思想でもないだろう。過去を読んでも自分自身を発見するだけという現代アカデミーの陳腐化した見解を私は信じない。私たちは変化しつつある自分自身である。私たちは学び、そして変わる。

Q.36

過去六十年で中国研究はどう変わったか？

ポール・A・コーエン
ウェルズリー大学名誉教授／中国近現代史

〝一番重要なのは、世界の主要文明の歴史にとって以上に中国史にとって、変化というものが不可欠な要素と見られるようになったことであり、交易、宗教その他の形態の接触をつうじて、中国が長期にわたり世界と密接に関わってきたのが明らかになったことである。〟

この問いに答えるのに使える要素はたくさんあるが、最も重要なのは、テクノロジー、政治、社会文化的変化の三つである。私の議論には、とりわけ中国研究がどう変わったかという問いを逸脱してしまう部分がきっとあると思う。なぜなら、ある点で中国のケースは世界の多くの場所で起きた変化のきわめて広範なプロセスを反映しているからだ。

テクノロジー要素

タイプライターがコンピュータに取って代わられたとき、消去作業が過去のものになっただけでなく、ワープロ機能によってコピペや文章をまとめて移動することなど、いろいろな技が可能になった。タイプと比べて、ワープロは天の恵みだ。タイプライターは今や骨董品に分類しなおされることになった。

だがコンピュータのおかげで文章テキストの作成が楽になっただけではない。インターネットとの組み合わせによって、それまで不可能だったあらゆるたぐいのことを可能にする物理的手段が与えられた。図書館のローテクなカード検索がオンライン化されて、世界中の学者はどの本がどこの図書館にあるか、瞬時にわかるようになった。そこへ行って調べなくてもすむようになったのだ。キーワード検索もできるようになった。オフィスや自宅の書斎を離れることなく、デジタル・アーカイブ、新聞、ジャーナルをじっくり読むことができ、ウェブ経由で世界の何千ものサイトにアクセスでき、膨大なデータベースの精査が可能になって、研究プロセスに革命が起きたし、コンピュータで世界の同業者と即時にeメールや書類を交換できる。

ここで自分の研究から簡単な例を一つあげよう。自著、*Speaking to History: The Story of King Goujian in Twentieth-Century China*〔『歴史と語る――二十世紀中国の越王勾践』〕（二〇〇九）の最終章を準備していたとき、私は中国のデータベース *China academic Journals*〔『中国期刊全文数据库』〕をよく使った。ここには専門的関心に答える七千二百以上のジャーナル、雑誌、ニューズレターなどがあって全文検索でき、一九九四年から（私の研究が終了した）二〇〇七年までをカバーする資料がある。こういうデータベースの威力を示す例として、たとえば「勾践」（東周王朝時代〔前七七〇－前二五六〕の越王）で検索すると、二〇〇七年一月の時点で五千五百四十九件の記事がヒットし、勾践の物語に欠かせない諺「臥薪嘗胆」は七千二百九十二件がヒットする。明らかに、こういう検索エンジンやそのコアとなるデジタル化プロセスがなければ、多くをそれに頼るこの研究は不可能だったはずだ。デジタル化によって、テキスト、サウンド、グラフィック画像、人体各部など、事実上すべてのものがデジタル形式に変換され、研究者はどこからでも大量のデータにアクセスできる。中国、アメリカほか全世界で中国史を勉強する学生にとって、これは今や基本ツールである。

政治要素

誰が中国に行けて、中国で研究できるかは政治が決める。どのような公文書館に（どの程度）アクセスできるか、あなたが外国人であれば、情報やアイデアを交換したい、あるいは、できれば共同研究したいと思う中国人学者とどのような接触ができるか、外国人として学会に招待されるかどうかなどは政治によって決まる。一九六一年に私が博士号をとったとき、アメリカ人は全く中国へ行けなかった。もちろん台湾ほか、中国関連のアーカイブ資料のある場所（たとえばハーバードのホートン図書館やイェール神学校図書館の宣教師資料）、あるいは東京の東洋文庫、パリ、ロンドン、ローマなどの政府や教会の公文書館で研究することはできる。もちろんコンピュータやデジタル化時代のずっと以前は、そういう場所へ物理的に移動し、オリジナル資料を読まねばならなかった。不便だし、費用も時間も馬鹿にできない。

少なくともアメリカ人学者に対する中国の鎖国政策は一九七〇年代末に変わりはじめた。たとえば一九八七年に先駆的著書 *The Origins of the Boxer Uprising*（『義和団事件の起源』）〔中国語訳『義和団運動的起源』張俊義訳、江蘇人民出版、一九九四〕を発表した歴史家のジョゼフ・エシェリックは、この本を書くために一九七九年の秋から一年間中国で過ごし、一九六〇年代に山東大学史学科の学生と教授陣が行なった元義和団メンバーの武術家たちの聞き取りを詳しく研究することができた。私が中国を初めて訪れたのは一九七七年だったが、中国人学者との知的な接触が本格的に始まったのは一九八一年八月である。そのときは上海の復旦大学が主宰した「清末民初の中国社会」という学会に参加した。大きな学会だったが外国人はほとんど招待されておらず、非中国人はアルバート・フォイヤーヴェルカーと私だけだった。会議はとても自由で、中国人参加者は充分な根拠のもとに互いを堂々と批判したり誉めたりできたし、それは私とフォイヤーヴェルカーが相手でも同じだった。会議で発表された論文は後日中国語で出版され、少なくとも私の場合は、書いたことを政治的に修正されることもなかった。少々拙速だったと思うが、私は中国での自由な意思疎通がほんとうに進展しつつあるのだという感触を抱きながら会議場を後にした。

中国で実際に研究する経験をしたのは一九八七年だった。そのときは山東大学で義和団関連の聞き取り記録を読み、天津の南開大学では、天津ほか河北省各地の義和団を対象に、主として南開大学史学科の一九五六年クラスが集めた未発表の聞き取り資料を大量にコピーするなど、実りの多い時間を過ごすことができた。山東大学にいたとき、私は中国の義和団研究の第一人者で山東のオーラルヒストリー調査の原動力だった路遙教授と、ほぼ一日かけて話をしたことがある。この会話で教授は、何十年も前に山東大学史学科の学生が行なったインタビューの限界について、胸襟を開いて率直に語ってくれた。

このころは中国人学者とふつうに意思疎通ができたし、そのうち何人かはそれぞれの研究テーマを進めるために海外へ出始めていた。また非中国人の学者たちは北京の中国第一歴史档案館や南京の第二歴史档案館へのアクセスに加えて、中国各地の省や県の档案館で重要な研究をすることができるようになった。さらに中国の学者が手元にある大量の記録文書を出版し始め、これで国外からもそうした資料へのアクセスが可能になった。

中国政府が不快に思うような出版物や公開の批判に対抗して、政府当局は政治的理由から外国人や海外に住む中国系の人々に時々ビザの発給を拒否することがあったし、今もそれは続いている。また特定の公文書館へのアクセスが周期的に制限されることもあるし、中国では政治的に敏感なトピックについては、いまだに研究が相対的に難しい。しかし全体として見れば、人や記録物へのアクセスはいずれも過去六十年で飛躍的に進歩した。同様に、中国の最近の歴史に重要な役割を果たした人たち、あるいは毛沢東が支配した時代の具体的な時点で、中国社会のさまざまな階層の生活がどんなだったか知っている人たちへの個人的インタビューもできるようになった。くりかえすが、さまざまな妨害はあるものの、状況は六十年前よりも格段に良くなっている。

政治がらみの文脈で、過去六十年に劇的変化があったもう一つの状況は、二十一世紀初めにグローバル経済の主力として中国が台頭してきたことだ。私の大学院生時代から考えたら、想像もできなかったことである。このことは今の歴史家が発する質問を変貌させた。またその結果、海外で学ぶ中国人留学生の数が飛躍的に増え、アメリカだけで二〇一五―一六年の中国人学生数は三十二万八千人を超える（米国国際教育研究所調べ）。これは同じ時期のアメリカの留学生全体の三一・五％を占める数だ。中国人留学生の大半は留学を終えると、故国での生活の見通しとともに、また望むらくは非中国人専門家の書いた中国史にさらなる興味を抱いて、帰国することだろう。

社会文化的要素

「社会文化的要素」と言うとき私の念頭にあるのは、主として過去半世紀に世界の歴史家の関心を引き、中国に関する私たちの質問に影響してきた新しい展開だ。その一部を代表するものとして、一九七〇年代、八〇年代にすでに始まっていた流れに沿う一群の労作がある。特筆すべき例が大衆文化の研究で、それがエリート文化とどう違うか、どう相互作用したかもそこに含まれる。この下部分野はデイヴィッド・ジョンソン、アンドリュー・J・ネイサン、イヴリン・S・ロウスキ編、一九八五年出版の先駆的著作 *Popular Culture in Late Imperial China*（『中華帝国後期の大衆文化』）を嚆矢に、まさに破竹の勢いで出版がつづいた。

後続文献としては、労働史部門で、上海の娼婦、北京の人力車夫、上海や天津の工場労働者など多種多様な集団についての著作があり、ポピュラー・コミュニケーション分野〔大衆文化とそのさまざまな媒体を多角的、総合的に扱う新しい研究分野〕では暦、民族文学、京劇、戦時のプロパガンダなどについての研究がある。

飛躍的に重要性を増したもう一つの展開は、人類学の分野が中国の歴史的文献に与えたインパクトだった(これはアメリカその他における歴史関係の職業一般の動向を反映している)。私の最初の著作が出た一九六三年前後に関心を集め始めたばかりのジェンダーや女性学が、この頃からふたたび大きく伸びてきた。この分野の記念碑的著作となった *Engendering China: Women, Culture, and the State*(『ジェンダー化する中国――女性、文化、国家』一九九四)の編者が言うように、「ジェンダーというレンズを通して見た中国は、以前より開かれたどころではない。これはまったく別物だ」。そのほか最近の新しい研究分野としては、医学と疾病の歴史、中国史における非漢族グループの役割、中国人海外移民、環境史などがある。

欧米人にとって中国が「特殊」、すなわち自国とは根源的に異なるものに見えるのが珍しくない時期があった(もちろん十九世紀)。中国は停滞して変わらない文明だ。おかしな場所だし、よく分からん。おまけに鎖国状態にあり、密封され、隠者のように世界から孤絶した存在だ。それが、欧米の学者がとりわけここ半世紀ほど中国理解を深めるにつれ、こうした謎が一つ一つ解かれていった。一番重要なのは、世界の主要文明の歴史にとって以上に中国史にとって、変化というものが不可欠な要素と見られるようになったことであり、交易、宗教その他の形態の接触をつうじて、中国が長期にわたり世界と密接に関わってきたのが明らかになったことである。

中国を見るとき、ここ数十年でますます重要になってきた新しい文脈は、全ユーラシアという視点である。この陸塊の東端から大陸全体へ視野を広げてみると、ハプスブルク帝国、オスマン帝国、モスクワ大公国、ムガール帝国、そして時代を下って大英帝国などの帝国群の中で、清朝中国は唯一のユーラシア帝国であることがわかる。中国をこれらの帝国と比べてみると——そして先入観のいくつかを捨ててみると——清と、清が世界の中に占める位置に対する理解が進化する。学者たちは清帝国を帝国主義の犠牲としてだけ見るのではなく、多民族の住む広大な領土を支配した他のユーラシア帝国の拡張主義と同じく、清帝国それ自体が植民地勢力だったと考え始めている。私たちはまた、十九世紀最後の数十年に始まる帝国から国民国家への中国政体の変貌を、ある意味で、ユーラシア陸塊の複数の場所ですでに起きたプロセスが遅れて反復されたと考え始めている。ほかでも触れたと思うが、肝心なのは、中国を知れば知るほど、中国がますます我々に似てくるということではない。むしろ、我々が中国を美化しなくなるにつれ、だんだんはっきりしてくるのは、我々の文明を含む他の諸文明が対処しなければならなかったのと驚くほど似た問題に、中国も時間をかけて対処しなければならなくなったということである。

謝辞

本書の編集者一同から以下の方々に謝意を表したい。フェアバンク・センター前所長マーク・エリオット氏からの刺激的な示唆に。ジャーナリストで元新聞編集長のロバート・キートリー氏には一般読者向けに文章を整える上で発揮してくださった貴重な編集手腕に。ハーバード大学出版局のカスリーン・マクダモット氏からは本企画に批判的な助言をいただいた。日頃フェアバンク中国研究センターで数々のプログラムや企画を進めてくださる全スタッフのみなさまにお礼を申し上げます。

訳者あとがき――三十七番目の問い

本書はJennifer Rudolph & Michael Szonyi eds., *The China Questions: Critical Insights into a Rising Power* (Harvard University Press, 2018) の全訳に、二〇二〇年十二月下旬の時点で書かれた「日本語版への序」を加えたものです。

原書が出てから三年後の邦訳出版となりましたが、この三年は世界にとって大きな変化が次々と展開する驚くべき時間でした。原書と訳書の出版の時間差をこれほど思い知らされたことはありません。そもそも同時代中国がらみの書物は、情報が錯綜するうえに現実の進行が速く、著者泣かせの分野ですが、事態をキャッチアップするそばから、それが蜃気楼のように先へ先へと逃げていく焦燥感の中で、あらためて「ビフォア・コロナ」の中国研究をたどることの意味を問わざるを得ませんでした。米大統領選の去就がわかるのを待って頂戴した「日本語版への序文」では、しかし、これを「時間がたったがゆえに振り返って見る利点」ととらえています。つまり、米中関係が劇的に変わる直前に、アメリカのシノロジー（中国学）の魚拓をとったということになります。学究当事者の立場からは当然の見解ですが、私たち日本の読者にとって、謎は終わりません。

ハーバード大学フェアバンク中国研究センターは、ご承知のように、アメリカの草分け的中国研究者の一人、ジョン・K・フェアバンク氏（一九〇七―九一）が、東アジア研究センターとして一九五五年に礎を築いた世界的な教育研究機関です。第二次世界大戦中、アメリカのアジア学者はフェアバンク氏を含め、多くがワシントンに協力して情報戦に加わり、その一部は戦後、いわゆる「中国の喪失」の責めを問われたこともありました。しかし、アメリカの近代中国研究はこの研究センターから本格的に始まり、ここを巣立った研究者、ジャーナリスト、政治家、実業家など、全米・全世界で活躍する多くの人材を育てる強力な拠点の一つになりました。

日本には中華圏との長いつきあいの中から育んだ豊かな支那研究の歴史的蓄積があるうえ、そもそも漢字の習得から始めねばならない非漢字圏の研究者と比べて格段に有利ですが、そんな私たちがなぜハーバードの中国学を知ろうとするのか――これが三十七番目の問いです。

フェアバンク・センターの前所長であられたマーク・エリオット教授（内陸アジア史）には、当初から翻訳・編集の過程を含め、たいへんお世話になりました。本書でも随所に触れられていますが、世界の中国研究は今、そのテーマの一つとして清朝と内陸アジアの関係をどうとらえるか、一ユーラシア帝国としての清という側面に新たな光が当たっており、一九九〇年代以降のアメリカと中国で話題になった「新清史」と呼ばれる分野は、いくつかあったアメリカのシノロジーの転換点の一つであり、エリオット教授はその嚆矢の一人です。

大英帝国のつくった帝国の道を逆にたどってできた華人華僑の世界は、海洋アジアの研究でかなり明らかになっていますが、内陸アジア研究は、これまで比較的日が当たってきませんでした。日本では、かつて大きな成果をあげ、学術資産として積み上がった満蒙研究が、戦後の政治的趨勢から勢いを失い、とりわけ市井の日本人には馴染みの薄い分野になりました。しかし清と中華民国の近代化は日本の近代化と時空を接し、密に交わる重要な分野です。これに満蒙・朝鮮・樺太・台湾など戦前のいわゆる「外地」を加えて、東アジアの近代を日本の目線できちんと組み直すことは、私たちの現在と未来を探るうえで欠かせない未知なる航路と言えましょう。私たちには先人の残した日本独自のすばらしい海図があるのです。ハーバードからのメッセージは、これにアメリカの立場から描いた海図が加わるということです。多方向からの視線が組み合わさってこそ、戦後の薄暗がりにぼんやりうずくまっていたこのユーラシアの謎は、目が馴れるにつれ、その輪郭をしだいにはっきり現してくるでしょう。

本書は、一線で活躍する三十六人の中国学者がそれぞれ選んだ広範な学術トピックから、（二〇一七年までの）中国をワン・ストップで俯瞰できる仕立てになっています。正直なところ、この旧知のはずの隣国を知らないことにかけて、今の平均的日本人は欧米人に引けをとりません（笑）。ピュー研究所の最新調査によれば、中国を好意的に見る日本人は今や九％にすぎないとのことです。改めて驚くまでもない数字かもしれませんが、「コロナ神経症」で加速したシノフォビア（嫌中）では、物事を見誤ります。ここは落ち着いて、この「面倒クサイお隣さん」の実像をできるだけ正しく捉えておいて損はありません。一篇がおよそ二千ワードの短いエッセイですので、このたぐいの書籍にはふつうある注は、煩雑さを避けて省かれています。それだけに突っ込み所満載であり、つぎつぎと疑問もわきますが、それは読者ご自身の興味と情報網でさらに追求してください。巻末の参考図書情報も、その先の考察につなげる端緒になると思います。

日本の歴史学の泰斗、故・岡田英弘先生のご縁からエリオット教授をご紹介いただいたモンゴル学の宮脇淳子先生（岡田夫人）、ならびに藤原書店の藤原社長にお礼を申し上げます。また編集でご苦労いただいた刈屋琢さんの優れた知見と経験に少なからず助けていただきました。ありがとうございます。

朝倉和子

二〇二一年一月　東京・月島にて

Berkeley: University of California Press, 1999.〔『三国志』〕
The Water Margin: Outlaws of the Marsh. Attributed to Shi Nai-an. Translated by J. H. Jackson. Clarendon, VT: Tuttle, 2010.〔『水滸伝』〕
Wu, Jingzi. *The Scholars*. Translated by Yang Hsien-yi and Gladys Yang. New York: Columbia University Press, 1992.〔『儒林外史』稲田孝訳、中国古典文学大系43、平凡社、1968年〕
Yu, Anthony C. *Comparative Journeys: Essays on Literature and Religion East and West.* New York: Columbia University Press, 2009.
———. *Rereading the Stone: Desire and the Making of Fiction in "Dream of the Red Chamber."* Princeton, NJ: Princeton University Press, 1997.

Women, Culture, and the State. Cambridge, MA: Harvard University Press, 1994.
Hansen, Valerie. *The Silk Road: A New History*. Oxford: Oxford University Press, 2012.〔『図説シルクロード』田口未和訳、原書房、2016年〕
Hsia, C. T. *The Classic Chinese Novel: A Critical Introduction*. Hong Kong: Chinese University Press, 2015.
Johnson, David, Andrew J. Nathan, and Evelyn S. Rawski, eds. *Popular Culture in Late Imperial China*. Berkeley: University of California Press, 1985.
The Journey to the West. Attributed to Wu Cheng-en. Translated by Anthony C. Yu. 4 vols. Chicago: University of Chicago Press, 2012.〔『西遊記』〕
Lao She. *The Philosophy of Old Zhang: The City of Cats*. CNPeReading, 2012.
〔『張さんの哲学』呉綿季・石川正人訳、武田書店、2002年〕
〔『猫城記』科学幻想小説振興集団訳（キンドル版）、2017年／稲葉昭二訳、サンリオSF文庫、1980年〕
Li, Wai-yee. "Full-Length Vernacular Fiction." In *Columbia History of Chinese Literature*, edited by Victor Mair, 620–658. New York: Columbia University Press, 2001.
———. *Enchantment and Disenchantment: Love and Illusion in Chinese Literature*. Princeton, NJ: Princeton University Press, 1993.
Lieberman, Victor, ed. *Beyond Binary Histories: Re-imagining Eurasia to ca. 1830*. Ann Arbor: University of Michigan Press, 1999.
Liu, Cixin. *The Three-Body Problem*. Translated by Ken Liu. New York: Tor, 2016.〔『三体』大森望・光吉さくら・ワンチャイ訳、立原透耶監修、早川書房、2019年〕
Makeham, John. *Lost Soul: "Confucianism" in Contemporary Chinese Academic Discourse*. Cambridge, MA: Harvard University Asia Center, 2008.
———. *New Confucianism: A Critical Examination*. New York: Palgrave Macmillan, 2003.
The Marshes of Mount Liang. Attributed to Shi Nai-an and Luo Guanzhong. Translated by John and Alex Dent-Young. 5 vols. Hong Kong: Chinese University Press, 2002.〔『水滸伝』〕
Mittler, Barbara. *A Continuous Revolution: Making Sense of Cultural Revolution Culture*. Cambridge, MA: Harvard Asia Center, 2012.
Monkey. Attributed to Wu Cheng-en. Translated by Arthur Waley. New York: Grove Press, 1958.〔『西遊記』抄訳〕
The Monkey and the Monk: A Revised Abridgment of The Journey to the West. Translated by Anthony C. Yu. Chicago: University of Chicago Press, 2006.〔『西遊記』抄訳〕
Morning Sun. Hinton, Carma, Geremie Barme, and Richard Gordon. [Distributed by] Center for Asian America Media, 2003. Documentary film.〔文革記録映画、https://www.imdb.com/title/tt0381430/ にて視聴可能〕
Morning Sun. http://www.morningsun.org/. Long Bow Group, Inc.
Outlaws of the Marsh. Attributed to Shi Nai-an and Luo Guanzhong. Translated by Sidney Shapiro. Bloomington: Indiana University Press, 1981.〔『水滸伝』〕
Plaks, Andrew. *The Four Masterworks of the Ming Novel*. Princeton, NJ: Princeton University Press, 1987.
The Plum in the Golden Vase, or, *Chin P'ing Mei*. Translated by David Roy. 5 vols. Princeton, NJ: Princeton University Press, 1993–2013.〔『金瓶梅』〕
Three Kingdoms: A Historical Novel. Attributed to Luo Guanzhong. Translated by Moss Roberts.

社会

Ashiwa, Yoshiko, and David L. Wank, eds. *Making Religion, Making the State: The Politics of Religion in Contemporary China.* Stanford, CA: Stanford University Press, 2009.

Bol, Peter K. *Neo-Confucianism in History.* Cambridge, MA: Harvard University Asia Center, 2008.

Brauen, Martin, ed. *The Dalai Lamas: A Visual History.* Chicago: Serindia, 2005.

de Bary, Wm. Theodore, and Irene Bloom, comps. *Sources of Chinese Tradition.* New York: Columbia University Press, 2000.

Goossaert, Vincent, and David A. Palmer. *The Religious Question in Modern China.* Chicago: University of Chicago Press, 2011.

Greenhalgh, Susan. *Cultivating Global Citizens.* Cambridge, MA: Harvard University Press, 2010.

Katz, Paul R. *Religion in China and Its Modern Fate.* Waltham, MA: Brandeis University Press, 2014.

Kaufman, Joan, Arthur Kleinman, and Tony Saich. *AIDS and Social Policy in China.* Harvard East Asian Monographs. Asia Public Policy Series. Cambridge, MA: HIV / AIDS Public Policy Project, Kennedy School of Government, Harvard University, 2006.

Kleinman, Arthur, and James L. Watson. *SARS in China: Prelude to Pandemic?* Stanford, CA: Stanford University Press, 2006.

Kleinman, Arthur, Yunxiang Yan, Jing Jun, Sing Lee, Everett Zhang, Pan Tianshu, Wu Fei, and Guo Jinhua. *Deep China: The Moral Life of the Person: What Anthropology and Psychiatry Tell Us about China Today.* Berkeley: University of California Press, 2011.

Lei, Ya-Wen. *The Contentious Public Sphere: Law, Media and Authoritarian Rule in China.* Princeton, NJ: Princeton University Press, 2017.

Liu, Sida, and Terence Halliday. *Criminal Defense in China: The Politics of Lawyers at Work.* Cambridge: Cambridge University Press, 2016.

Overmyer, Daniel L., ed. *Religion in China Today.* Cambridge: Cambridge University Press, 2003.

Palmer, David A., Glenn Shive, and Philip Wickeri, eds. *Chinese Religious Life.* Oxford: Oxford University Press, 2011.

Schwieger, Peter. *The Dalai Lama and the Emperor of China.* New York: Columbia University Press, 2015.

Ya, Hanzhang. *The Biographies of the Dalai Lamas.* Translated by Wang Wenjiong. Beijing: Foreign Languages Press, 1991.

Zhang, Qianfan. *The Constitution of China: A Contextual Analysis.* Oxford: Hart Publishing, 2012.

Zhu, Suli. *Sending Law to the Countryside: Research on China's Basic-Level Judicial System.* New York: Springer, 2016.

歴史と文化

Cao Xueqin, and Gao E. *The Story of the Stone.* Translated by David Hawkes and John Minford. 5 vols. Harmondsworth, UK: Penguin, 1973–1986.〔『紅楼夢』〕

Chan, Koonchung. *The Fat Years.* Translated by Michael Duke. New York: Doubleday, 2011.〔『しあわせ中国——盛世2013年』望月暢子・舘野雅子訳、辻康吾監修、新潮社、2012年〕

Cohen, Paul A. *Discovering History in China: American Historical Writing on the Recent Chinese Past.* New York: Columbia University Press, 2010.〔『知の帝国主義——オリエンタリズムと中国像』佐藤慎一訳、平凡社、1988年〕

Gilmartin, Christina K., Gail Hershatter, Lisa Rofel, and Tyrene White, eds. *Engendering China:*

Looney, Kristen. "China's Campaign to Build a New Socialist Countryside: Village Modernization, Peasant Councils, and the Ganzhou Model of Rural Development." *China Quarterly* 224 (2015): 909–932.

Office of the United States Trade Representative, Washington, DC: 2016 Report to Congress on China's WTO Compliance. https://ustr.gov/sites/default/f iles/2016-China-Report-to-Congress.pdf.

Perkins, Dwight. *East Asian Development.* Cambridge, MA: Harvard University Press, 2013.

———. *The Economic Transformation of China.* Singapore: World Scientific Press, 2015.

Riedel, James, Jing Jin, and Jian Gao. *How China Grows.* Princeton, NJ: Princeton University Press, 2007.

Rithmire, Meg. *Land Bargains and Chinese Capitalism: The Politics of Property Rights under Reform.* Cambridge: Cambridge University Press, 2015.

Tsai, Lily L. *Accountability without Democracy: Solidary Groups and Public Goods Provision in Rural China.* Cambridge: Cambridge University Press, 2007.

Webster, Timothy. "Paper Compliance: How China Implements WTO Decisions." *Michigan Journal of International Law* 35 (2013): 525–578.

Whyte, Martin King. *The Myth of the Social Volcano: Perceptions of Inequality and Distributive Justice in Contemporary China.* Stanford, CA: Stanford University Press, 2010.

Wu, Mark. "The China, Inc. Challenge to Global Trade Governance." *Harvard International Law Journal* 57 (2016): 261–324.

環境

Anderson, E. N. *Caring for Place: Ecology, Ideology, and Emotion in Traditional Landscape Management.* London: Routledge, 2014.

Duara, Prasenjit. *The Crisis of Global Modernity: Asian Traditions and a Sustainable Future.* Cambridge: Cambridge University Press, 2015.〔書評：国際日本文化研究センター『日本研究』#58（2018）、pp.237-243、鍾以江・磯前順一「プラセンジット・ドゥアラ『グローバル近代の危機——アジアの伝統と持続可能な未来』」〕

Elvin, Mark. *The Retreat of the Elephants: An Environmental History of China.* New Haven, CT: Yale University Press, 2004.

Kahn, Matthew E., and Siqi Zheng. *Blue Skies over Beijing: Economic Growth and the Environment in China.* Princeton, NJ: Princeton University Press, 2016.

Mao, Yushi. "Evolution of Environmental Ethics: A Chinese Perspective." In *Ethics and Environmental Policy: Theory Meets Practice*, edited by Frederick Ferre and Peter Hartell, 42–57. Athens: University of Georgia Press, 1994.

McElroy, Michael. *Energy and Climate: Vision for the Future.* 1st ed. Oxford: Oxford University Press, 2016.

———. *Energy: Perspectives, Problems and Prospects.* Oxford: Oxford University Press, 2010.

Shapiro, Judith. *Mao's War against Nature: Politics and the Environment in Revolutionary China.* Cambridge: Cambridge University Press, 2001.

Smil, Vaclav. *China's Past, China's Future: Energy, Food, Environment.* London: Routledge, 2004.

Thornber, Karen Laura. *Ecoambiguity: Environmental Crises and East Asian Literatures.* Ann Arbor: University of Michigan Press, 2012.

#123（2000年1月）、pp.195-204、浅野亮「中国の戦略文化——アラステイア・ジョンストン『文化的な現実主義——中国の歴史における戦略文化と大戦略』」〕
Lin, Hsiao-ting. *Accidental State: Chiang Kai-shek, the United States, and the Making of Taiwan.* Cambridge, MA: Harvard University Press, 2013.
McDevitt, Rear Admiral Michael, USN (ret.), ed. *Becoming a Great "Maritime Power": A Chinese Dream.* Arlington, VA: CNA Corporation, June 2016, https://www.cna.org/CNA_files/PDF/IRM-2016-U-013646.pdf.
McReynolds, Joe, ed. *China's Evolving Military Strategy.* Washington, DC: Jamestown Foundation, 2016.〔『中国の進化する軍事戦略』伊藤和雄・大野慶二・鬼塚隆志・木村初夫・五島浩司・沢口信弘訳、原書房、2017年〕
Military and Security Developments Involving the People's Republic of China 2016, Annual Report to Congress. Arlington, VA: Office of the Secretary of Defense, May 13, 2016. http://www.defense.gov/Portals/1/Documents/pubs/2016%20China%20Military%20Power%20Report .pdf.
Mitter, Rana. *Forgotten Ally: China's World War II, 1937–1945.* New York: Houghton Mifflin, 2013.
Rigger, Shelley. *Why Taiwan Matters: Small Island, Global Powerhouse.* Lanham, MD: Rowman & Littlefield, 2013.
Ross, Robert. "The Revival of Geopolitics in East Asia: Why and How?" *Global Asia* 9, no. 3 (Fall 2014): 8–14.
———. "The Rise of the Chinese Navy: From Regional Naval Power to Global Naval Power?" In *A Changing China in a Changing World*, edited by Avery Goldstein and Jacques deLisle. Washington, DC: Brookings Institution, 2017.
Wachman, Alan M. *Why Taiwan? Geostrategic Rationales for China's Territorial Integrity.* Stanford, CA: Stanford University Press, 2007.
Westad, Odd Arne. *Restless Empire: China and the World since 1750.* New York: Basic Books, 2015.

経済

Chang, Leslie T. *Factory Girls: From Village to City in a Changing China.* New York: Spiegel & Grau, 2009.〔『現代中国女工哀史』栗原泉訳、白水社、2010年〕
Cho, Mun Young. *The Specter of the People: Urban Poverty in Northeast China.* Ithaca, NY: Cornell University Press, 2013.
Chow, Gregory C. *China's Economic Transformation.* Malden, MA: Blackwell, 2002.
Cunningham, Edward. *China's Most Generous: Understanding China's Philanthropic Landscape.* This can be accessed at https://chinaphilanthropy.ash.harvard.edu. This website is updated regularly.
Dillon, Nara. *Radical Inequalities: The Revolutionary Chinese Welfare State in Comparative Perspective.* Cambridge, MA: Harvard University Press, 2015.
Goodman, David S. G. *The New Rich in China: Future Rulers, Present Lives.* London: Routledge, 2008.
Hsing, You-tien. *The Great Urban Transformation.* Oxford: Oxford University Press, 2010.
Johnson, Paula D., and Tony Saich. *Values and Vision: Philanthropy in 21st Century China.* Ash Center for Democratic Governance and Innovation, 2017.
Lardy, Nicolas R. *Markets Over Mao.* Peterson Institute for International Economics, 2014.
Li, Shi, Hiroshi Sato, and Terry Sicular, eds. *Rising Inequality in China: Challenges to a Harmonious Society.* Cambridge: Cambridge University Press, 2013.

ター・C・パーデュー『中国の西征――清の中央ユーラシア征服』]〕
Perry, Elizabeth J. *Challenging the Mandate of Heaven: Social Protest and State Power in China.* Armonk, NY: M. E. Sharpe, 2001.
———. "Reclaiming the Chinese Revolution." *Journal of Asian Studies* 67, no. 4 (November 2008): 1147–1164.
"The Politburo's Growing Number of Influential Leaders." *New York Times,* November 15, 2012. http://www.nytimes.com/interactive /2012/11/14/world/asia/the-politburos-growing-number-of-influential-leaders.html?_r=0.
Sautman, Barry. "Paved with Good Intentions: Proposals to Curb Minority Rights and Their Consequences for China." *Modern China* 38, no. 1 (2012): 10–39.
Tang, Wenfang. *Populist Authoritarianism: Chinese Political Culture and Regime Sustainability.* New York: Oxford University Press, 2016.
Tullock, Gordon. *Autocracy.* New York: Springer Science & Business Media, 2012.
Xiang, Lanxin. *China's Legitimacy Crisis.* Lanham, MD: Rowman & Littlefield, 2017.
Zang, Xiaowei, ed. *Handbook on Ethnic Minorities in China* (Handbooks of Research on Contemporary China). Cheltenham, UK: Edward Elgar Publishing, 2016.

国際関係

Art, Robert J. "The United States, East Asia, and the Rise of China: Implications for the Long Haul." *Political Science Quarterly* 125, no. 3 (Fall 2010): 359–391.
Blasko, Dennis J. *The Chinese Army Today: Tradition and Transformation for the 21st Century.* 2nd ed. New York: Routledge, 2012.
Brook, Timothy. *Collaboration: Japanese Agents and Local Elites in Wartime China.* Cambridge, MA: Harvard University Press, 2005.
Bush, Richard C. *Uncharted Strait: The Future of China-Taiwan Relations.* Washington, DC: Brookings Institution Press, 2013.
Cheung, Tai Ming, ed. *Forging China's Military Might: A New Framework for Assessing Innovation.* Baltimore: Johns Hopkins University Press, 2014.
Christensen, Thomas J. *The China Challenge: Shaping the Choices of a Rising Power.* New York: W. W. Norton & Company, 2015.
Chung, Jae Ho, ed. *Assessing China's Power.* New York: Palgrave Macmillan, 2015.
Cliff, Roger. *China's Military Power: Assessing Current and Future Capabilities.* Cambridge: Cambridge University Press, 2015.
Erickson, Andrew S. *Chinese Anti-Ship Ballistic Missile (ASBM) Development: Drivers, Trajectories and Strategic Implications.* Washington, DC: Jamestown Foundation, 2013.
———, ed. *Chinese Naval Shipbuilding: An Ambitious and Uncertain Course.* Annapolis, MD: Naval Institute Press, 2016.
Goldstein, Steven M. *China and Taiwan.* Cambridge: Polity Press, 2015.
Hui, Victoria Tin-bor. *War and State Formation in Ancient China and Early Modern Europe.* Cambridge: Cambridge University Press, 2005.
Johnston, Alastair Iain. *Cultural Realism: Strategic Culture and Grand Strategy in Chinese History.* Princeton, NJ: Princeton University Press, 1995.〔書評：日本国際政治学会『国際政治』

参考文献

私たちとしては、本書が中国についての決定的文献だなどと言うつもりはさらさらないし、読者諸氏の中には本書がカバーしたトピックだけでなく、その他の問題についても、もっと深くお知りになりたい方がおいでだろうと思う。ここには一般的な興味にも答えるような文献をリストアップした。しかしながら、興味深く新しい文献が今もあまりに多く出版されているため、このような固定した文献リストでは限界があると思う。そこで、本書が絶版にならないかぎり、フェアバンク・センターのウェブサイトに、本書の執筆者によるさらに専門的な文献も含め、生きた新しいリストを載せ、絶えずアップデートをはかっていくことにする（http://fairbank.fas.harvard.edu/china-questions/）。

＊訳者付記――邦訳のあるものは書誌情報を補った。複数の邦訳のある古典については、邦題を添えるのみとした。また、邦訳がない書籍でも日本語で書評が出ている場合は、参考のためその情報を加えた。

政治

Cheek, Timothy. *A Critical Introduction to Mao.* Cambridge: Cambridge University Press, 2010.

Elliott, Mark. "The Case of the Missing Indigene: Debate over the 'Second-Generation' Ethnic Policy." *The China Journal* 73 (January 2015): 1–28.

Fukuyama, Francis. "Reflections on Chinese Governance." *Journal of Chinese Governance* 1, no. 3 (September 2016): 379–391.

———. *The End of History and the Last Man.* New York: Simon and Schuster, 2006.〔『歴史の終わり』上・下、渡部昇一訳・解説、佐々木毅・新版解説、三笠書房、2020年〕

Leibold, James. *Ethnic Policy in China: Is Reform Inevitable?* Honolulu: East West Center, 2013.

———. *Reconfiguring Chinese Nationalism: How the Qing Frontier and Its Indigenes Became Chinese.* New York: Palgrave Macmillan, 2007.

Li, Cheng. *Chinese Politics in the Xi Jinping Era: Reassessing Collective Leadership.* Washington, DC: Brookings Institution Press, 2016.

Lu, Xiaobo. *Cadres and Corruption: The Organizational Involution of the Chinese Communist Party.* Stanford, CA: Stanford University Press, 2000.

MacFarquhar, Roderick, and Michael Schoenhals. *Mao's Last Revolution.* Cambridge, MA: Harvard University Press, 2008.〔『毛沢東　最後の革命』全2巻、朝倉和子訳、青灯社、2010年〕

Nathan, Andrew. "Authoritarian Resilience." *Journal of Democracy* 14, no. 1 (2003): 6–17.

Pantsov, Alexander V., and Steven I. Levine. *Mao: The Real Story.* New York: Simon and Schuster Paperback, 2012.

Pei, Minxin. *China's Crony Capitalism: The Dynamics of Regime Decay.* Cambridge, MA: Harvard University Press, 2016.

Perdue, Peter C. *China Marches West: The Qing Conquest of Central Eurasia.* Cambridge, MA: Harvard University Press, 2005.〔書評：『東洋学報』#88-3（2006年12月）、pp.40-48、小沼孝博「ピー

ヤ　行

ラ　行

ワ　行

マ 行

タ　行

サ　行

索　引

原書の索引に従って見出し語を立てた。中国の人名は
漢字の音読みで配列した。（訳者）

ア　行

カ　行

コナント・ユニバーシティ名誉教授。フルブライトおよびグッゲンハイム奨学金。アメリカ芸術科学アカデミーおよびアメリカ哲学学会会員。2005年にカーネギーメロン大学「傑出した業績」賞、2018年に［台湾の］「唐奨（中国学）」受賞。中国文学について十数冊の著書があり、近著、北宋の宋詞研究書 *Just a Song* は「スタニスラフ・ジュリアン」賞を受賞。中国語から英訳されたものを除き、すべての著作は中国語版が出版されている。

ポール・A・コーエン（Paul A. Cohen）　ウェルズリー単科大学名誉教授（ワッサーマン寄付講座）アジア学・歴史学。長年にわたりハーバード大学フェアバンク中国研究センター共同研究員。著書、*Discovering History in China: American Historical Writing on the Recent Chinese Past* (Columbia, 1984)［佐藤慎一訳『知の帝国主義――オリエンタリズムと中国像』平凡社テオリア叢書、1988］、*History in Three Keys: The Boxers as Event, Experience, and Myth* (Columbia, 1997)［吉澤誠一郎訳「出来事・体験・神話としての義和団」、東洋文庫『東洋学報』80-3］など。後者は1997年アメリカ歴史学会「ジョン・K・フェアバンク東アジア史」賞を受賞。著作は中国語、日本語、韓国語に訳されている。

Sung Dynasty Uses of the I-ching (Princeton University Press, 1990)。共編著、*Ways with Words* (University of California Press, 2000)。国際デジタルスカラーシップ・プロジェクト「中国の歴史地理情報システム」および「中国伝記データベース」座長。

李惠儀（り・けいぎ／ Wai-yee Li） ハーバード大学教授（1879 基金）中国文学。専門は明清文学、古代中国思想、歴史科学。近著、*Women and National Trauma in Late Imperial Chinese Literature* (Harvard University Press, 2014, AAS Levenson Prize, 2016)、Stephen Durrant & David Schaberg との共訳、*Zuozhuan / The Zuo Tradition*［春秋左氏伝］(University of Washington Press, 2016, Patrick D. Hanan Prize, 2018)、*Plum Shadows and Plank Bridge*［影梅庵憶語］*: Two Memoirs about Courtesans* (Columbia University Press, 2020)。Yuri Pines との共編、*Keywords in Chinese Culture* (Chinese University Press, 2020)、Stephen Durrant & David Schaberg との共著 *The Zuo Tradition / Zuozhuan Reader* (University of Washington Press, 2020)。

王德威（おう・とくい／ David Der-wei Wang） ハーバード大学教授（エドワード・C・ヘンダーソン寄付講座）中国文学・比較文学。専門は現代中国文学・華文文学、清末小説・戯曲、比較文学論。近著、*The Lyrical in Epic Time: Modern Chinese Intellectuals and Artists through the 1949 Crisis* (Columbia University Press, 2015)、*A New Literary History of Modern China* (Harvard University Press edition, 2017)、*Why Fiction Matters in Contemporary China* (Brandeis University Press, 2020)。

李潔（り・けつ／ Jie Li） ハーバード大学東アジア言語文明学部准教授（ジョン・L・ローブ寄付講座）ヒューマニティーズ。専門は現代中国文学、映画、メディア、文化史。著書、*Shanghai Homes: Palimpsests of Private Life* (2014)、*Utopian Ruins: A Memorial Museum of the Mao Era* (2020)。共編、*Red Legacies in China: Cultural Afterlives of the Communist Revolution* (2016)。現在、社会主義中国における映画の上映と受容についての新著 *Cinematic Guerrillas: Maoist Propaganda as a Spirit Medium* を企画中。これまで近代中国文学、満洲映画、現代中国のドキュメンタリー作品、ラジオと拡声器について論文を発表してきた。

田暁菲（でん・ぎょうひ／ Xiaofei Tian） ハーバード大学中国文学教授。英語と中国語の著書多数のうち、*Tao Yuanming*［陶淵明］*and Manuscript Culture* (University of Washington Press, 2005) は、学術書書評誌 *Choice*、2006 年の「傑出した学術書（Outstanding Academic Title)」賞に選ばれた。そのほかに、*Beacon Fire and Shooting Star: The Literary Culture of the Liang (502-557)* (2007)、*Visionary Journeys: Travel Writings from Early Medieval and Nineteenth-century China* (2011)。共編著、*The Oxford Handbook of Classical Chinese Literature (1000 BCE–900 CE)*（*Choice* 誌、2018 年の「傑出した学術書」賞）。編著、*The Poetry of Ruan Ji*［竹林の七賢の一人、阮籍］(2017)、*Reading Du Fu*［杜甫］*: Nine Views* (2020)。19 世紀太平天国の乱の回想録の翻訳 *The World of a Tiny Insect: A Memoir of the Taiping Rebellion and Its Aftermath* (2014) は、2016 年にアジア研究学会から第一回パトリック・D・ハナン翻訳賞を受賞。2009-2011 および 2016-2019、ハーバード大学東アジア地域スタディーズ座長。2019-2020、米国学術団体評議会（ACLS）のドナルド・J・マンロー・センテニアル・フェロー（中国文芸）。

スティーヴン・オーウェン（Stephen Owen） ハーバード大学ジェイムズ・ブライアント・

ジェイムズ・ロブソン（James Robson）　ハーバード大学東アジア言語文明学部教授（ジェイムズ・C・クラリックとユンリー・ルー寄付講座）、ハーバード大学（ヴィクター＆ウィリアム・フン）アジアセンター所長。専門は中国の仏教・道教史。著書、*Power of Place: The Religious Landscape of the Southern Sacred Peak in Medieval China* (Harvard University Asia Center, 2009)。編著、*Norton anthology of World Religions: Daoism* (W. W. Norton, 2015)。近刊に *The Daodejing*［道徳経］*: A Biography* (Princeton University Press, Lives of Great Religious Books Series) が予定されている。

レオナード・W・J・ファン・デル・クイジプ（Leonard W. J. van der Kuijp）　ハーバード大学教授、チベット・ヒマラヤ学。オランダ生れ、ハンブルク大学にてインド学、チベット学、中国学、哲学を学び、哲学博士号取得。ベルリン自由大学、シアトルのワシントン大学で教え、1995 年からハーバード大学。内陸アジアおよびアルタイ学プログラム座長。インド・チベット精神・文学史、元朝のチベット・モンゴル関係について多数の記事、著書、共著あり。その研究に対してマッカーサー奨学金、グッゲンハイム奨学金授与。

ウィリアム・P・アルフォード（William P. Alford）　ハーバード大学ロースクール教授（ジェローム・A とジョーン・L・コーエン寄付講座）東アジア法。東アジア法学部長、身体障害プロジェクト座長（2004 年の共同設立者）。

ウィリアム・C・カービー（William C. Kirby）　ハーバード大学教授（T・M・チャン寄付講座）中国研究、ハーバード・ビジネススクール教授（スパングラー・ファミリー寄付講座）経営管理、同スクール全学特別功労教授。ハーバード中国基金会長、ハーバード上海センター教授会長。ハーバード大学フェアバンク中国研究センター元所長、歴史学部長、芸術科学教授会長。現在のプロジェクトは、中国の流行発信ビジネスに関するケーススタディ、中国と欧米の高等教育に関する比較研究。

マイケル・プエット（Michael Puett）　ハーバード大学教授（ウォルター・C・クライン寄付講座）中国史・人類学。著書、*The Ambivalence of Creation: Debates Concerning Innovation and Artifice in Early China*、*To Become a God: Cosmology, Sacrifice, and Self-Divinization in Early China*。Adam Seligman, Robert Weller, Bennett Simon との共著、*Ritual and Its Consequences: An Essay on the Limits of Sincerity*。

ローワン・フラッド（Rowan Flad）　ハーバード大学人類学部教授（ジョン・E・ハドソン寄付講座）考古学。シカゴ大学とカリフォルニア大学ロサンゼルス校から学位。専門は中国の後期新石器時代と青銅器時代における複雑な社会の出現と発展。おもに四川省重慶や甘粛省で研究活動。本稿では、生産過程と技術の通時的変化、宗教活動と生産の相互交流、古代中国社会の動物利用、社会変化一般に伴うプロセスを統合させて論じた。

ピーター・K・ボル（Peter K. Bol）　ハーバード大学東アジア言語文明学部教授（チャールズ・H・カースウェル寄付講座）。専門は 7-17 世紀中国の国家・地方レベルの文化エリート精神史。著書、*"This Culture of Ours": Intellectual Transitions in T'ang and Sung China* (Stanford University Press, 1992)、*Neo-Confucianism in History* (Harvard University Press, 2008)。共 著、

メリカ合衆国通商代表部（知的財産担当）部長、世界銀行中国駐在事務所でエコノミスト、運用専門官として勤めた。

トニー・セイチ（Tony Saich）　ハーバード大学教授（テウ（大宇）寄付講座）国際関係論、「民主的ガヴァナンスとイノベーションのためのアッシュセンター」所長。著書、*Governance and Politics of China* (fourth edition, Palgrave, 2015)。Biliang Hu との共著、*Chinese Village, Global Market* (Palgrave, 2012)。現在は中国農村の発展モデル、中国共産党の起源についての新史を研究中。

ナーラ・ディロン（Nara Dillon）　ハーバード大学政治学部・東アジア言語文明学部講師。著書、*Radical Inequalities: China's Revolutionary Welfare State in Comparative Perspective* (Harvard University Press, 2015)。中国政治および比較政治学を専門とする政治学者。現在の研究テーマは開発途上国の福祉、とくに食糧計画と補助金問題。

マイケル・B・マカロイ（Michael B. McElroy）　ハーバード大学教授（ギルバート・バトラー寄付講座）環境学。専門は人間の活動に影響する大気の組成変化、大気と海洋の化学構造、惑星大気の進化、地球の炭素循環。中国やインドのような発展途上国において急激な産業化から引き起こされる公共政策の課題、アメリカのような成熟経済における持続可能な発展のための政策にも取り組む。350点以上の技術論文、環境・エネルギー・気候変動に関係した多数の著書がある。

カレン・ソーンバー（Karen Thornber）　ハーバード大学東アジア言語文明学部教授（ハリー・タックマン・レヴィン寄付講座）文学。同大学ライシャワー日本研究所所長代行。それ以前は同大学（ヴィクター & ウィリアム・フン）アジアセンター所長を務めた。著書、*Empire of Texts in Motion: Chinese, Korean, and Taiwanese Transculturations of Japanese Literature* (Harvard, 2009)、*Ecoambiguity: Environmental Crises and East Asian Literatures* (Michigan, 2012) の2冊はいずれも国際的な賞を受賞している。ほかに *Global Healing: Literature, Advocacy, Care* (Brill, 2020)、*Gender Justice and Contemporary Asian Literatures*（予備契約）、（共）編著数点、70以上の出版済み学術記事があり、日本の原爆文学の翻訳が賞を受賞している。

スーザン・グリーンハルジュ（Susan Greenhalgh）　ハーバード大学人類学部教授（ジョン・キングとウィルマ・キャノン・フェアバンク寄付講座）中国社会学。著書、*Just One Child: Science and Policy in Deng's China* (University of California, 2008)、*Cultivating Global Citizens: Population in the Rise of China* (Harvard University Press, 2010)、Edwin A. Winckler との共著で *Governing China's Population: From Leninist to Neoliberal Biopolitics* (Stanford University Press, 2005)。編著、Li Zhang との共編で *Can Science and Technology Save China?* (Cornell, 2019)。現在は21世紀の科学と統治をめぐる問題としての公衆衛生の出現、および中国の科学構築と政策策定に果たす外国企業の役割について研究中。

アーサー・クラインマン（Arthur Kleinman）　ハーバード大学総合科学部人類学科教授（エスターとシドニー・ラーブ寄付講座）人類学、同大学メディカルスクール国際医療・社会医学部医療人類学教授、精神医学教授。2008-2016年、ハーバード大学アジアセンター（ヴィクターとウィリアム・フン）所長。1978年から中国で研究している。

2008)。

スティーヴン・M・ゴールドスタイン（Steven M. Goldstein）　台湾研究ワークショップ所長、ハーバード大学フェアバンク中国研究センター共同研究員。1968-2016年、スミス単科大学政治学部に所属したほか、フレッチャー法律外交大学院、コロンビア大学、米国海軍大学などで非常勤講師を務めた。著作分野は中国の国内・外交政策、中台両岸関係に集中し、近著に *China and Taiwan* (Polity Press, 2015) がある。

エズラ・F・ヴォーゲル（Ezra F. Vogel）　ハーバード大学名誉教授（ヘンリー・フォード二世寄付講座）社会科学。ジョン・フェアバンク東アジア研究センター所長のもとで副所長をつとめたのち、同センター二代目所長となる。東アジア国家情報会議諜報員、フェアバンク中国研究センター所長、アジアセンター設立所長。著書、*Japan's New Middle Class* (University of California Press, 1971)［佐々木徹郎訳『日本の新中間階級――サラリーマンとその家族』誠信書房、1968］、*Japan as Number One* (Harvard University Press, 1979)［弘中和歌子・木本彰子訳『ジャパン・アズ・ナンバーワン――アメリカへの教訓』TBSブリタニカ、1979／阪急コミュニケーションズ、新版2004］、*Canton Under Communism* (Harvard University Press, 1969)、*The Four Little Dragons* (Harvard University Press, 1991)［渡辺利夫訳『アジア四小龍――いかにして今日を築いたか』中公新書、1993］、*One Step Ahead in China* (Harvard University Press, 1989)［中嶋嶺雄訳『中国の実験――改革下の広東』日本経済新聞社、1991］、*Deng Xiaoping and the Transformation of China* (Belknap Press of Harvard University Press, 2011)［益尾知佐子・杉本孝訳『現代中国の父・鄧小平』日本経済新聞社、2013］。編著、*Living with China* (W. W. Norton, 1997)。近著、*China and Japan: Facing History* (Harvard University Press, 2019)［益尾知佐子訳『日中関係史――1500年の交流から読むアジアの未来』日本経済新聞社、2019］。［2020年12月逝去］。

リチャード・N・クーパー（Richard N. Cooper）　ハーバード大学教授（モーリツ・C・ボアズ寄付講座）国際経済。グローバル開発ネットワーク前副座長、国家情報会議議長、ボストン連邦準備銀行会長。国務省経済担当次官、イェール大学教授・プロヴォスト。

ドワイト・H・パーキンズ（Dwight H. Perkins）　ハーバード大学名誉教授（ハロルド・ヒッチングズ・バーバンク寄付講座）政治経済学。これまでハーバード大学では東アジア研究センター（現在はフェアバンク中国研究センター）副所長、経済学部長、国際開発研究所長、アジアセンター所長を務めた。中国その他アジアの開発途上経済の歴史、発展史について26冊の著書・共著・編著、100以上の論文がある。氏の中国研究と著作は1960年代初期から今日まで続いている。

メグ・リスマイア（Meg Rithmire）　ハーバード・ビジネススクール准教授（F・ウォーレン・マクファリアン寄付講座）。中国の都市化と財産権についての著書、*Land Bargains and Chinese Capitalism* (Cambridge University Press, 2015)。

伍人英（Mark Wu）　ハーバード大学ロースクール教授（ヘンリー・L・スティムソン寄付講座）法学。「バークマン・クライン・インターネットと社会センター」共同学部長、大学院プログラムと国際法学研究副部長、WTOチェアーズ・プログラム諮問委員。ア

China (Princeton University Press, 2017)。

アルナブ・ゴーシュ（Arunabh Ghosh）　ハーバード大学准教授、近代中国史。専門は 20 世紀中国の社会史・経済史・環境史、国境を超えた科学史・政治史。著書、*Making it Count: Statistics and Statecraft in the early People's Republic of China* (Princeton University, 2020)。現在は、20 世紀中国の小規模水力発電の歴史、および近代の中印科学関係史を研究中。これまで *BJHS Themes*［*British Journal for the History of Science*、英国科学史学会のジャーナル、ケンブリッジ大学出版局発行］、*EASTS, The PRC History Review*［アメリカのオンライン歴史ジャーナル］、*The Journal of Asian Studies*［アジア学会のジャーナル、ケンブリッジ大学出版局発行］などに論文を発表してきた。コロンビア大学で歴史学博士号取得。

王裕華（おう・ゆうか／ Yuhua Wang）　ハーバード大学准教授（フレデリック・S・ダンツィガー寄付講座）行政学。専門は中国の国家機関と国有企業の関係。著書、*Trying the Autocrat's Hands: The Rise of the Rule of Law in China* (Cambridge University Press, 2015)。北京大学から学士号と修士号、ミシガン大学から政治学博士号取得。

オッド・アルネ・ウェスタッド（Odd Arne Westad）　イェール大学教授（イライヒュー寄付講座）史学・国際関係論。著書、*The Global Cold War* (Cambridge University Press, 2007)［佐々木雄太・小川浩之・益田実訳『グローバル冷戦史——第三世界への介入と現代世界の形成』名古屋大学出版会、2010］はバンクロフト賞受賞、中国内戦史 *Decisive Encounters* (Stanford University Press, 2003)。共編著、*Cambridge History of the Cold War* (Cambridge University Press, 2010) 全 3 巻。近著、*The Cold War: A World History* (Basic Books, 2017)［益田実・山本健・小川浩之訳『冷戦——ワールドヒストリー』岩波書店、2020］。近刊予定、*Empire and Righteous Nation: 600 Years of China-Korea Relations* (Harvard University Press, 2021)。

アンドリュー・S・エリクソン（Andrew S. Erickson）　米海軍大学教授・戦略学、同大学中国海洋研究所（CMSI）創立メンバー。同研究所の発足に刺激されて創設されたその他の研究機関に助言と支援を与えている。中国宇宙航空研究所共同研究員。2008 年からハーバード大学フェアバンク中国研究センターの共同研究員であり、現在は同センター客員研究員。2013 年、太平洋上で行なわれた米海軍大学院地域安全保障教育プログラムで学者として米海軍旗艦空母ニミッツに乗り組み、インド太平洋安全保障問題について 25 時間の連続講義を行なった。プリンストン大学にて博士号取得。中国研究ウェブサイト（www.andrewerickson.com）を主宰。

ロバート・S・ロス（Robert S. Ross）　ボストン大学政治学教授、ハーバード大学フェアバンク中国研究センター共同研究員。専門は東アジアの安全保障問題における中国の武力行使、中国の役割など、中国の安全保障政策。近著、*Strategic Adjustment and the Rise of China: Power and Politics in East Asia* (Cornell University Press, 2017)。

アラステア・イアン・ジョンストン（Alastair Iain Johnston）　ハーバード大学教授（ジェイムズ・アルバート・ノウ知事とリンダ・ノウ・レイン寄付講座）国際関係と中国。著書、*Cultural Realism: Strategic Culture and Grand Strategy in Chinese History* (Princeton University Press, 1995)、*Social States: China in International Institutions, 1980-2000* (Princeton University Press,

執筆者一覧（登場順）

マイケル・ソーニ　→編者紹介参照

エリザベス・J・ペリー（Elizabeth J. Perry）　ハーバード大学教授（ヘンリー・ロソヴスキ寄付講座）行政学、燕京研究所長。アジア研究学会前会長、ハーバード大学フェアバンク中国研究センター元所長、アメリカ芸術科学アカデミーおよび英国王立アカデミーのフェロー。専門は中国革命史と現代中国政治に及ぼすその影響。近著、*Anyuan*［安源］*: Mining China's Revolutionary Tradition* (University of California Press, 2012)、*Beyond Regimes: China and India Compared* (Harvard 2018)、*Ruling by Other Means: State-Mobilized Movements* (Cambridge 2020)。

ジョゼフ・フュースミス（Joseph Fewsmith）　ボストン大学パーディー・スクール・オブ・グローバル・スタディーズ教授、国際関係学・政治学。８冊の著書・編著があり、近作としては *The Logic and Limits of Political Reform in China* (Cambridge University Press, 2013) のほか、*China since Tiananmen* (Cambridge University Press, second edition, 2008)。編著、*China Today, China Tomorrow* (Rowman & Littlefield, 2010)。2004-2015 年、中国の現状分析旬刊ウェブ誌 *China Leadership Monitor* の７人のレギュラー寄稿者の一人。ハーバード大学フェアバンク中国研究センター共同研究員として頻繁にアジア訪問。

ロデリック・マクファーカー（Roderick Macfarquhar）　ハーバード大学フェアバンク東アジア研究センター特任教授（ルロイ・B・ウィリアムズ寄付講座）史学・政治学、同センター元所長。著書、*The Hundred Flowers Campaign and the Chinese Intellectuals* (Praeger, 1966)、*China under Mao* (MIT Press, 1966)、*Sino-American Relations, 1949-1971* (Praeger, 1972)、*The Secret Speeches of Chairman Mao* (Harvard University Press, 1989)、*The Origins of the Cultural Revolution* (Columbia University Press, 1999)。共著、*Mao's Last Revolution* (Belknap Press of Harvard University Press, 2006)［朝倉和子訳『毛沢東最後の革命』青灯社、2007］。学術雑誌 *The China Quarterly* の共同創設者。コロンビア大学ウィルソン・センター［研究者のためのウッドロウ・ウィルソン国際センター］、王立国際問題研究所研究員、またジャーナリスト、テレビ・コメンテーター、英国下院議員。［2020 年３月逝去］。

マーク・エリオット（Mark Elliott）　ハーバード大学東アジア言語文明学部・歴史学部教授（マーク・シュワルツ寄付講座）中国史・内陸アジア史。フェアバンク中国研究センター前所長。現在はハーバード大学国際関係副プロヴォスト。1600 年以後の中国および辺境遊牧民関係史の権威で、中国最後の王朝国家・清に内陸アジアの伝統が残した刻印を強調する「新清史」の先駆者として知られる。

雷雅雯（らい・がぶん／ Ya-wen Lei）　ハーバード大学社会学部准教授。イェール大学ロースクールにて法学と社会学を学び、同校から法学博士号、ミシガン大学から社会学博士号取得。2013 年にミシガン大学卒業後、2013-2016 年、ハーバード大学フェロー協会ジュニア・フェロー。著書、*The Contentious Public Sphere: Law, Media and Authoritarian Rule in*

編者紹介

ジェニファー・ルドルフ（Jennifer Rudolph） ウースター工科大学チャイナ・ハブ所長、教授、歴史学・国際関係論。ハーバード中国基金、およびハーバード大学フェアバンク中国研究センター前事務局長。現在もフェアバンク・センター共同研究員。著書、*Negotiated Power in Late Imperial China: The Zongli Yamen and the Politics of Reform* (Cornell University East Asia Program, 2008)。STEM（科学・技術・工学・数学）教育と中国研究の統合を目指している。現在の研究テーマは、台湾海峡両岸における台湾の政治的アイデンティティ。

マイケル・ソーニ（Michael Szonyi） ハーバード大学フェアバンク中国研究センター所長、教授（フランク・ウェンシュン・ウー寄付講座）中国史。専門は明朝史および20世紀中国史。著書、*The Art of Being Governed: Everyday Politics in Late Imperial China* (Princeton, 2018; Chinese edition Gingko Press, 2019)、*A Companion to Chinese History* (Wiley Blackwell, 2017)、*Cold War Island: Quemoy on the Front Line* (Cambridge, 2008)。近刊予定、Shiyu Zhaoとの共編著、*The Chinese Empire in Local Society*。

訳者紹介

朝倉和子（あさくら・かずこ）

翻訳家（SWET会員）、ピアニスト。
訳書　リン・パン『華人の歴史』（1995）、ティモシー・モー『香港の起源』2（2001）（片柳和子として、いずれもみすず書房）、ブラッドレー・マーティン『北朝鮮　「偉大な愛」の幻』（全2巻、青灯社、2007年。アジア・太平洋賞特別賞受賞）、チャールズ・ローゼン『ピアノ・ノート――演奏家と聴き手のために』（2009）同『音楽と感情』（2011）（いずれもみすず書房）、ロデリック・マクファーカー／マイケル・シェーンハルス『毛沢東　最後の革命』（全2巻、青灯社、2010年）、J・K・ザヴォドニー『消えた将校たち』（共訳、みすず書房、2012年）、『澁澤栄一伝記資料』（全巻英訳事業、澁澤栄一記念財団、2013-15年）、アレックス・カー『もうひとつの京都』（世界文化社、2016）など。

中国の何が問題か？――ハーバードの眼でみると

2021年2月28日　初版第1刷発行©

訳　者　朝倉和子
発行者　藤原良雄
発行所　株式会社　藤原書店

〒162-0041　東京都新宿区早稲田鶴巻町523
電　話　03（5272）0301
FAX　03（5272）0450
振　替　00160-4-17013
info@fujiwara-shoten.co.jp

印刷・製本　中央精版印刷

落丁本・乱丁本はお取替えいたします
定価はカバーに表示してあります

Printed in Japan
ISBN978-4-86578-296-7